Rowohlts Klassiker der
Literatur und der
Wissenschaft

Herausgegeben von
Ernesto Grassi
unter Mitarbeit von
Walter Hess

Deutsche Literatur
Band 39

TEXTE DEUTSCHER LITERATUR 1500–1800

HERAUSGEGEBEN VON KARL OTTO CONRADY

Der vorliegende Band ist Bestandteil einer in ‹Rowohlts Klassikern› erscheinenden Reihe, die für Studenten der Germanistik, für Schüler sowie für alle Freunde deutscher Literatur herausgegeben wird. Sie macht Texte aus der Zeit von 1500–1800 einem breiten Leserkreis zugänglich und vermittelt Einblicke in den Ablauf der Literaturgeschichte.

Für den Studenten entsteht aus dieser Sammlung eine preiswerte Handbibliothek. Sie bietet ihm auch Texte, die mitunter in Bibliotheken schwer erhältlich sind. Autoren, deren Gesamtwerk bereits in Taschenbuch-Ausgaben vorliegt, werden fast ausnahmslos nicht aufgenommen.

Der Edition sind nach Möglichkeit Drucke der Zeit zugrunde gelegt, die kritisch durchgesehen worden sind. Über die Textgestaltung wird in jedem Band Rechenschaft gegeben. Wenn aus einem umfangreichen Werk nur eine Auswahl geboten wird, sind Auslassungen gekennzeichnet, und die Lesbarkeit ist durch eingefügte Erläuterungen des Herausgebers gewährleistet. Jedem Band ist ein Anhang beigegeben, der auch über die wichtigste Sekundärliteratur informiert.

Lyrik des Barock

II

Herausgegeben
von Marian Szyrocki

ROWOHLT

Redaktion: Curt Grützmacher / Sybille Claus, München
Umschlagentwurf Werner Rebhuhn
unter Verwendung des allegorischen Frontispiz von C. N. Schultz
in der Ausgabe «Andreas Gryphius, Teutsche Gedichte», 1698

Veröffentlicht im Rowohlt Taschenbuch Verlag GmbH,
Reinbek bei Hamburg, November 1971
© Rowohlt Taschenbuch Verlag GmbH, Reinbek bei Hamburg, 1971
Alle Rechte an dieser Ausgabe vorbehalten
Gesetzt aus der Linotype-Aldus-Buchschrift
und der Palatino (D. Stempel AG)
Gesamtherstellung Clausen & Bosse, Leck/Schleswig
Printed in Germany
ISBN 3 499 45539 0

X

CATHARINA REGINA VON GREIFFENBERG

Auf die Frölich- und Herrliche
Auferstehung Christi.

ENgel! blaset die Trompeten! Seraphinen / singt und klingt /
Jubil-Jubil-Jubiliret / hoch-erfreuter Himmel-Chor!
Sonn' und Sterne / glänzt und danzet eurem Triumphirer vor!
Berg' und Hügel / Fels und Thürne / auch in frohen Jauchzen springt!
  ihr für alls beglückte Menschen / weil es euch zu Heil gelingt /
Lobet / Preiset / Ehret / Danket / und erhebet hoch empor
den / der sich und euch erhebet aus des Todts ins Himmels Chor.
Dann die Paradeisisch' Vnschuld / sein' Erstehung / euch mitbringt.
  Solte wol die Sünden-Macht dessen Allmacht überstreben /
der die selbst Vnendlichkeit? nein sie muß sich ganz ergeben:
sein verdienstes-Meer kan löschen / nicht nur Fünklein / ganze Feur.
  Ach der lang verlangt' Erlöser tödtet alle ungeheur.
Was will Welt / Tod! Teuffel / Höll / einem Christen abgewinnen?
die sind ganz verstört / verheert: Dieser herrscht im Himmel drinnen.

Auf die / den Weibern offenbarte /
Auferstehung.

NJcht / der im Adler Thron der Scepterführer ist /
nicht stolze Helden auch / noch Sternen-Hochgelehrte /
auch Weiße Greißen nicht / noch Geistlich-Höchstgeehrte /
sind zu der hohen Ehr / der Vrständ fast erkiest.
  Den schwachen Weibern du erschienen bist / HErr Christ!
der Himmel diese Gnad nur unserm Volck bescher /
daß es die Wunder-That mit Lob und Ruhm vermehr /
erwählend reine Treu / vor arge Weißheit-List.
  Weil unsre Einfalt dir / O Weißheit-Brunn / gefallen:
so laß aus meinem Mund dein Sieges-Lob erschallen.
GOtt / Mensch / Liecht / Leben / Heil / kurz / alles gut ersteht.
  Das ganze Himmel-Reich aus diesem Grab hergeht.
GOtt / sein vereintes Seyn in seinem Tod belebet
auf Himmels Heimlichkeit / und herrlich / jetzt erhebet.

Auf das neue widerwärtige Glück.

WJlstu mir / O Glück / aufs neue widersetzen?
der Anfang ist schon recht / auf alte Feindsal-Weiß.
denkst zu besiegen mich? es ist umsonst dein Fleiß.
die Tugend läst sich / auch gedrucket / nicht verletzen!
  Wann deiner qualen Heer die Degen auf sie wetzen /

wann du mich schon umgiebst mit engem Aengsten-Kreiß:
will Tugend-tapffer ich erhalten doch den Preiß.
Ein schwer-erlangter Sieg kan doppelt-hoch ergetzen.

Vergieß' ich weises Blut; die Thränen trennen nicht
vom Tugend-Rennen ab / sie seynd vielmehr die Sporen /
dadurch ein traurigs Aug das Helden-Herz ansticht.

Sie werden zu Entsatz der Herzen-Bürd / gebohren /
das so entlastet dann viel mehr mit Ehr verricht.
Bekriegst mich auf das neu / so hast aufs neu verlohren.

GOtt-lobende Frülings-Lust!

FRüling / ein Vorbild vom ewigen Leben /
Spiegel der Jugend / der Freuden Gezelt /
Jährlich-verjüngeter Fönix der Welt /
Athem der Musen / der Huldinnen Weben /
    Wonne so alle Ergetzung kan geben /
Goldschmid der Wiesen / und Mahler im Feld /
Kleinod / das niemand erkauffet mit Gelt /
frischer der vieler Herz-frischenden Reben!
    sey mir willkommen / ausländischer Gast /
Freuden-Freund / Glückes-Wirt / Diener der Liebe!
sey nur mit Blumen und Blättern gefast /
    deine hieherkunfft nicht länger verschiebe!
alle verlangbare Schätze du hast.
Dir ich die Krone der Lieblichkeit giebe.

GOtt-lobende Frülings-Lust.

DAs schöne Blumen-Heer / geht widerum zu Feld /
um Ruch und Farben-Pracht recht in die Welt zu streiten:
des Laubes Lorbeer-sträuch bekränzen's aller seiten.
Dryaden schlagen auf die kühlen Schatten-Zelt.
    Es ist mit Lieblichkeit verguldet alle Welt.
Die Freuden-Geister sich ganz in die Lufft ausbreiten.
Die Welt-regierend Krafft / will alls in Freud verleiten.
Die süsse Himmels-Füll sich etwas Erdwerts hält:
    Es weist die Ewigkeit ein Fünklein ihrer Schöne /
ein Tröpflein ihres Saffts / ein Stäublein ihrer Zier.
Dis lieblich kosten macht / daß ich mich erst recht sehne /
    und lechz mit dürrer Zung' / und heisser Gier nach ihr.
O Früling / Spiegel-Quell / du netzest und ergetzest /
aus Erd in Himmel-Lust die Seele schnell versetzest.

Widertritt.

1.

VNglück ist mein täglichs Brod:
Ach was Freuden-Hungers-Noht:
lieber litt' ich Hungers-Noht /
Als ich iß solch täglich Brod.

2.

Täglich stürmen auf mich ein /
Boßheit / Unlust / einsam-Pein:
doch versüsst die einsam-Pein /
was mir gibt der Himmel ein.

3.

Offt treibt mir / das Ungelück /
alle Lust und Freud zurück:
doch treibt wider offt zurück /
Herz und Muht / das Ungelück.

4.

Wann ich so viel leiden muß /
ist mir Tugend offt ein Buß:
leid doch willig solche Buß /
die mich letzlich krönen muß.

5.

Jch lig' / als ein Tugend-Held /
mit der Boßheit offt zu Feld /
wann ich dann behalt das Feld /
krönt sie mich als einen Held.

6.

Jn dem sauren Unglücks-Meer /
wird mir offt das Schiffen schwer:
Jch stürz mich / wird mir's zu schwer /
aus in GOttes Gnaden-Meer.

7.

Wann die Trübsal-Wolken sehn /
ob sie wolten nider gehn:
kan ein Freuden-Sonn' aufgehn /
wann wir schon kein Anzeig sehn.

8.

Wann mir wanket Muht und Herz /
und mich brennt die Kummer-Kerz:
kan mir doch / die Geistes Kerz'
Krafft-anflammen Muht und Herz.

Auf das widerwärtige Unglück.

1.

ACh du feindseeliges Unglück!
bliebstu doch nur ein mal zurück!
wilst unaufhörlich mich begleiten?
ich reiß hinab / ich zieh' herauf /
so verunlustigst meinen Lauff /
bist mir verdrüßlich auf der Seiten.
Ach backe dich / du nimmer-froh /
quäl mich nicht alleweil also!

2.

Geschworne Feindin meiner Ruh /
Gesundheit / Ehr' und Freud dazu!
du Feindseeliger Tugend-Schatten!
du Höll-verfluchtes Weißheit-Gifft /
das tausend Widerstand anstifft!
wie kan sich Liecht mit Dunklen gatten?
die Tugend ist ein Demant-Stein /
muß Unglück-schwarz umschmelzet seyn.

3.

Verdunklerin der hellen Sonn /
verleiterin der Freud und Wonn /
die keusche Weißheit pflegt zu geben!
du Gall im Zucker-süssen Safft /
den schöne Wissenschafft verschafft!
du Tod dem Tugend-Helden-Leben!
und wär dirs noch ein Höllen-Pein /
muß Tugend doch geliebet seyn!

4.

Der schönen Jugend böse Pest /
die Thränen / Mark und Blut auspresst!
du Schwindsucht aller Schönheit Gabē!
du Fieber stäter Furcht und Angst!
du Thier / daß du mich nicht vorlangst
hast in das todten-Reich begraben?
du Seuffz- und Thränen-Wassersucht!
ach nimm doch nur einmal die Flucht!

5.

Bin ich denn dein erwählter Zweck /
daß du so gar nit wilt hinwegk?
hast zu dein Quäl-Ziel mich erkohren?
so sey dir offner Krieg und Streit
und Muhts-Unüberwindlichkeit!
bey mir hinfüro stäts geschworen.
die Tugend / wann ich recht betracht /
im Unglück sich recht glänzend macht.

6.

Kein *Hercules* ist / der nicht schlägt
der Hydren Köpff' / und sie erlegt.
die Unthier seyn darum auf Erden /
daß Tugend / Stärk und Dapfferkeit /
nach Sieg-geendtem Helden-Streit /
in aller Welt gepriesen werden.
Also verhoff' ich / mit der weil /
von dir / Unglück / ein Ehren-Seul.

Die wider erholete Schwermütigkeit.

1.

AUF / auf / geängstes Herze!
die trübe Wolk verschwindt gemach.
der Rauch / der Jrdisch Schmerze /
wird auch zertriben nach und nach.
Der Nebel vieler Plagen /
bereit sich aufwerts schwingt:
daß er nach wenig Tagen
den Gnaden-Regen bringt.
Laß deinen Unmut fahren:
du bist ein Himmels-Kind.
Der Höchst wird ja bewahren /
die gänzlich ihm ergeben sind.

2.

Frisch auf! nimm Adlers-Augen /
schau in die Sonn / die ewig Freud:
es würd dir dieses taugen /
zu dulten hier viel Traurigkeit.
des Himmels Vorschmack / machet
ein all-erleidends Herz /
das alle Noht verlachet /
hält Sterben nur vor Scherz.
Ach wer mit den Gedanken /
wie in dem Meer der Fisch /
im Himmel wär ohn wanken:
wie wär er Heilig / froh und frisch.

3.

Der HErr / sey deine Stärke;
der Glaube / sey dein Schild und Sieg;
damit des Satans Werke
und aller Laster schwerer Krieg
in dir zerstöret werden /
und nichts als Geistes-Ruh /
auch auf der eitlen Erden
bey dir sich finden thu.

Es fahren die verlangen /
wie Feuer / über sich:
auf daß / wann alls vergangen /
du werdst erhalten ewiglich.

4.

Erhalt' in Friedens-Gränzen
den Geist / wann alles wütt und tobt.
Laß Ruh und Fromheit glänzen:
wirds schon von allen nicht gelobt.
Verachtung ganz verachten /
dem schmeicheln taube seyn /
nach schnödem Geld nicht trachten /
vermeiden Hoffart-Schein /
sich mit sich selbst vergnügen /
in Armut bleiben Reich:
das heist die Welt besiegen /
und selten finden seines gleich.

HErr / warum trittestu so ferne? etc.

Ps. 10. v. 1.

Antwort.

DAß ich meine Christen probe / ob sie gute Schiffer sind /
so / bey Stürmen / sauß- und brausen / fahren wie bey gutem Wind /
daß der Hochmut-Segel fall / und die Hände sich erheben:
daß man in der Todes-Noht Geistlich recht beginn zu leben:
Ja / daß man verlangen trage nach des Himmels festen Land:
meinstheils aber / daß mein' Allmacht / Güt und Hülffe werd erkandt.

Uber den Spruch Christi:
Friede sey mit euch!

1.

GOttes Fried' ist euch gegeben:
nehmet ihn mit Freuden an.
wisset / daß allein er kan
geben ein vergnügtes Leben.
mit dem edlen Seelen-Fried /
er uns alles theilet mit.

2.

Frölich in gemeinen Plagen /
muhtig in der grösten Noht /
ja getrost auch in dem tod /
glücklich in den bösen Tagen!
wen der Himmels-Fried' ergetzt /
der ist stäts in Freud versetzt.

3.

Ungewitter / Hagel / Regen /
Winde / Blitz' und Donnerstrahl /
Wellen / und Erdbeben-Knall /
können diesen nicht bewegen /
der in GOttes Frieden lebt /
über alles ist erhebt.

4.

Er kan kecklich alls verlachen /
was die eitle Welt beginnt:
er viel anderst ist gesinnt.
Er läst nur den Himmel machen.
geh' es übel oder wol:
sein Herz ist doch Trostes-voll.

5.

Jn dem Krieg ist er mit Frieden;
in der Armut / gleichwol reich;
Tod und Leben gilt ihm gleich:
wann er nur ist ungeschieden
von des höchsten Fried' und Freud /
die ihn tröstet allezeit.

6.

Ach die Edle Ruh der Seelen /
allen Mangel reich ersetzt:
ja in Leid vielmehr ergetzt:
seelig / wer sie pflegt zu wählen!
alles in der Welt vergeht:
nur der Seelen Ruh besteht.

7.

Wahres Ende der verlangen /
einigs Ziel und höchstes Gut!
bleibe stäts in meinem Muht /
lasse mich mit dir nur prangen /
Hilff / daß ich die Welt besieg' /
und mich stäts mit dir vergnüg'.

Frülings-Lied.

1.

SChönester Früling / Lustliebliches Wesen /
König der Zeiten vom Höchsten erlesen /
Mahler der neulich-beschneyeten Wiesen /
Haucher des holden Süß-Blumichten Biesen!

2.

Neue Besafftung die Bäume nun kriegen /
alle zu grünen und blühen sich fügen /
Höchster! wollst Geistes-Safft mildlich mir gebē /
grünend und blühend in Tugend zu leben.

3.

Offtmals die Blüten den Blättern vorkommen.
Eh man noch einige Hoffnung genommen /
blühet offt GOttes Gnad völlig in Werken.
Alles gelinget / was dieser will stärken.

4.

Rosen und Lilien / bunte Tulpanen /
schwingen des Frülings Lustsiegende Fahnen.
Dieses / was pflichtig man ihnen muß schweren /
zielet dem Höchsten in ihnen zu ehren.

5.

Jedliches Blätlein der Wälder und Wiesen
zeiget uns / wie sich bespieglet in diesen
Göttlicher Weißheit vielständiges Wesen:
überall können ihr' Allmacht wir lesen.

Uber die Nachtigal.

1.

Hört der holden Nachtigall
　　　　süssen Schall /
durch den Busch erschallen:
sie will / durch ein Kling-Gedicht /
　　　　ihre Pflicht
ihrem Schöpffer zahlen.

2.

Jn dem weiß-geschmälzten Zelt
　　　　aller Welt /
seinen Ruhm sie singet:
dahin zielt ihr Müh' und Fleiß /
　　　　daß sein Preiß
hell von ihr erklinget.

3.

Dir / dir / dir / O höchster Hort /
　　　　ohne Wort
pfleg' ich Dank zu geben:
ohne End ist mein Begehr /
　　　　deine Ehr'
äusserst zu erheben.

4.

Jede Feder fordert Lob /
　　　　ist ein Prob
deiner milden Güte.
Gib/ so offt ich sie aufschwing /
　　　　daß erkling
Dank aus dem Gemüte.

5.
Jedes Würmlein / das ich iss /
　　　　　ist gewiß
deiner Schickung Gabe.
Nimm / Erhalter / vor die Speiß /
　　　　　diesen Preiß /
und mich ferner labe!

6.
Dir sey Lob vor diesen Ast /
　　　　　wo ich rast:
doch nit / dich zu loben.
Nein! dein Ruhm wird für und für /
　　　　　dort und hier /
hoch von mir erhoben.

7.
Du hast / schöne Singerin /
　　　　　meinen Sinn
auch in was ermundert.
Nur von GOttes Gnad sing ich /
　　　　　weil ich mich
ganz in sie verwundert.

ANNA OWENA HOYERS

F.
D.
VV.
F. D. VV. V. VV. D. F.
VV.
D.
F.

Fliehet Die VVelt Vnd VVollust Des Fleisches /
Bittet den Herrn umb ein reines / keusches /
Jhm wolgefälligs / Christliches Leben /
So wird Er es euch gewißlich geben;
Auch was sonst mehr nötig ist darneben.

*

Dominus sustentavit me,
Der Herr hat mich erhalten.
Sein gnädig hülff ich täglich seh;
Jhn will ich lassen walten.
Jn Jhn ich fest gegründet steh' /
Sein Reich zukomb / sein will gescheh /
Jn Jungen und in Alten.

Annæ Ovenæ Hoijers Rath /

Den sie auß gutem hertzen hat
Allen Alten Wittwen gegeben /
Darnach zuleben;
Vber diese die widerstreben /
Wird unglück schweben /
Diß mercket eben.

Gestellt im Jahr:

ALte WeIber soLLen nICht HoChzeIt haLten /
Tantzen oDer sprIngen / sonDern In Ihrer ReI-
nIgkeIt / IVnge Frawen zVerbawen / Ihre zeIt zV
Gottes Lob / fröLICh In gVter rVhe zVbrIngen.

A.
A. B. A.
A.

Alte Bleib Allein /
Stell das Tantzen ein /
Laß die Männer seyn /
Hüte dich fürs Freyn /
So du wilt gedeyn.
Halt dich still und rein;
Acht den Rath nicht klein /
Gut mit dir ichs meyn.

*

Jhr Alten Weiber höret her;
Was ich euch rath / nemt an die Lehr /
Begehret keine Männer mehr /
Sonst stürtzet ihr euch in beschwer /
Vnd wird euch endlich rewen sehr.

*

EJn Wittwe Alt von Jahren
Soll sich nicht wider pahren /
Vnd im Ehelichen leben /
Beym Mann mehr wider geben;
Sondern in Einsamkeit
Zubringen ihre zeit /
Vnd in der furcht des Herren /
Nach *Sanct Pauli* begehren /
Die Junge Frawen lehren /
Jhre Ehe-Männer ehren /
Kinder erziehn und nehren /
Des hauses wolfart mehren /

Desselben schaden wehren /
Alles zum besten kehren.
So wird Gott gnad bescheren.
Das wünsch trewlich /
Von hertzen ich.

Liedlein von den Gelt-liebenden Welt-Freunden.

Jm thon des 130 Psalms.
Zu dir von Hertzen grunde / etc.

1.

GEldt und Welt-Freund vertrawen /
Jst wie auff sandich grund /
Ein hohes Schloß zu bawen /
Exempel machens kund /
Das sie sehr unbeständig /
Vnd wanckelmütig sind /
Wenn das Glück wird abwendig.
Jhr keiner sich dann findt.

2.

Wir wissn in guten Tagen /
Wann das Glück scheint lieblich /
Von keinem Feind zu sagen
Freund / Freund / nennt jeder sich /
Man thut uns hoch erheben /
So lang der Beütel voll /
Vnd wir in Ehren schweben /
Glaub mir ich weis es wol.

3.

Wir seynd lieb und wilkommen
All wo wir uns hin kehrn
Vnd werden angenommen /
Als wann wir Engel wehrn
Mit Reverentz fein zierlich
Setzt man uns oben an /
Præsentirt uns manirlich /
Viel dienst und Freundschafft an.

4.

Huth zücken sich tieff neigen /
Die Händlein küssen auch /
Krum bücken und Knie beugen
Jst der Welt-Freund gebrauch /
Wer sich daran wil kehren /
Jst mehr dann halb vexirt /
Traw nicht auch wann sie schweren
Jhr Freundschafft ist probirt.

5.

Man lest sich Bruder nennen /
Will stehn getrewlich bey /
Vnd sich nicht von uns trennen /
Wie groß die Noth auch sey /
Ja den Leib will man wagen /
Nicht allein Guth und Gelt /
Sind das nicht groß Zusagen?
Also gehts in der Welt.

6.

Mancher verheist darneben /
Daß er uns dienen woll'
Nicht allein weil wir leben /
Sondern sein Freundschafft soll
Bleiben bey unsern Erben /
Eydtlich er sichs verpflicht.
Ein Narr mag darauff sterben /
Jch traw den Worten nicht.

7.

Sie folgen nicht im Wercke
Wer sich darauff verlest /
Der ist nicht klug das mercke /
Solch Zusag gehn nicht fest /
Jch hab vor wenig Jahren
Dergleichen angehort /
Jtzt muß ichs auch erfahren /
Das man vergist der Wort.

8.

Noth lehrt die Freund recht kennen /
Jm Fewr Goldt scheinbar wird /
Freund soll man niemand nennen
Man hab jhn dann probirt /
O Trübsal Edle Probe /
Du zeigst mir meinen Freund /
Machst auch / drumb ich dich lobe /
Mir offenbar den Feind.

9.

Jm Creutz bleibt nicht verborgen /
Wo Feindschafft steckt verdeckt /
Auch wird in Noth und Sorgen /
Getrew Freundschafft erweckt /
Jm Glück kan mans nicht lernen
Gleich wie man nicht erkennt
Bey Sonnenschein die Sternen
Am hohen Firmament.

10.

Jm Sommer findt man Schwalben /
Zu Winter sind sie weit /
Also Freund allenthalben /
Auch in Glückseligkeit /
Wann das Glück herrlich blühet
Sind viel Freund umb uns her /
Ein jeder sich bemühet /
Vns zu erzeigen Ehr.

11.

Viel der Schwalben Gesellen /
Sehr offt bey uns einkehrn /
Vnd sich gantz freundlich stellen /
Sind frölich mit uns gern /
Wenn alles wol gerahten /
Vnd gedeckt ist der Tisch /
Wol schmecken unser Braten /
Die Freundschafft helt sich frisch.

12.

Wirds aber unklar Wetter /
Schneyt uns Vnglück ins Haus /
So verleurt sich der Vetter /
Die Freunde bleiben auß /
Frembd stelt sich auch der Schwager
Vnd kompt zu uns nicht mehr /
Wenn unser Supp ist mager /
Vnd unser Weinfaß lehr.

13.

Die offt fröliches Muhtes /
Mit uns gewesen seyn /
Vnd im Wolstand viel gutes
Haben genommen ein /
Seh'n wir im Vnglück fliehen
Vnd für uns ubergehn /
Den Huth in Augen ziehen
Wenn sie uns kommen seh'n.

14.

So pflegts die Welt zu machen /
Sehr freundlich sie sich stelt /
Wenn in all unsern Sachen
Fortun sich zu uns helt /
Kehrt aber die den Rücken /
Bald wendt die Weldt sich auch /
Helfft uns mit untertrücken
Also ist jhr Gebrauch.

15.

Diß ich vor wenig Jahren /
Sehr wol empfunden hab /
Darumb laß ich sie fahren /
Scheid' von der Freundschafft ab /
All jhr zusag sindt Lügen /
Jhr Lieb ist Heücheley /
Jhr Halten ist Betriegen
Vnd eitel Schelmerey.

*

Trauvv vvol hat mich vexiret /
Glaub leicht auch mannigmal /
Sie haben mich geführet
Vom Berg herab ins Tahl /
Mein Pferd hinweg geritten /
Jtzt muß ich gehn zu Fuß /
Narrn man nach alten Sitten /
Mit Kolben lausen muß.

*

K.
K. VV. K.
K.

Kinder VVerdet Klug.
Exempel sind genug
An *A. O. H.* und mehr /
Seht euch nur wol umbher /
Vnd folget meiner Lehr.

ANDREAS GRYPHIUS

Gedancken /
Vber den Kirchhoff und Ruhestädte
der Verstorbenen.

1.
WO find ich mich? ist diß das Feld
Jn dem die hohe Demutt blühet?
Hat Ruh' Erquickung hir bestellt
Dem / der sich für und für bemühet?
Der heisser Tage strenge Last
Vnd kalter Nächte Frost ertragen /
Vnd mitten unter Ach und Klagen
Sorg / Angst und Müh auff sich gefast?

2.
Wo find ich mich! hir sind die Beet'
Die in den schwangern Schoß verstecken /
Was dessen milde Faust aus-seet
Der Todt' und Leichen auff-kan-wecken.
Mir graut vor aller Gärte Zir!
Weicht ihr Hesperier! ich achte
Nichts was der Med' und Babel brachte
Den schönsten Garten schau ich hir.

3.
Ob mein Geruch hir nicht den Dampff
Von Roß' und Jelsemin empfindet:
Ob keiner Tulpen Art' hir Kampff
(Trotz Farben!) der Natur ankündet:
Ob diß nicht wol gebaute Land
Mit keinen Granadillen pranget:
Doch trägt es / wornach mich verlanget
Vnd Welt-gesinnte nie erkant.

4.
O Schul' / in der die höchste Kunst
Vns Sterblichen wird vorgetragen!
Jn der nicht Blätter voll von Dunst /
Kein Buch voll Wahn wird auffgeschlagen!
Wie übel hab ich meine Zeit
Jn lauter Eitelkeit verschwendet!
Wer seine Stunden hir anwendet /
Erlernt den Weg der Ewikeit.

5.

O Schul! ob der / was in der Welt
Vor klug geachtet; sich entsetzet!
Die / was verpicht auff Ehr und Geld
Vor mehr den höchst-erschrecklich schätzet.
O Schul! ob der der Seelen graut
Die alles weiß / ohn was Gewissen
O Schul! ob welcher zittern müssen
Die mehr auff Stahl als Recht getraut.

6.

O Schul! ob welcher den die Haar
Jn kaltem Schweiß zu Berge gehen /
Die nahe letztem Zil der Jahr /
Doch näher tollen Lüsten stehen.
O Schul! ob welcher dem die Bein
Vnd die durcheisten Glider schüttern /
Dem bey den überhäufften Güttern
Kein Gott ging in den Glauben ein.

7.

O Schul! ich komme voll Begir /
Die wahre Weißheit zu ergründen!
Durchforsche mich / du wirst bey mir
Ein munter Ohr und Auge finden!
Was mich je *Socrates* gelehrt /
Hält ja nicht Stich: der Stagirite
Vorfällt itzt gantz! der weise Scythe
Wird nun auff keinem Stull geehrt.

8.

Wer aber ists / der mir erklär /
Was ich zu lernen mich bemühe?
Vnd der die Gründe mir bewehr?
Vnd feste Schlüsse daraus zihe?
Wil hir die Einsamkeit allein
Diß angenehme Werck verrichten?
Vnd alle meine Zweifel schlichten?
Die mich umbstrickt? O nein! O nein!

9.

Wie wird mir! wackelt nicht der Grund /
Auff dem ich steh'! rauscht ihr / O Linden?
Wie! reist die Erd auff ihren Schlund!
Vnd läst die Wurtzeln sich entbinden.
Hör ich das rasseln dürrer Bein?
Hör ich ein heischer menschlich Brausen?
Hör ich der Suden holes Sausen?
Waltzt ihr euch ab ihr schweren Stein?

10.

Jch seh und starr! ein kaltes Eiß
Befröstet Adern / Hertz und Lungen!
Von beyden Schläffen rinnet Schweiß /
Mein Leib wird auff den Platz gezwungen.
Das gantze Feld ist eine Grufft
Vnd alle Särge stehn entdecket /
Was vor Staub / Zigel / Kalck verstecket /
Vmbgibt die allgemeine Lufft.

11.

O letztes / doch nicht festes Haus!
O Burg / darinn wir uns verkrichen!
So bald des Lebens Zeiger aus /
Vnd diser Wangen Roß' erblichen.
Palast / den einig uns die Welt
Auff immer zu besitzen bauet;
Die offt doch / was sie uns vertrauet
Erbricht und in dem Grab' anfällt

12.

Du warest ja vorhin in Zihn /
Vnd du in Kupffer eingeschlossen!
Vnd du nicht ohne vil bemühn
Mit lauter dichtem Bley umbgossen.
Man sparte nichts / was teur und groß /
Als diser (wie mich noch gedencket)
Jn Gold und Marmor eingesencket;
Wie find ich euch denn alle bloß?

13.

Ach! Geitz und Grim̄ hat in die Nacht
Des tunckeln Grabes sich gewaget /
Vnd ins erblaste Licht gebracht /
Wornach mein traurend Forschen fraget.
Es hätte keine Rauber-Hand
Entseelten / eure Ruh' erbrochen;
Wenn ihr die abgeleb'ten Knochen
Jn Holtz vertraut dem schlechten Sand.

14.

Doch gehen auch die Cedern eyn!
Die faulen Kiefer-Bretter weichen.
Kein' Eiche wird hir ewig seyn /
Sie muß ihr Grab im Grab erreichen.
Was schätzt ihr denn die leichte Ficht?
Die Fugen spalten und zerknallen
Die engen Todten-Hütten fallen
Wie fest ihr klammert und verpicht.

15.

Hilff Gott! die Särge springen auff!
Jch schau die Cörper sich bewegen /
Der längst erblasten Völcker Hauff /
Beginnt der Glider Rest zu regen!
Jch finde plötzlich mich umbringt
Mit / durch den Tod / entwehrten Heeren /
O Schauspiel! daß mir heisse Zehren /
Aus den erstarten Augen dringt!

16.

O Schauspil! ob dem mich die Welt
Vnd was die Welt hoch schätzt anstincket!
Ob dem mein Hochmuth niderfällt
Vnd Muth und Wahnwitz gantz versincket!
Sind dise die / die unser Land
Beherrscht / getrotzt / gepocht / geschätzet!
Die Dolch und Spiß und Schwerdt gewetzet /
Die stets gedruckt mit Stahl und Brand?

17.

Sind diese / die die Gottes Hertz /
Erweicht mit Seufftzen-reichem Beten?
Die (Trotz dem jammern-schwangern Schmertz!)
Vor sein erzörnt Gesicht getreten.
Die nichts denn ihre Schuld beklagt?
Ob Schätz und Gütter gleich verflogen /
Ob Angst ihr Blutt und Marck durchsogen /
Vnd den geklemten Geist zernagt.

18.

Sind dise die / die Scham und Zucht
Vnd das entweyhte Recht verjaget?
Die was des Himmels Zorn verflucht
Aus seiner Hell ins Licht vertaget?
Die / Schand auff Laster / Pest auff Gifft /
Auff Frevel / Rach und Mord gehäuffet /
Die in den Abgrund sich verteuffet /
Auff die itzt Blitz und Donner trifft?

19.

Sind dise die / die keine Lust
Der Laster-reichen Zeit beflecket;
Den die in Lib entbrante Brust
Des Höchsten reiner Geist entstecket?
Die umb das Lamb ein Freuden-Lid
Daß nicht ein jder lern't vorbringen /
Vnd in Schnee-lichten Kleidern singen
Jn ewig Freuden-vollem Frid?

20.

Sind dise die / die vor der Zeit
Jn Purpur / Seid' und Gold geglissen?
Vnd diß / die in Gebrechlichkeit
Vmbirrten / kaal und abgerissen?
Vnd dise / die erhitzt von Neyd
Einander nicht die Lufft vergönnten?
Die keine Länder schlissen könnten.
Vnd jener schleust itzt dessen Seit?

21.

Wo sind die Wunder der Geschöpff?
Die schönen Seelen-räuberinnen?
Jch spüre nichts / als grause Köpff /
Vnd werde keiner Zirath innen!
Wo sind / ob derer Wissenschafft
Sich das entzückte Volck entsetzet?
Die man der Weißheit Väter schätzet!
Die Zeit hat all' hinweg gerafft.

22.

Jch finde meistens nichts vor mir /
Als gantz entfleischete Gerippe!
Hirnscheitel sonder Haar und Zir /
Antlitzer sonder Naß' und Lippe
Vnd Haupter sonder Haut und Ohr /
Gesichter sonder Stirn und Wangen /
Die Lefftzen sind in nichts vergangen /
Noch wenig Zähne ragen vor.

23.

Der Hals- und Rückenbeiner Rey
Hangt ja noch so und so beysammen /
Von Adern / Fell und Mausen frey /
Die Rippen so herausser stammen
Beschlissen nicht mehr ihre Brust /
Die Jhrer Schätze gantz entleret /
Die Eingeweide sind verzehrt /
Verzehrt des Busens doppel Lust.

24.

Was nützt der Schulter Blätter Paar?
Der Armen Rohr ist sonder Stärcke!
Vnd was des Menschen eigen war /
Die Hand / das Werckzeug höchster Wercke /
Das See und Land und Lufft bewegt
Vnd aller Thurst sich unterwunden;
Jst durch des Grabes Macht entbunden
Zerstückt / entädert und zerlegt.

25.

Die Schoß ist ledig / Hüfft und Schin /
Vnd Fuß und Fußbrett nichts als Knochen /
Holl / ungestalt / und gelblich grün
Vnd dürr als Scherben / die zerbrochen.
Jn tausendfacher Vngestalt /
Jst doch gleich' Vngestalt zu kennen!
Wehn sol ich hoch / wehn edel nennen?
Wehn schön / arm / kunstreich / jung und alt?

26.

Vnd dise sinds / an den die Zeit
Jhr grimmes Recht hat außgeführet.
An welchen Tod und Sterblikeit
Auch den geringsten Raub mehr spüret.
Wie vil mehr häßlich ist die Schaar
Die noch mit der Verwesung ringet /
Die nach und nach die Fäule zwinget /
Die uns kaum liß vor disem Jahr!

27.

Der Locken Schmuck fleucht und verfällt /
Die Flechten sind verwirrt und stiben;
Kaum was die feuchte Haut anhält /
Jst umb die öffnen Schläffe bliben!
Der Augen außgeleschtes Licht
Beginnt sich scheußlich zu bewegen /
Durch innerlicher Würmer regen /
Die Nase rümpft sich und zerbricht.

28.

Die Zarten Wangen schrumpfen ein /
Könbacken / Zung' und Zähne blecken /
Der Leffzen ihr Corallenschein /
Jst gantz verstelt mit schwarzen Flecken.
Die Stirne reist. Des Halses Schnee
Wird Erdfarb / wie wenn nun die Sonnen
Dem strengen Frost hat abgewonnen
Vnd heisser stral't von ihrer Höh'.

29.

Was lispelt durch der Kählen Röhr?
Was merck ich in den Brüsten zischen?
Mich düncket / daß ich Schlangen hör
Mit Nattern ihr Gepfeiffe mischen.
Welch unerträglich-fauler Schmauch
Erhebt sich durch die bangen Lüffte!
Geschwängert mit erhitztem Giffte.
So dämpft *Aornus* hell'scher Rauch.

30.

So dämpft der Camariner Pful;
So qualmen gelber Drachen Hölen.
Die Japoneser Marter-Schul
Setzt nicht so zu verstrickten Seelen:
Als diser Nebel-Pest anfällt /
Die aus zuplatzten Leibern wüttet /
Die vor mit Balsam überschüttet /
Vnd Rauchwerck neu-entdeckter Welt:

31.

Der Därmer Wust reist durch die Haut /
So von den Maden gantz durchbissen;
Jch schau die Därmer (ach mir graut!)
Jn Eiter / Blutt und Wasser-flissen!
Das Fleisch / daß nicht die Zeit verletzt
Wird unter Schlangen-blauem Schimmel
Von unersätlichem Gewimmel
Villfalter Würmer abgefretzt.

32.

Was hilfft der *Socotriner* Safft!
Er kan die Schönheit nicht erhalten.
Worzu des scharffen Myrrhens Krafft?
Er läst die Glider doch veralten.
Jst diß / was Palästine schickt
Asphalt wol / oder Fleisch zu nennen?
Wenn wir die Beyner nicht erkennen /
Wird eins fürs ander angeblickt.

33.

Was aber nutzt! ein prächtig Kleid
Mit göldnem Zirath reich durchstricket?
Was ists / daß man mit reiner Seid'
Die in das Grab verweiste schmücket?
Schaut / wie die Purpur sich entfärb
Wie eur lang Stückwerck bald vermoder /
Wie schnell der zarte Flor verloder
Wie viler Hände Fleiß verderb!

34.

Ach Todten! ach was lern ich hir!
Was bin ich / und was werd ich werden!
Was fühl und trag ich doch an mir
Als leichten Staub und wenig Erden.
Wie lange wird mein Cörper stehn!
Wie bald werd ich die Jahre schlissen!
Wie bald die Welt zum Abscheid grüssen /
Vnd aus der Zeiten Schrancken gehn!

35.

Werd ich wol zu der grossen Reiß
Bedachtsam mich bereiten können!
Wie? oder wird den letzten Fleiß
Ein schleunig Auffbott mir nicht gönnen!
Ach HErr des Lebens / eile nicht
Mich unverwarnet zu betagen:
Sey / wenn die Todten-Vhr wird schlagen
Mein Schutzherr / Leitsmann / Weg und Licht.

36.

Wo werd ich die erblaste Leich /
Vnd wie der letzten Grufft vertrauen?
Wie mancher / der in allem reich
Liß ihm umbsonst sein Grab auffbauen!
Wie vil bedeckt ein frembder Sand
Wer kennt des rauen Glückes Fälle?
Wie manchen schmiß die tolle Welle
An frembder Vfer rauen Strand!

37.

Doch aber ist so vil nicht an
Ob ich Geselt / ob einsam lige!
HErr! wenn mein Geist nur stehen kan!
Vnd ich vor deinem Richtstul sige.
Jch weiß / die angesetzte Zeit
Wird bald mit ungeheuren Krachen
Vnd lichter Glutt das Vorspill machen
Der unbegräntzten Ewikeit.

38.

Wenn Gottes letztes Feld-geschrey
Verstärckt mit Blitzen und Trompeten;
Wird durch der langen Länder Rey
Erschallen und den Tod ertödten /
Wenn Marmor / Ertz / Metall und Stein!
Vnd *Pharos* unterirrd'sche Grüffte
Vor lifern werden in die Lüffte
Die leichten Geister-vollen Bein!

39.

Wenn *Amphitritens* tolle Schoß
Vil tausend Menschen wird gebähren;
Vnd was ihr tiffer Abgrund schloß /
Dem Richter auff sein Wort gewehren.
Wenn / was der freche Nord verweht /
Was Tyger und Maroc zurissen /
Was Persens Flam' auffzehren müssen /
Was auff den Wüsten Strom geseet /

40.

Was *Caribe*, was ie *Brasil*
Vil wilder als sein Wild verschlungen:
Wenn / was in tiffe Schacht verfil /
Drin es umbsonst nach Gold gerungen /
Wenn / was *Vesevus* überschneyt /
Mit heisser Asch / und lichten Funcken /
Wenn / was in *Ætnæ* Glutt versuncken
Vnd was des Hekels Schlund anspeyt /

41.

Wenn / was die Zeit sibt in die Lufft;
Sich plötzlich gantz wird widerfinden.
Ja / wenn des tiffsten Kerckers Klufft /
Selbst die Gefangnen wird entbinden;
Zu sehen / wie des Höchsten Sohn
Jn höchster Herrligkeit beschämen
Werd' alle Feind / und nun einnehmen
Den ihm gesetzten Richters-Thron.

42.

Zu hören / wie der Richter sich
Hauptsäch-und endlich werd erklären /
Der hir gerichtet ward vor mich /
Vmb mich nicht richtend zu beschweren /
Der allem neues Leben gibt.
Die Erden loder und verbrenne!
Der Himmel-Feste brech und trenne!
Hir steht / wer JEsum hasst und libt.

43.

Da werd ich / euch / die ich itzt schau /
Vnd doch nicht weiß zu unterscheiden /
(Wie ich voll fester Hoffnung trau)
Seh'n gantz vertäufft in Freud und Leiden!
Jn Freuden / die kein Sinn' ersinn't;
Jn Leid / das nimand kan ermessen;
Jn Lust / die aller Angst vergessen /
Jn Leid / das nimmer nicht zerrinnt.

44.

Jn Freuden / den die Welt zu klein /
Jn Leid / ob dem die Höll erschittert /
Jn Lust / dem Schiffbruch aller Pein /
Jn Leid / das stete Furcht verbittert.
Jn Lust / die alles Ach ertränckt /
Jn Leid / das gantz kein Hoffen kennet /
Jn Wonne / die kein Sorgen trennet /
Jn Leid / das ewig brennt und kränckt.

45.

Jch werd euch sehn mit eurer Haut /
Doch von Verwesung frey / umb geben!
Was ihr der Gruben habt vertraut /
Wird umb die vollen Adern leben!
Jch werd euch sehn! O Vnterscheid!
Verklärt / und mich an euch ergetzen!
Verstellt / und mich ob euch entsetzen!
Vnd ruffen: Ach! O Wonn! O Leid!

46.

Jch werd euch sehn / mehr denn das Licht /
Von zehnmal tausend Sonnen schimmern;
Jch werd euch sehn / und mein Gesicht
Verbergen vor dem Jammer-wimmern.
Jch werd euch sehn / mehr schön als schön /
Euch mehr / denn häßlich und Elende!
Euch zu dem Trost; euch in die Brände
Gespenster-schwerer Nächte gehn.

47.

Vil / die man groß und heilig schätzt;
Schätzt Gottes Ausspruch vor verlohren!
Vil / die man schmeht / verspeyt / verletzt:
Sind zu dem grossen Reich erkohren.
Starrt ob dem schönen Marmel nicht /
Sein Schmuck und Grabschrifft können trügen.
Die Leiche nur weiß nicht von Lügen;
Nichts von Betrügen diß Gericht.

48.

Sie zeigt dir / daß du must vergehn!
Jn Fäul / in Angst / in Stanck / in Erden!
Daß auff der Welt nichts könne stehn!
Daß jdes Fleisch müß' Aschen werden!
Daß / ob wir hir nicht gleiche sind /
Der Tod doch alle gleiche mache!
Geh und beschicke deine Sache /
Daß dich der Richter wachend find.

49.

Er einig weiß / was Grab und Todt
Vermischt / genau zu unterscheiden!
Er weiß / wer nach der letzten Noth
Sol ewig-jauchtzen oder leiden!
Er sorgt / daß nicht der minste Staub /
Von einem Cörper ihm verschwinde!
Jhm hütten Wasser / Lufft und Winde /
Jhm raubt gar nichts der Zeiten Raub.

50.

Ach Todten! Ach! was lern ich hir!
Was war ich vor! was werd' ich werden!
Was; ewig bleibt uns für und für!
Vnd ich bekümmer mich umb Erden!
O lehrt mich / die ihr liget / stehn!
Daß / wenn ich Jahr und Zeiten schlisse /
Wenn ich die Welt zum Abscheid grüsse /
Jch mög' aus Tod' ins Leben gehn.

Der HErr hat mich verlassen.

Satz.

DJe traurige Sion /
Die biß in den Tod Betrübte
Die itzt Wäise / vor Gelibte;
Reist ihre Lorberkron
Von dem zaraufften Haar / sie wirfft der Perlen Zir /
Sie wirfft der Steine Pracht / den güldnen Schmuck von ihr.
Vnd windt die Händ' und schlägt die Brüste.
Sie weint / sie rufft / sie schreit / sie klagt /
Sie siht / sie starrt / sie fällt / sie zagt /
Als wenn sie gantz verzweifeln müste.
Ach spricht sie / ach der HErr mein Leben /
Hat mich in meiner Angst verlassen /
Der den ich libe / wil mich hassen!
Vnd meinem Erbfeind übergeben.
Er fragt nicht mehr nach mir er läst mich aus der acht!
Er denckt an Sion nicht / an Sion die verschmacht.

Gegensatz.

Durchsucht das weite Land:
Suche Sion in den Feldern /
Suche Sion in den Wäldern /
Wo Menschen nur bekant:
Ob eine Mutter sey die auch ihr eigen Kind /
Aus ihrem Hertzen setz' / ob eine schlag in Wind /
Das starcke Recht daß sie zu liben
Die bittersüsse Bürde zwingt:
Das Recht / das Seel und Sinn durchdringt.
Daß die Natur selbst vorgeschriben.
Wo ist ein Weib die ohn empfinden /
Jhr eigen Fleisch / das sie geboren /
Des Leibes zarte Frucht verlohren?
Fürwar der Geist wil schir verschwinden:
Sie zittert / sie erschrickt / als für der Todten-Grufft.
Jm fall der kleine Sohn: Ach Mutter! Mutter! rufft.

Zusatz.

DOch! gesetzt daß auff der Erden
Solch ein Vnmensch / solch ein Stein /
Wol mög' anzutreffen seyn!
Solch ein Weib / die nicht wil fragen
Nach dem / was ihr Leib getragen;
Wilst du darumb traurig werden?
Nein Sion! wo Natur und Blut ja trigen kan!
Nimt eine Mutter gleich ihr eigen Kind nicht an:
So glaube doch! ich lasse nicht von dir
Du bleibest mein: ich sorge für und für /
Für dich mein Kind. Diß sey der Treue Pfand:
Jch habe dich gezeichnet in die Hand.

Jst nicht Ephraim mein treuer Sohn!

Satz.

ACh Ephraim!
Ach ja! er ist es doch! er ist es den ich libe!
Ob ich ihn gleich sehr offt / umb seine Schuld betrübe.
Ob wol mein Grimm /
Sich über seine Missethat erhitzt:
Ob er gleich zimlich unsannfft itzund sitzt.
Dennoch bleibt er meine Wonne / und mein außerwehltes Kind
Vnd mein Sohn / der Hertz und Ohren / nimmermehr verschlossen findt.

Gegensatz.

JA! keine Zeit /
Kein Sonnen Vntergang / kein Rosenlichter Morgen:
Sol ändern mein Gemüth' und meine Vatersorgen.
Die Ewigkeit
Sol Bürgin seyn! was ich ihm je versprach;
Wird feste stehn / itzt wird er und hernach
Für den Bürgern diser Erden / und den Geistern jener Welt:
Mit Lob-vollen Lippen rühmen / daß GOTT Treu' und Glauben hält.

Zusatz.

MEin Geist brennt / mein Hertze bricht /
Wenn ich Ephraim bedencke.
Wenn ich meiner Augen-Licht:
Auff sein thränend Auge lencke.
Ob ich mich auch zu weilen zornig stelle:
Vnd ihn mit Finsternüß und schwartzen Schmertzen decke;
Vnd mit geschwindem Blitz / und hartem Donner schrecke:
Jm Augenblick wird dennoch alles helle.
Jch muß mich über ihn erbarmen /
Jch muß ihn mit den starcken Armen;

Aus seiner Angst und aus dem Bande /
Aus herber Noth und harter Schande /
Aus Kercker / Grufft und Tod / aus Glut und Wasser führen.
Vnd ihn mit neuem Schmuck / und neuer Ehre ziren.

Qui seminant in lacrumis.

1. Satz.

WAs seh' ich dort für Schmertzen volle Hauffen?
Wie daß sie so die Brüste schlagen?
Mit überhäufften Thränen klagen?
Vnd ihr verwirrtes Haar ausrauffen?
Was streuen sie für Saamen in die Erden?
Die ihrer Zehren Regen netzt?
Wer mag es seyn / der sie verletzt?
Wie daß sie so kleinmütig werden?

1. Gegensatz.

ACh! dise sinds; die wenn der Frost wird schwinden /
Wenn diser Wetter Sturm vergangen /
Vnd Aecker Bäum' und Felder prangen;
Mit höchster Lust / sich frölich werden finden /
Vnd ohne Trübsahl mit einander lachen.
Auch sich an diser Saate Frucht /
Nach der betrübten Tage Flucht /
Mit scharffgewetzten Sicheln machen.

1. Zusatz.

JTzt gehen sie / sie gehen / Kind und Mann /
Mit blossen Füssen.
Vnd stossen offt an Felß und Disteln an.
Daß man auch flissen
Auff jeden Tritt / die Purpur Tropffen siht /
Gleich wie die Ros' aus ihren Dornen blüht.

2. Satz.

DJe Augen sind von Weinen gar verdorben.
Die herbe Flutt durchbeist die Wangen.
Das Hertz mit heisser Angst umbfangen /
Jst schir in Bangikeit erstorben.
Wie wenn ein Schiff sich scheitert an die Klippen;
So hört man / daß ein jder rufft.
Das Winseln dringt durch Well' und Lufft /
Doch jdes Wort stirbt auff den Lippen.

2. Gegensatz.

SJe werffen weg / sie streuen auff den Acker /
Was sie durch so vil Noth und Sorgen
Erschwitzt / worüber sie der Morgen
Vnd Abendröt' / und Mitternacht fand wacker.
Doch seyd getrost / der Schad ist nicht zu achten!
Was itzund nimt: wird wider geben.
Was itzund stirbt / wird wider leben.
Jhr solt nicht ewig also schmachten.

2. Zusatz.

JHr werdet bald / voll mehr denn höchster Lust /
Zurücke kommen.
Vnd keiner Noth euch ferner seyn bewust.
Was itzt benommen;
Wird durch der Garben Menge schon ersetzt.
Wol dem / der auff sein Creutz so wird ergetzt.

*Educ è custodia animam meam
ad confitendum nomini Tuo.*

1. Satz.

WAs mag doch ärger seyn?
Jst wol ein grösser Schmertz?
Als in so schweren Banden /
Jn Kercker / Stock / und Pein /
Jn Schmach' und herben Schanden
Außädern Leib und Hertz?
Jch kan die Armen kaum in disen Fesseln regen!
Die Glider starren mir.
Das müde Fleisch erstirbt! ich kan mich nicht bewegen
Der Fuß ist für und für
Jn diser Ketten fest;
Weil mich mein GOtt verläst.

1. Gegensatz.

DEr Tag / der süsse Tag
Entsetzt sich selbst für mir.
Die Sonn' ist hir nicht helle /
Sie scheuet meine Klag /
Der Monden fleucht die Stelle.
Die stette Nacht hat ihr
Diß dunckel-grause Loch zum Wohnhauß außerkohren
Der Leichen-faule Stanck
Hat mich schir gantz erstöckt / ich bin / ich bin verlohren!
Mein Leib und Seel ist kranck!

Ach! ach! mir ist so bang!
Wo bleibet GOtt so lang.

1. Zusatz.

MJch (dem die grosse Welt vorhin zu enge war /)
Hält dises enge Grab verrigelt.
Jch bin in diser Klufft versiegelt /
Vnd fest verstrickt in Angst / in Wehmut und Gefahr.
Wo ist die güldne Zeit gebliben /
Da ich mit freyem Munde sang?
Da meiner süssen Seiten Klang /
Sich in des Höchsten Lob must üben.
Ach wie hat alles sich verkehret!
Wie hefftig hat mich GOtt beschweret!

2. Satz.

DV dreymal Höchster Held /
Der du manch' hartes Schloß /
Wol ehermal zubrochen;
Dem der zu Fusse fält
Den deine Gunst vom Pochen
Des Feindes frey und loß
Vnd ledig hat gemacht; ach wende dein Gemüte
Auff dises Jammer-Hauß!
Reiß meine Band entzwey / O Abgrund höchster Güte
Erschein' und laß mich auß!
Komm ewig-treuer GOtt /
Vnd wende Noth und Spott.

2. Gegensatz.

DJe Seele der du hast
Offt Beystand zugesagt /
Jn die du dich verlibet
Die träget dise Last.
Die ists die so betrübet
Dir ihre Banden klagt.
Es ist dein trautes Kind / HErr daß dein Feind verwachet /
Das seine Freyheit sucht.
Es ist dein Kind daß man so hönisch itzt verlachet.
Dem man so hündisch flucht.
Dein Kind hertzlibster GOtt!
Jst frembder Spil und Spott.

2. Zusatz.

JCh wündsche frey zu seyn / nur daß ich meine Zeit
Jn deinem Dinste möge schlissen!
HErr wenn du diß mein Netz zurissen!
Wil ich dein hohes Lob vermehren weit und breit.

Dein Name sol in meinem Munde /
Dein Ruhm in meinen Lippen blühn /
Vnd wenn ich muß von hinnen zihn;
Sey diß das Werck der letzten Stunde.
Vnd wenn ich werd' auffs neue leben:
Wil ich von deinem Lob anheben.

Vanitas! Vanitatum Vanitas!

DJe Herrlikeit der Erden
Muß Rauch und Aschen werden /
Kein Fels / kein Aertz kan stehn.
Diß was uns kan ergetzen /
Was wir für ewig schätzen /
Wird als ein leichter Traum vergehn.

2. Was sind doch alle Sachen /
Die uns ein Hertze machen /
Als schlechte Nichtikeit?
Was ist des Menschen Leben /
Der immer umb muß schweben;
Als eine Phantasie der Zeit?

3. Der Ruhm nach dem wir trachten /
Den wir unsterblich achten /
Jst nur ein falscher Wahn.
So bald der Geist gewichen:
Vnd diser Mund erblichen:
Fragt keiner was man hir gethan.

4. Es hilfft kein weises Wissen /
Wir werden hingerissen /
Ohn einen Vnterscheid.
Was nützt der Schlösser Menge?
Dem hie die Welt zu enge /
Dem wird ein enges Grab zu weit.

5. Diß alles wird zerrinnen /
Was Müh' und Fleiß gewinnen
Vnd saurer Schweiß erwirbt:
Was Menschen hir besitzen /
Kan für den Tod nicht nützen /
Diß alles stirbt uns / wenn man stirbt.

6. Jst eine Lust / ein Schertzen
Daß nicht ein heimlich Schmertzen
Mit Hertzens-Angst vergällt!
Was ists womit wir prangen?
Wo wirst du Ehr' erlangen
Die nicht in Hohn und Schmach verfält?

7. Was pocht man auff die Throne?
Da keine Macht noch Krone
Kan unvergänglich seyn.

Es mag vom Todten Reyen /
Kein Zepter dich befreyen.
Kein Purpur / Gold / noch edler Stein.

    8. Wie eine Rose blühet /
Wenn man die Sonne sihet /
Begrüssen dise Welt:
Die eh der Tag sich neiget /
Eh sich der Abend zeiget /
Verwelckt / und unversehns abfält:

    9. So wachsen wir auff Erden
Vnd hoffen groß zu werden /
Vnd Schmertz- und Sorgen frey:
Doch eh wir zugenommen /
Vnd recht zur Blüte kommen /
Bricht uns des Todes Sturm entzwey.

    10. Wir rechnen Jahr auff Jahre /
Jn dessen wird die Bahre
Vns für die Thür gebracht:
Drauff müssen wir von hinnen /
Vnd eh wir uns besinnen
Der Erden sagen gute Nacht.

    11. Weil uns die Lust ergetzet
Vnd Stärcke freye schätzet /
Vnd Jugend sicher macht;
Hat uns der Tod bestricket /
Die Wollust fort-geschicket
Vnd Jugend / Stärck und Mutt verlacht.

    12. Wie vil sind itzt vergangen!
Wie vil lib-reicher Wangen /
Sind disen Tag erblast?
Die lange Räitung machten /
Vnd nicht einmal bedachten /
Daß ihn ihr Recht so kurtz verfast.

    13. Auff Hertz! wach' und bedencke
Daß diser Zeit Geschencke /
Den Augenblick nur dein.
Was du zuvor genossen?
Jst als ein Strom̄ verschossen
Was künfftig: wessen wird es seyn!

    14. Verlache Welt und Ehre /
Furcht / Hoffen / Gunst und Lehre /
Vnd fleuch den HErren an.
Der immer König bleibet:
Den keine Zeit vertreibet:
Der einig ewig machen kan.

    15. Wol dem der auff ihn trauet!
Er hat recht fest gebauet /
Vnd ob er hìr gleich fällt:

Wird er doch dort bestehen /
Vnd nimmermehr vergehen
Weil ihn die Stärcke selbst erhält.

Psal. LXX. v. 20. Quantas ostendisti mihi
tribulationes multas & magnas,
& conversus vivificasti me!

Satz.

REiß Erde! reiß entzwey! Jhr Berge brecht und decket
Den gantz verzagten Geist!
Den Blitz und Ach und Noth / und Angst / und Weh' erschrecket!
Vnd herbe Wehmut beist!
Jhr immerlichten stätter Himmel Lichter!
Ach bescheinet meine Glider! ach bescheint die Glider nicht!
Die der Donnerkeil der Schmertzen / die die Krafft der Angst zubricht!
GOtt / gutter GOtt! nur mir zu strenger Richter
Was lässet mich dein Grimm nicht sehen!
Was hör ich nicht für Spott und Schmähen?
Sind die Augen mir verlihen
Daß ich nichts als herbe Plagen / nichts als Marter schauen soll?
Täglich rufft man mir die Ohren / ja die matte Seele voll!
Kan ich! kan ich nicht entfliehen?
Kan die hell-besternte Nacht! kan mich nicht die Soñ erquickē?
Sol mich jde Morgenrött' jder Abendstunde drücken?

Gegensatz.

Der dicke Nebel bricht in welchen sich verhüllet
Der alles hebt und hält;
Der aller scharffe Pein und herbe Thränen stillet /
Der Schöpffer diser Welt.
Er wendet sich und hört nach meinem wimmern.
Vnd bläßt mein erstarrte Leichen mit erneutem Leben an:
Daß ich / der schon erstummet / ihm mit Jauchtzen dancken kan.
Jch spür' umb mich sein edle Wächter schimmern.
Versteckt mich in des Abgrunds Gründe;
Vnd wo ich kaum mich selber finde /
Ja in Mittelpunct der Erden.
Er wird mich aus diser Tiffen / aus der unerschöpfften Klufft /
Aus der Hellen Hell' erretten; mir sol aller Grüffte Grufft
Noch zum Ehren Schauplatz werden.
Jagt mich wo die Welt auffhört / wo die kalten Lüffte ringen:
Wo das heisse Land verbreñt; Gott der wird mich wider bringen.

Zusatz.

Der / der uns schützt' in Noth /
Erweist an mir die Allmacht seiner Ehren!

Mein Ach! mein Tod ist todt.
Es müsse diß was etwas anhört / hören.
Den / den was Athem holt / veracht /
Schmückt er mit seiner Güte Pracht!
Der / der mir vor den Rücken wandte:
Der mich in seinem Grimm verbannte:
Kehret mir den süssen Mund / und die liben Augen zu
Er erquickt mein Hertz mit Trost und verspricht mir stille Ruh.
Keine Pein ist dem Ergetzen
Daß ich fühle gleich zu schätzen.

Verlangen nach den ewigen Hügeln.

1. Satz.

DEr schnellen Tage Traum /
Der leichten Jahre Schaum
Zerschlägt sich an der schwartzen Baar /
Eh wir die Zeit erkenn't
Verfleugt sie und verrenn't
Wir dringen durch die Welt
(Dieweil sie wächst / zerfällt /)
Nach längst erblaster Völcker Schaar.
Wir / die wir stets voll Noth
Schwach / sich / und lebend-todt.

2. Satz.

Mit Thränen grüssen wir
Jn Thränen lebt man hir:
Mit Thränen gibt man gute Nacht!
Was ist der Erden Saal?
Ein herber Thränen-Thal!
Wie Rosen die wir zihn.
Auff Dörnern nur verblühn.
Wie ein verworffnes Kind verschmacht:
So muß / wer hie wil stehn /
Jn Kummer untergehn.

1. Gegensatz.

Wenn der Morgenglantz / der Erden
Tausendfaches Leid entdeckt;
Wird von donnernden Beschwerden
Mein bestürtztes Hertz erschreckt.
Wenn der Abend hergeschlichen /
Vnd der stille Mond' erwacht;
Preiß ich selig was erblichen /
Vnd der Grufft zu Pfande bracht.

2. Gegensatz.

Platz der ewig-steten Wonne
Heilig-lichter Himmel Bau /
Wie / daß ich noch deine Sonne
Meiner Seelen Wundsch nicht schau?
Dreymal selig sind zu nennen;
Die an Gottes Seiten gehn /
Die in Gottes Hand sich kennen
Vnd in JEsus Hertzen stehn.

3. Satz.

O Burg der Sterbligkeit!
O Kercker voll von Leid!
O Erden Leichen-volle Grufft!
O Schlachtbanck! Stock und See!
O Abgrund-tiffes Weh!
Wie lange zih ich noch
Jn deinem Marter Joch?
Wie / daß mein Bräut'gam mir nicht rufft?
Der von der Ketten Tracht
Mich sterbend frey gemacht.

4. Satz.

Kom Seele meiner Seel
Führ aus der todten Höll
Ein dir so treu verlobtes Hertz /
Das längst der Welt entwehnt
Sich / wo Gott wohnt / hin sehnt.
Hör auff mein Angst-Geschrey /
Reiß / was mich hält / entzwey
Rett aus dem unergründten Schmertz /
Kürtz ab das lange Zil /
Daß man mir setzen wil.

3. Gegensatz.

Kom mein Licht laß dich umbfangen
Mit der festen Arme Band;
Trockne die bethränten Wangen
Freundlich mit der sanfften Hand.
Kom / wirff unter deine Füsse /
Was auff Hertz und Haupt mir trat
Vnd durch grimme Seelenriße
Stündlich mich gequälet hat.

4. Gegensatz.

Nim mir ab die Dornen Krone;
Die du selbst mir auffgesetzt /
Küsse mich auff disem Throne /
Den dein Creutz und Tod geschätzt.
Gutte Nacht verfluchtes Leben!
Daß man unrecht Leben nennt.
Der sich dir allein ergeben;
Hat / was Leben / nie erkennt.

Verleugnung der Welt.

WAs frag ich nach der Welt! sie wird in Flammen stehn:
Was acht ich reiche Pracht: der Tod reißt alles hin!
Was hilfft die Wissenschaft / der mehr denn falsche Dunst:
Der Libe Zauberwerck ist tolle Phantasie:
Die Wollust ist fürwahr nichts als ein schneller Traum;
Die Schönheit ist wie Schnee'/ diß Leben ist der Tod.
  2. Diß alles stinckt mich an / drumb wündsch ich mir den Tod!
Weil nichts wie schön und starck / wie reich es sey / kan stehn
Offt / eh man leben wil / ist schon das Leben hin.
Wer Schätz' und Reichthumb sucht: was sucht er mehr als Dunst.
Wenn dem / der Ehrenrauch entsteckt die Phantasie:
So traumt ihm / wenn er wacht / er wacht und sorgt im Traum.
  3. Auff meine Seel / auff! auff! entwach aus disem Traum!
Verwirff was irrdisch ist / und trotze Noth und Tod!
Was wird dir / wenn du wirst für jenem Throne stehn /
Die Welt behülfflich seyn? wo dencken wir doch hin?
Was blendet den Verstand? sol diser leichte Dunst
Bezaubern mein Gemüt mit solcher Phantasie?
  4. Bißher! und weiter nicht! verfluchte Phantasie!
Nichts werthes Gauckelwerck. Verblendung-voller Traum!
Du Schmertzen-reiche Lust! du folter-harter Tod!
Ade! ich wil nunmehr auff freyen Füssen stehn
Vnd treten was mich tratt! Jch eile schon dahin;
Wo nichts als Warheit ist. Kein bald verschindend Dunst.
  5. Treib ewig helles Licht der dicken Nebel Dunst
Die blinde Lust der Welt: die tolle Phantasie
Die flüchtige Begird' und diser Gütter Traum
Hinweg und lehre mich recht sterben vor dem Tod
Laß mich die Eitelkeit der Erden recht verstehn
Entbinde mein Gemüth und nim die Ketten hin.
  6. Nim mich und die Welt verkuppelt! nim doch hin
Der Sünden schwere Last: Laß ferner keinen Dunst
Verhüllen mein Gemüth / und alle Phantasie
Der Eitel-leeren Welt sey für mir als ein Traum /
Von dem ich nun erwacht! und laß nach disem Tod
Wenn hin / Dunst / Phantasie / Traum / Tod / mich ewig stehn.

Psal. 138. v. 7.

*Si ambulavero in interiori angustiæ, vivificabis
me, super iram inimicorum meorum mit-
tes manum tuam, &c.*

1. Satz.

JCh irre gantz allein /
Verstossen und verlacht
Vmbringt mit Schmertz und Pein
Bey dunckel-grauser Nacht.
Nicht einer beut die Faust / nicht einer zeigt die Wege
Die müden Füsse sind verletzet /
Jn dem mein Elend mir nachsetzet
Auff dem gespitzter Stein- und Dörner-vollen Stege.
Woher? wo eil ich hin?
Jch! der die rechte Bahn verlohren /
Auff den sich Freund und Feind verschworen.
Jch! der von aller Welt numehr verrahten bin!

1. Gegensatz.

Welch Grauen fält mich an!
Welch Elend reisst mich hin?
Jst wer / der retten kan?
Wo Sterben nur Gewin!
Der Abgrund schluckt mich ein! die Wellen rauer Jammer /
Bedecken die zuraufften Hare!
Jn dem ich ins Verderben fahre:
Jn aller Hellen Hell: und grimme Folter Kammer.
Vor mir erscheint der Tod
Jn mir / herrscht Furcht und kaltes Zittern.
Vmb mich erkracht mit Vngewittern
Der / auff den schwachen Geist zuhart erhitzte GOtt.

1. Abgesang.

Doch du! durch den was Athem hat muß leben;
Wirst mich nicht lassen gantz verschmachten:
Wil man mich als entseelt gleich achten!
Kanst du dem müden Fleisch doch neue Geister geben!
Auff dein Wort brennt die Flamme nicht /
Das Meer gibt seinen Raub aus tiffstem Grunde wider /
Die dürren Todten Bein / ergäntzen sich in Glider
Vnd hören was dein Mund außspricht.
Glaubt nicht / daß ich verlohren sey!
GOtt macht mich lebend starck und frey!

2. Satz.

Der Feinde grimme Schaar
Die sich auff mich verband
Dreut mit der schwartzen Baar
Vnd plagt mit Stahl und Brand
Sie blecken mit dem Maul / sie rümpfen ihre Nasen /
Hör' an / wie sie so hönisch lachen!
Sie pfeiffen als erhitzte Drachen /
Die Gifft und Gall und Rauch aus ihrem Rachen blasen.
Sie setzen auff mich an!
Als Tyger durch Verlust erbittert:
Wie wenn ein Löw von Hunger zittert
Dem kein behertzter Mensch / den Raub abjagen kan.

2. Gegensatz.

Der du mit einem Wort
Das tolle Schnauben brichst /
Der du an jdem Ort
Ein rechtes Vrtheil sprichst /
Beweiß' anitzt / daß dich der Schlaff nicht überwunden!
Reiß deiner Wolcken Höll in Stücken /
Schau auff die Mörder die mich drücken
Vnd zeige / daß dir noch die Hände nicht gebunden.
Der grimme Trotz verschwindt /
Wann deine Rechte sich läst mercken:
Der Feind vergeht in seinen Wercken
Vnd wird für deiner Krafft / DunstNebel / Rauch uñ Wind.

2. Abgesang.

Wagt eure Macht! ihr rasend-tolle Scharen!
Auff mich / den Welt und Teuffel hassen
Auff mich / den alle Freunde lassen
Mich wird des HErren Faust / die rechte Faust bewahren.
Man reist mich dem nicht aus der Hand /
Der mich als einen Ring an seinem Finger träget /
Er hält mich / wann der Grund der Erden sich beweget
Vnd Sündflutt überschwemmt das Land.
Denckt nicht / daß er mög' untergehen
Den ihr auff GOtt / dem Felß / seht stehen.

Es ist alles Eitel.

DV sihst / wohin du sihst nur Eitelkeit auff Erden.
  Was diser heute baut / reist jener morgen ein:
  Wo itzund Städte stehn / wird eine Wisen seyn /
Auff der ein Schäfers-Kind wird spilen mit den Herden:
Was itzund prächtig blüht / sol bald zutretten werden.

Was itzt so pocht und trotzt ist Morgen Asch und Bein /
  Nichts ist / das ewig sey / kein Ertz / kein Marmorstein.
Jtzt lacht das Glück uns an / bald donnern die Beschwerden.
  Der hohen Thaten Ruhm muß wie ein Traum vergehn.
  Soll denn das Spil der Zeit / der leichte Mensch bestehn?
Ach! was ist alles diß / was wir vor köstlich achten /
  Als schlechte Nichtikeit / als Schatten / Staub und Wind;
  Als eine Wisen-Blum / die man nicht wider find't.
Noch wil was Ewig ist kein einig Mensch betrachten!

Thränen in schwerer Kranckheit.

JCh bin nicht der ich war / die Kräffte sind verschwunden /
  Die Glider sind verdörr't / als ein durchbrandter Grauß:
  Mir schaut der schwartze Tod zu beyden Augen aus /
Jch werde von mir selbst nicht mehr in mir gefunden.
Der Athem wil nicht fort / die Zunge steht gebunden /
  Wer siht nicht / wenn er siht die Adern sonder Mauß /
  Die Armen sonder Fleisch / daß diß mein schwaches Hauß
Der Leib zerbrechen wird / noch inner wenig Stunden.
  Gleich wie die Wisen Blum lebt wenn das Licht der Welt
  Hervor bricht / und noch ehr der Mittag weggeht / fällt;
So bin ich auch benetzt mit Thränen-tau ankommen:
  So sterb ich vor der Zeit. O Erden gute Nacht!
  Mein Stündlein laufft zum End / itzt hab ich außgewacht
Vnd werde von dem Schlaff des Todes eingenommen.

Thränen des Vaterlandes /
Anno 1636.

WJr sind doch nunmehr gantz / ja mehr deñ gantz verheeret!
  Der frechen Völcker Schaar / die rasende Posaun
  Das vom Blutt fette Schwerdt / die donnernde Carthaun /
Hat aller Schweiß / und Fleiß / und Vorrath auffgezehret.
Die Türme stehn in Glutt / die Kirch ist umgekehret.
  Das Rathauß ligt im Grauß / die Starcken sind zerhaun /
  Die Jungfern sind geschänd't / und wo wir hin nur schaun
Jst Feuer / Pest / und Tod / der Hertz und Geist durchfähret.
  Hir durch die Schantz und Stadt / rinnt allzeit frisches Blutt.
  Dreymal sind schon sechs Jahr / als unser Ströme Flutt /
Von Leichen fast verstopfft / sich langsam fort gedrungen
  Doch schweig ich noch von dem / was ärger als der Tod /
  Was grimmer denn die Pest / und Glutt und Hungersnoth
Das auch der Seelen Schatz / so vilen abgezwungen.

Abend.

DEr schnelle Tag ist hin / die Nacht schwingt ihre Fahn /
Vnd führt die Sternen auff. Der Menschen müde Scharen
Verlassen Feld und Werck / wo Thir und Vögel waren
    Traurt itzt die Einsamkeit. Wie ist die Zeit verthan!
    Der Port naht mehr und mehr sich zu der Glider Kahn.
Gleich wie diß Licht verfil / so wird in wenig Jahren
Jch / du / und was man hat / und was man siht / hinfahren.
    Diß Leben kömmt mir vor als eine Renne-Bahn.
Laß höchster Gott / mich doch nicht auff dem Lauffplatz gleiten /
Laß mich nicht Ach / nicht Pracht / nicht Lust nicht Angst verleiten!
    Dein ewig-heller Glantz sey vor und neben mir /
Laß / wenn der müde Leib entschläfft / die Seele wachen
Vnd wenn der letzte Tag wird mit mir Abend machen /
    So reiß mich aus dem Thal der Finsternüß zu dir.

Mitternacht.

SChrecken / und Stille / und dunckeles Grausen / finstere Kälte bedek-
    ket das Land
Jtzt schläfft was Arbeit und Schmertzen ermüdet / diß sind der traurigen
    Einsamkeit Stunden.
Nunmehr ist / was durch die Lüffte sich reget / nunmehr sind Menschen
    und Thire verschwunden.
Ob zwar die immerdar schimmernde Lichter / der ewig schitternden
    Sternen entbrant!
Suchet ein fleissiger Sinn noch zu wachen? der durch Bemühung der
    künstlichen Hand /
Jhm / die auch nach uns ankommende Seelen / Jhm / die an itzt sich hir
    finden verbunden?
Wetzet ein bluttiger Mörder die Klinge? wil er unschuldiger Hertzen
    verwunden?
Sorget ein Ehren-begehrend Gemütte / wie zu erlangen ein höherer
    Stand?
Sterbliche! Sterbliche! lasset diß dichten! Morgen! Ach Morgen! Ach
    muß man hinzihn!
Ach wir verschwinden gleich als die Gespenste / die umb die Stund
    uns erscheinen und flihn
Wenn uns die finstere Gruben bedecket / wird / was wir wündschen und
    suchen zu nichte.
Doch / wie der gläntzende Morgen eröffnet / was weder Monde noch
    Fackel bescheint:
So / wenn der plötzliche Tag wird anbrechen / wird was geredet /
    gewürcket / gemeynt.
Sonder vermänteln eröffnet sich finden vor des erschrecklichen GOttes
    Gerichte.

Die Hölle.

ACh! und Weh!
Mord! Zetter! Jammer / Angst / Creutz! Marter! Würme! Plagen.
Pech! Folter! Hencker! Flam̄! Stanck! Geister! Kälte! Zagē!
Ach vergeh!
Tiff' und Höh'!
Meer! Hügel! Berge! Felß! wer kan die Pein ertragen?
Schluck Abgrund! ach schluck' ein! die nichts den̄ ewig klagen.
Je und Eh!
Schreckliche Geister der tunckelen Hölen / ihr die ihr martret und Marter
erduldet
Kan denn der ewigen Ewikeit Feuer / nimmermehr büssen diß was ihr
verschuldet?
O grausam' Angst stets sterben / sonder sterben!
Diß ist Flamme der grimmigen Rache / die der erhitzete Zorn angeblasen:
Hir ist der Fluch der unendlichen Straffen / hir ist das immerdar wach-
sende Rasen:
O Mensch! Verdirb / umb hir nicht zu verderben.

Auff den Sontag des gewündschten Königs / oder den Palmen-Sontag / Matt. 21.

SChau Zion / schau dein Printz von welchem längst geschriben /
Dein Seligmacher köm̄'t / der willigst alles thut /
Was Gott sein Vater schleust / in dessen sanfften Mut
Noch einig rechte Treu / (die sonst verschwunden /) bliben!
Er ists / der Helffer heist / der feurig dich zu liben.
Vnd frey zu machen eyl't / der durch sein teures Blutt
Lescht deiner Flüche Plitz / und deiner Straffen Glutt /
Vnd einzeucht / daß du nicht dürffst ewig seyn vertriben.
Hosanna Davids Kind! Hosanna höchster GOtt!
Lob sey dir / der du dich gibst in den Tod und Spott;
Vnd einen Knecht für mich / mein König dich erklärest!
Lob dir! der du von uns die Sünden-Bürd auffhebst /
Für unser Leben stürbst / für unser Sterben lebst /
Vnd uns für Schande Ruhm / und Lust für Pein gewehrest.

Auff das Fest des grossen Abendmals / oder Grünen Donnerstag. 1. Corinth. 11.

O Höchster Libe Pfand! O Brunnquell guter Gaben!
O beste Süssigkeit! O wahres Engelbrodt!
O Edle-Seelen-Kost / die in der höchsten Noth /
Wil mein verwundtes Hertz und Siech Gewissen laben /
O Schatz / in dem ich mag recht reiche Schätze haben /
O ewig lebend Fleisch / das meinen Leib von Tod
O Blutt / das mich von Fluch / von Blutschuld / Ach und Kott
Der Sünden ledig mach't: fliht! fliht ihr Hellen-Raben!

Diß unser Osterlamb geht nur die Reinen an!
Es nehrt den der sich selbst mit Eyver prüfen kan /
Es ist der Bösen Gifft / der Frommen Stärck und Wonne /
Kom't die ihr irre geht in diser wüsten Welt /
Die Zehrung / die sich selbst für eure Noth auffstelt
Verdecket Brodt und Wein / wie Wolcken eine Sonne!

Auff das Fest des Todes JEsu Christi / oder auff den guten Freytag.

O Schmertz! das Leben stirbt! O Wunder! Gott muß leiden!
Der alles trägt fällt hin / die Ehre wird veracht
Der alles deckt ist nackt / der Tröster ist verschmacht
Der Lufft und Wälder schuff / muß Lufft und Wälder meiden!
Er hat die Lufft zur Pein / und muß am Holtz abscheiden.
Der Glantz der Herrligkeit / verschwind't in herber Nacht
Der Segen wird ein Fluch / die unerschöpffte Macht /
Hat keine Kräffte mehr! den König aller Heyden /
Erwürg't der Knechte Schar. Was Boßheit hat verschuld't
Zahlt Vnschuld willig aus / wie emsig ist Gedult
Vns Gottes grosse Gunst auffs neue vorzubringen!
O härter als ein Stein / den nicht die Treu bewegt /
Wenn Sonn und Tag verschwartzt / wenn sich der Erdkreiß regt
Wenn Todten selbst erstehn und harte Felß auffspringen!

Auff das Fest des Aufferstehenden Erlösers / oder Heil. Osterstag. Marci 16.

WO ist der Höllen Raub? wo sind des Todes Pfeile?
Wo ist der Sünden Macht? Wo ist der Schlangen Zahn?
Wo ist des Höchsten Zorn? Wo ist der Höllen Kahn?
Verjagt! erlegt! entzwey! wo sind die starcken Seile
Mit den die Sünde Band? ist in so kurtzer Weile
Des Teufels Reich zustört? Ja! schaut die Siges Fahn /
Der Löw und Lamb / der Knecht und König hats gethan:
O Leben! Heil! Triumph! auff / auff mein Hertz und eile!
Dort liget meine Schuld'! hir ist das Lösegeld /
Dort ist das lerre Grab / hir ist der starcke Held
Der jdem Petro rufft! O der du hast durchdrungen
Grab / Sigel / Hutt und Stein: weltz' ab die grosse Last
Vons Hertzens Thür / bind auff das Schweißtuch / das mich fast.
Damit ich sehe / wie der Tod im Sig verschlungen.

Absit mihi gloriari nisi in Cruce Domini
nostri JEsu Christi.

POcht auff eur Gold / auff die nichts werthen Schätze!
   Pocht Menschen auff eur nicht beständig Gutt!
    Auff eure Macht die über Erd und Flutt
Den Zepter streckt / wie bald fällt ihr Gesetze!
Ein ander jauchtz' / ein ander rühm' / und wetze
   Sein stoltzes Schwerdt auff schwacher Leiber Blutt
    Vnd jener rühm' aus dünckel-vollem Mutt
Daß ihm die Weißheit selbst die Kron auffsetze!
   Vergest der hohen Wort' und zarten Schönheit nicht
    Sucht eur' Vhrahnen vor / und wo euch was gebricht
So last gelehrte Händ' auffs prächtigst euch außstreichen!
   Mir ist auff Erden nichts als dessen Creutz bekant
    Der sterbend sich durchs Creutz' am Creutz mit mir verband
Vnd mir sein Creutze schenckt zum treuen Libe-zeichen.

ANDREAS GRYPHIUS.
Vber seine Sontag- und FeyrtagsSonnette.

JN meiner ersten Blüt' / ach! unter grimmen Schmertzen
   Bestürtzt durchs scharffe Schwerdt' und ungeheuren Brand
    Durch libster Freunde Tod und Elend / als das Land
Jn dem ich auffging fil' / als toller Feinde Schertzen /
Als LästerZungen Spott mir rasend drang zu Hertzen /
   Schrib ich diß was du sihst mit noch zu zarter Hand
    Zwar Kindern / als ein Kind / doch reiner Andacht Pfand /
Tritt Leser nicht zu hart auff Blumen Erstes Mertzen.
   Hir donnert / ich bekenn / mein rauer *Abas* nicht /
    Nicht Leo / der die Seel' auff dem Altar außbricht /
Der Märtrer Helden-Muth ist anderswo zu lesen:
   Jhr die ihr nichts mit Lust als frembde Fehler zehlt
    Bemüht euch ferner nicht: Jch sag' es was mir fehlt
Daß meine Kindheit nicht gelehrt doch fromm gewesen.

Uber wahre Beständigkeit.

BEständigkeit wird stehn! will gleich der Freund betrigen!
Pocht gleich der tolle Feind! Jhr wird kein Glimpff obsigen.
Sie acht kein gläntzend Schwerd / sie schätzt kein Ehren-Kron.
Kein Arbeit macht sie matt / sie fragt nach keinem Hohn.
Nichts gilt der Worte Pracht / nicht wilder Lewen Rachen:
Drew ihr mit Raad und Spiß / laß Glutt und Flammen krachen!
Erläng ihr Lebens Zill! Heiß sie in Angst vergehn!
Ja wirff den Himmel ein! Jsts sie / so wird sie stehn.

Uber *Nicolai Copernici* Bild.

Du dreymal weiser Geist / du mehr denn grosser Mann!
Dem nicht die Nacht der Zeit die alles pochen kan /
Dem nicht der herbe Neid die Sinnen hat gebunden /
Die Sinnen / die den Lauff der Erden neu gefunden.
Der du der alten Träum und Dünckell widerlegt:
Und Recht uns dargethan was lebt und was sich regt:
Schau itzund blüht dein Ruhm / den als auf einem Wagen /
Der Kreiß auf dem wir sind muß umb die Sonnen tragen.
Wann diß was irrdisch ist / wird mit der Zeit vergehn /
Soll dein Lob unbewegt mit seiner Sonnen stehn.

Auff den *Felinus*.

Felinus hat die Kunst der Buhlerey beschriben /
Man siht wohl daß er nicht diß Handwerck vil getriben.

Auff den *Albin*.

Albinus bittet mich schir ieden Tag zu gaste;
Warumb dann komm ich nicht? weil ich nicht gerne faste.

An *Mæviam*.

Du klagst / du seyst sehr schwach / ich glaub es. Unser Knecht /
Hat in den Stalle dich geschwächt ohn Red' und Recht.

An den *Lycaon*.

Lycaon riß die Todten aus der Grufft /
Beraubte Särg' und brach Stein / Creutz und Baare /
Damit ihm nicht dergleichen widerfahre;
Bestellt das Recht ein Grab ihm in der Lufft.

An den *Olmus*.

Traur' / *Olmus* traur' / es hat der Tod dein Weib verletzet!
Traur' ach! sie hat dich nicht zum Erben eingesetzet.

An *Furium*.

Dein Vater ward dreymal umb Dibstück angeklagt /
Die Mutter hat es Knecht und Herren nie versagt /
Biß sie der Hencker hat mit Rutten ausgestrichen /
Da ist sie auf dem Schnee in Angst und Frost verblichen.
Jch habe dich sehr oft sehn betteln umher gehn /
Und umb ein Stücke Brodt für meiner Thüren stehn.
Biß dich das freche Weib die *Chloris* angenommen /
Die mit geringer Müh ist zu vil Reichthum kommen.
Als sie der schnelle Tod (man weiß nicht wie) versehrt;

Hat man dich umb ihr Geld / das sie dir liß / geehrt.
Mit dem hast du zu letzt *Bonosus* Frau bestochen /
Die mit dir in dem Feld hat Eh und Eyd gebrochen.
Jn kurtzem starb ihr Mann. Sie ward dein eigen Weib /
Da nahm dein Ansehn zu / da wickelst du den Leib
Jn güldne Tücher ein / itzt bist du hoch gestigen /
Und denckest durch die Lufft mit deiner Pracht zu fligen /
Du drückst / du schmehst / du fluchst / du klagst unredlich an
Die / die dir vor vil Guts und nie kein Leid gethan
Du meinest über uns zu steigen und zu schweben:
Wer so steigt muß zu letzt der Leiter sich begeben.

Grabschrifft eines gehenckten Seilers.

Was disen Leib erhält / muß offt den Leib verderben.
Jch lebte von dem Strick und muß durch Stricke sterben.

An *Fuscum.*

Die Zeit kan deinen Kopff und Bart in weiß verkehren /
Die Schwärtze des Gemüts wird bey dir ewig weren.

Auff den *Cleander.*

Alles will *Cleander* wissen: Doch mir will es nicht zu Sinne /
Weil er nicht weiß daß wir wissen / daß er gar nichts weiß und könne

An *Magnum.*

DU sorgest für das Geld des Fürsten / dises sorgen
Entbindet dich von Sorg' und dem so herben Borgen.

An *Balbum.*

Du schläffst den gantzen Tag und wachst die Nacht beym Wein;
Weil du ein kluges Kind der Finsternüß wilst seyn.

Uber seine Beschreibung des Freystädtischen Brandes. Jn dem 1637. Jahre.

Umb daß ich deine Glutt und letzte Noth beschriben /
O Freystadt / und wie du seyst in dem Feur gebliben /
Drewt man mit Haß und Hohn ich bildet' es mir ein
Bald Anfangs / daß es mir nicht würde freye seyn /
Nach dem die Freystadt hin / daß der sich brennen müste /
Den seine Händ in Bränd zu stecken / ie gelüste.

An *Serenum.*

Jhr klagt mir eure Lib! Umbsonst! in diser Pein /
Kan eine Freundin / nicht ein Freund / behülfflich seyn.

An zwey unverschämte Poeten.

Jhr setzt sehr künstlich auff / was ihr vor Laster treibet /
Ein Narr! wer seine Schuld mit Gold auff Marmel schreibet!

An den *Claudius.*

Wie kommt es daß man dich nicht in der Kirchen schauet?
Weil dir vor deiner Grufft / die dar zu finden grauet.

An den *Claudius.*

Was nützt daß du ein Grab wenn deine Zeit verschwunden /
Dir in die Kirch' erkaufft da vor du nie gefunden?
Kom liber / weil dir noch diß Leben blüht herein /
Jch fürchte / wann du tod / werd es zu langsam seyn.

Auff *Balbinum.*

Wie seltsam ists: *Balbinus* ist ein Dib /
Und sein Weib hat stets frembde Männer lib.
Er nimmt von allem was er immer kan:
Und dise beut sich allen selber an!
Was dünckt euch wohl / daß hiraus sey zu schlissen?
Sie will sein Nehmen durch ihr Geben büssen.

Grabschrifft / die er ihm selbst in tödlicher Leibes-Schwachheit aufgesetzet.

Jch bin nicht mehr denn du / ich bin was du gewesen /
Bald wirst du seyn was ich. Mein Wissen / Thun und Lesen /
Mein Nahme / meine Zeitt / mein Leben Ruhm und Stand
Verschwunden als ein Rauch. Die leichte Hand voll Sand;
Verdeckt denselben Leib den vorhin vil geehret
Den nechst der Fiber Glutt itzt Fäull und Stanck zustöret.
Beweine wer du bist / nicht mich / nur deine Noht.
Du gehst in dem du gehst und stehst und ruhst zum Tod.

XII

CHRISTIAN HOFMANN VON HOFMANNSWALDAU

Verachtung der Welt.

WAs ist das grosse Nichts / so Welt und Erde heisset /
    Dem der gemeine Geist zu opfern sich befleisset /
    Jhm fetten Weirauch bringt und ihm sich selber schlacht?
    Ein grosser Wunderball mit Eitelkeit erfüllet /
    Ein Brunn aus welchem stets ein Strom der Sünden quillet /
    Ein Mahler / so den Schein zu einem Grunde macht;
Ein Spiel der Sterblichen / von lauter Trauerschlüssen /
    Ein Garten bey der Nacht / von vielen Judasküssen /
    Ein Felsen der uns stets das Schiff der Hoffnung bricht /
    Ein Baum der iederzeit verbotne Früchte zeiget /
    Ein Lehrer / dessen Mund das beste stets verschweiget /
    Ein Licht von Jrrwisch und Cometen zugericht;
Ein Glaß von schöner Schrift / so Gift im Busen träget /
    Ein immergrünes Feld / so heisses Wolfskraut heget /
    Ein Uhrwerck das oft steckt / oft zu geschwinde geht /
    Ein weites Freudenmeer voll Syrten und Sirenen /
    Ein alte Mutter reich an tausend bösen Söhnen /
    Ein Greiß der nicht zuweit von seinem Ende steht;
Ein wolgeputzt Spittal / durchbeitzt mit Pest und Seuchen /
    Ein Zeughauß von Verdruß / Betrug und bösen Bräuchen /
    Ein falscher Urtheil-Tisch / der Tugend Laster heist /
    Ein kräftiger Magnet / der Schuld sein Eisen nennet /
    Ein *Aetna* dessen Brust von heissen Lastern brennet /
    Ein Thier so uns beweint in dem es uns zerreist;
Ein Führer / der mit Lust uns in die Hölle leitet /
    Ein Mörder / so das Gift mit Amber zubereitet /
    Ein Steller / der uns pfeifft / wenn er uns fangen wil /
    Ein rundter Rechentisch / der falsche Müntze leidet /
    Ein Künstler / der uns mehr von Gott als Golde scheidet /
    Ein rechter Wieder-Gott / ein falsches SinnenZiel;
Ein Spiegel ohne Grund / ein Saal von schlechtem Lichte /
    Ein weißgetünchtes Grab / ein stets verkapt Gesichte /
    Ein Kercker / wo man lacht / ein goldnes Würgeband /
    Ein Eiß / darauf man fällt / ein Wohnhauß voller Schrecken /
    Ein Apfel voll Gewürm / ein Zeug von tausend Flecken /
    Ein goldner Distelstrauch / ein schöner Trübesand.
Dem allen / werther Freund / ist euer Lieb' entgangen:
    Sie hat durch ihren Todt zuleben angefangen.
    Man freut sich / wann ein Freund den Hafen hat erreicht /
    Dieweil er neun befreut von Klippen / Wind und Wellen /
    Schiff / Wahren / Geist und Leib zufrieden weiß zustellen /
    Wie daß ein traurig Ach durch euer Hertze streicht?

Was ihr nicht ferner schaut / das heist ja nicht verlohren /
  Diß leidet nicht Verlust / was Gott ihm hat erkohren /
  Und sich dem Himmel hat durch Zucht gemeß gemacht.
  Was zeitlich hat gelernt das reine Werck zuüben /
  So nicht nach Erde reucht / und Gottes Geister lieben /
  Hat kein verfinstert Grab in sein Gebiethe bracht.
Es fleucht den Erdenkloß / es übersteigt die Sonne /
  Und suchet über uns / entbunden / eine Wonne /
  Die kein Verhängnüß stört / die keinen Zufall kennt /
  Es schwebt in einer Lust / der keine Lust zugleichet /
  Und führet einen Schein / dem auch die Sternen weichen /
  Die oft ein Gegensatz von ihren Strahlen trennt.
Jst diß nun Thränen werth / was sol man Freude heissen?
  Last euch den heissen Schmertz das Hertze nicht durchreissen.
  Was Erd' ist / war / und wird / sol mehr als Erde seyn.
  Der viel aus nichts gemacht / und Erd' in Fleisch verkehrte /
  Und der es so beschloß / daß Erd' auch Fleisch verzehrte /
  Führt endlich Seel und Leib verklärt in Himmel ein.
Wo ist ein schöner Trost in allen unsern Nöthen /
  Als dieses starcke Wort / der Tod weiß nicht zutödten?
  Die Seele schwebt bey Gott / der Leib hat seine Ruh /
  Was habt ihr endlich doch vor euren Schatz zusorgen /
  Der in des Höchsten Hand so sicher ligt verborgen?
  Mich deucht er ruffet euch mit diesen Worten zu:
Euch drückt noch Kett' und Band / ich bin dem Joch entnommen /
  Jhr wallet auf der See / ich bin in Hafen kommen:
  Jhr schwebt in eitel Noth / ich bin davon befreut /
  Jhr lieget in der Nacht / mir leuchten tausend Kertzen /
  Jhr seuffzet in der Angst / ich denck an keine Schmertzen /
  Jhr tragt den Dornenkrantz / mich krönt die Ewigkeit.

Gedancken bey Antretung des funffzigsten Jahres.

1.

MEin Auge hat den alten Glantz verlohren /
  Jch bin nicht mehr / was ich vor diesem war /
Es klinget mir fast stündlich in den Ohren:
  Vergiß der Welt / und denck auf deine Baar /
Und ich empfinde nun aus meines Lebens Jahren /
Das funfftzig schwächer sind als fünff und zwantzig waren.

2.

Du hast / mein Gott / mich in des Vaters Lenden /
  Als rohen Zeug / genädig angeschaut /
Und nachmahls auch in den verdeckten Wänden /
  Ohn alles Licht / durch Allmacht aufgebaut /
Du hast als Steuermann und Leitstern mich geführet /
Wo man der Wellen Sturm / und Berge Schrecken spüret.

3.

Du hast den Dorn in Rosen mir verkehret /
   Und Kieselstein zu Cristallin gebracht /
Dein Seegen hat den Unwerth mir verzehret /
   Und Schlackenwerck zu gleichem Ertzt gemacht.
Du hast als *Nulle* mich den Zahlen zugesellet /
Der Welt Gepränge gilt nach dem es Gott gefället.

4.

Jch bin zuschlecht / vor dieses Danck zusagen /
   Es ist zu schlecht was ich dir bringen kan.
Nim diesen doch / den du hast jung getragen
   Als Adlern itzt auch in dem Alter an.
Ach! stütze Leib und Geist / und laß bey grauen Haaren /
Nicht grüne Sündenlust sich meinem Hertzen paaren.

5.

Las mich mein Ampt mit Freudigkeit verwalten /
   Las Trauersucht nicht stören meine Ruh /
Las meinen Leib nicht wie das Eys erkalten
   Und lege mir noch etwas Kräffte zu.
Hielff das mich Siechthum nicht zu Last und Eckel mache /
Der Morgen mich bewein / der Abend mich verlache.

6.

Las mich die Lust des Feindes nicht berücken /
   Die Wermuth offt mit Zucker überlegt /
Verwirr ihn selbst in Garne seiner Tücken /
   Das der Betrug nach seinem Meister schlägt.
Las mich bey guter Sach ohn alles Schrecken stehen /
Und unverdienten Haß zu meiner Lust vergehen.

7.

Verjüng in mir des schwachen Geistes Gaben /
   Der ohne dich ohn alle Regung liegt /
Las mit der Zeit mich diesen Nachklang haben:
   Das Eigennutz mich niemahls eingewiegt /
Daß mir des Nechsten Gutt hat keinen Neid erwecket /
Sein Ach mich nicht erreicht / sein Weinen nicht beflecket.

8.

Hielff / das mein Geist zum Himmel sich geselle /
   Und ohne Seyd und Schmüncke heilig sey;
Bistu doch / Herr / der gute reine Quelle;
   So mache mich von bösen Flecken frey.
Wie leichtlich läst sich doch des Menschen Auge blenden!
Du weist / wie schwach es ist / es kombt aus deinen Händen.

9.

Denn führe mich zu der erwehlten Menge /
   Und in das Licht durch eine kurtze Nacht:
Jch suche nicht ein grosses Leichgepränge /
   Aus Eytelkeit / und stoltzer Pracht erdacht.

Jch wil kein ander Wort um meinen Leichstein haben /
Als diß: Der Kern ist weg / die Schalen sind vergraben.

[GRABSCHRIFTEN]

Eines Soldaten.

Jch brannte / hieb und stach / ich wachte / brach / und raubte /
Jch jagte / schoß / und warf / ich dräute / zörnt / und schnaubte /
Die Arbeit / so ich that / war nicht umbsonst verbracht /
Sie hat mir Weg und Steg zur Höllen weit gemacht.

Eines Pauren.

Das Erdreich gab mir Brod / das Brod erhielt mein Leben /
Vor Brod hab ich das Fleisch der Erden hingegebē.
Jch gebe wol zu viel. Das Fleisch kam aus der Erden /
Und muß auch / was es war / in kurtzem wieder werdē.

Eines Alchimisten.

Jch war ein Alchimist / ich dachte Tag und Stunden /
Auf eine neue Kunst des Todes frey zu seyn /
Diß was ich stets gesucht / das hab ich nicht gefundē /
Und was ich nicht gesucht / das stellt sich selbsten ein.

Eines Lasterhafftigen.

Die Leber ist zu Wien / das Glied zu Rom geblieben /
Das Hertz in einer Schlacht / und das Gehirn im Lieben.
Doch daß der Leib nicht gantz verlohren möchte seyn /
So legte man den Rest hier unter diesen Stein.

Eines gehangenen Seyltäntzers.

Jch bin in freyer Lufft auf Stricken stets gegangen /
Jch ward in freyer Lufft an einen Strick gehangen.
Mein Leib der nehrte sich mit Stricken und mit Lufft.
Nun bringt mich Lufft und Strick auch endlich in die Grufft.

Eines Verliebten.

Der hier begraben liegt / ist aus der Buhler Orden /
Nicht wunder dich zu sehr / daß er zur Asche worden /
Sein Leib war voller Glut / und voller Flam̄enschein /
Wie solte denn der Mann nicht Asche worden seyn.

Eines Mahlers.

Der Kunstrieß meiner Hand ziert manches Fürsten Schätze /
Doch fällt er durch den Spruch der himmlischen Gesetze.

Die Taffel frist der Wurm / mein Mahlwerck frist die Zeit /
Hier wird der Mahler selbst ein Bild der Sterbligkeit.

Eines Hornträgers.

Zwey Hörner liegen hier in dieser Grufft begraben /
Nicht dencket / daß ein Bock hier wird die Ruhstadt haben.
Hier ruht ein guter Mann / der Hörner hat bekom̄en /
Nach dem ihm die Natur das Stossen hat benom̄en.

Einer Wittib.

Jch war ein schönes Schif / das ohne Ladung lag /
Es plagte mich die Nacht / es kränckte mich der Tag.
Hier ist nicht Licht genung / mich deutlich zu verstehen.
Weil mir der Mast gebrach / muß ich zu Grunde gehen.

Einer lustigen Jungfrauen.

Hier lieget *Fulvia* bey tausenden begraben /
Jhr Mund hat nie gewüntscht ein eigen Grab zu haben.
Sie bat der Freunde Hand zu schreiben auf den Stein /
Gleich wie der Körper war / so sol die Grabstadt seyn.

Einer andern dessen Beschaffenheit.

Die vor geschencktes Geld entblöste Leib und Brust /
Macht der ergrim̄te Tod zu des Gewürmes Kost.
Jhr Buhler last alhier die Thränenströme fliessen /
So kan noch mancher Wurm bey Speise Tranck geniessen.

Sonnet.
Er schauet der Lesbie durch ein loch zu.

ES dachte Lesbie sie sässe gantz allein /
Jndem sie wohl verwahrt die fenster und die thüren;
Doch ließ sich Sylvius den geilen fürwitz führen /
    Und schaute durch ein loch in ihr gemach hinein.
Auff ihrem lincken knie lag ihr das rechte bein /
Die hand war höchst bemüht / den schuch ihr zuzuschnüren /
Er schaute / wie der moß zinnober weiß zu zieren /
    Und wo Cupido will mit lust gewieget seyn.
Es rüffte Sylvius: wie zierlich sind die waden
Mit warmen schnee bedeckt / mit helffenbein beladen!
    Er sahe selbst den ort / wo seine hoffnung stund.
Es lachte Sylvius / sie sprach: du bist verlohren /
Zum schmertzen bist du dir / und mir zur pein erkohren:
    Denn deine hoffnung hat ja gar zu schlechten grund.

Sonnet.
Vergänglichkeit der schönheit.

ES wird der bleiche tod mit seiner kalten hand
Dir endlich mit der zeit um deine brüste streichen /
Der liebliche corall der lippen wird verbleichen;
   Der schultern warmer schnee wird werden kalter sand /
   Der augen süsser blitz / die kräffte deiner hand /
Für welchen solches fällt / die werden zeitlich weichen /
Das haar / das itzund kan des goldes glantz erreichen /
   Tilgt endlich tag und jahr als ein gemeines band.
Der wohlgesetzte fuß / die lieblichen gebärden /
Die werden theils zu staub / theils nichts und nichtig werden /
   Denn opffert keiner mehr der gottheit deiner pracht.
Diß und noch mehr als diß muß endlich untergehen /
Dein hertze kan allein zu aller zeit bestehen /
   Dieweil es die natur aus diamant gemacht.

*

1.

   ALbanie gebrauche deiner zeit /
Und laß den liebes-lüsten freyen zügel /
   Wenn uns der schnee der jahre hat beschneyt /
So schmeckt kein kuß / der liebe wahres siegel /
   Jm grünen mäy grünt nur der bunte klee.
        Albanie.

2.

   Albanie / der schönen augen licht /
Der leib / und was auff den beliebten wangen /
   Jst nicht vor dich / vor uns nur zugericht /
Die äpffel / so auff deinen brüsten prangen /
   Sind unsre lust / und süsse anmuths-see.
        Albanie.

3.

   Albanie / was qvälen wir uns viel /
Und züchtigen die nieren und die lenden?
   Nur frisch gewagt das angenehme spiel /
Jedwedes glied ist ja gemacht zum wenden /
   Und wendet doch die sonn sich in die höh.
        Albanie.

4.

   Albanie / soll denn dein warmer schooß
So öd und wüst / und unbebauet liegen?
   Jm paradieß / da gieng man nackt und bloß /
Und durffte frey die liebes-äcker pflügen /
   Welch menschen-satz macht uns diß neue weh?
        Albanie.

5.

Albanie / wer kan die süßigkeit /
Der zwey vermischten geister recht entdecken?
Wenn lieb und lust ein essen uns bereit /
Das wiederhohlt am besten pflegt zu schmecken /
Wünscht nicht ein hertz / daß es dabey vergeh?
Albanie.

6.

Albanie / weil noch der wollust-thau
Die glieder netzt / und das geblüte springet /
So laß doch zu / daß auff der Venus-au
Ein brünstger geist dir kniend opffer bringet /
Daß er vor dir in voller andacht steh.
Albanie.

Auff den mund.

MUnd! der die seelen kan durch lust zusammen hetzen /
Mund! der viel süsser ist als starcker himmels-wein /
Mund! der du alakant des lebens schenckest ein /
Mund! den ich vorziehn muß der Jnden reichen schätzen /
Mund! dessen balsam uns kan stärcken und verletzen /
Mund! der vergnügter blüht / als aller rosen schein.
Mund! welchen kein rubin kan gleich und ähnlich seyn.
Mund! denn die Gratien mit ihren qvellen netzen;
Mund! Ach corallen-mund / mein eintziges ergetzen!
Mund! laß mich einen kuß auff deinen purpur setzen.

Sonnet.
Beschreibung vollkommener Schönheit.

EJn haar so kühnlich trotz der Berenice spricht.
Ein mund / der rosen führt und perlen in sich heget.
Ein zünglein / so ein gifft vor tausend hertzen träget.
Zwo brüste / wo rubin durch alabaster bricht.
Ein hals / der schwanen schnee weit weit zurücke sticht.
Zwey wangen / wo die pracht der Flora sich beweget.
Ein blick / der blitze führt und männer niederleget.
Zwey arme / derer krafft offt leuen hingericht.
Ein hertz / aus welchem nichts als mein verderben qvillet.
Ein wort / so himmlisch ist / und mich verdammen kan /
Zwey hände / derer grimm mich in den bann gethan /
Und durch ein süsses gifft die seele selbst umhüllet.
Ein zierrath / wie es scheint / im paradiß gemacht /
Hat mich um meinen witz und meine freyheit bracht.

Schertz-Gespräche zwischen zween Jndianern / einem Zigeuner und einem Juden / bey dem Drobisch-Bielerischen hochzeit-feste.

Aria.

Amor.

1.

VErgnüge deine rast /
Du angenehmer schmertz /
Denn deine süsse last
Ermüdet geist und hertz.

2.

Wo blicke sehnlich thun /
Und buhlen um die lust /
Da mag das hertze ruh'n
Jn einer sanfften brust.

3.

Denn wie ein lieber blick
Jn sein vergnügen spielt /
So kommt er nie zurück /
Daß er nicht labsal fühlt.

4.

Auch selbst der himmel schickt
Der erden blicke zu /
Wodurch er sie beglückt /
Und wünscht ihr sanffte ruh.

5.

Drum wünsche wer da kan /
Daß den verlobten zwey
Der himmel zugethan /
Und immer günstig sey.

Bachus.

Jch habe deine macht / mein Amor / auch empfunden /
Eh' Ariadne sich mit meiner brust verbunden.
   Hier ist ihr schöner schmuck / ihr sternen kronen-glantz/
   Den hab ich auffgesetzt als einen götter-krantz.
Das laub mag itzund ruhn / womit ich mich sonst schmücke /
Die Nymphe Staphyla hat heute nicht das glücke /
   Daß mich ihr grün bekrantzt / noch Cissus starckes haar /
   Das ich zum ephey mir gewiedmet gantz und gar.
Hier hab ich einen krantz von meiner himmels-wonne
Der liebsten meiner brust entlehnet / dem die sonne
   Selbst feuer mitgetheilt / mit diesem zieh' ich ein /
   Und wünsch: Es mögen braut und bräutgam glücklich seyn.
Wo Hymenäus lacht / und seine fahne schwencket /
Da schließ ich mich nicht aus / ja wo man voll einschencket /

Da lebt die beste lust; dann Amor und sein spiel /
Auch Venus und ihr stern erreichen kaum das ziel /
Wenn meine freude schläfft. Schmertz / angst und trauren sincket /
Wo man mein reben-blut zu gantzen römern trincket /
    Juch / evah! evoe! wo ist ein schönes glaß?
    Schenckt es was völler ein / schenckt ein das edle naß.
Das bring ich unsrer braut / sie nehm auch meine krone
Auff ihr bezircktes haupt / von Venus güldnem sohne;
    Trau aber nicht zu viel / es ist ein loses kind /
    Daß sie an krantzes statt nicht gar ein häubgen find.

Amor

Das wäre nicht gehext. Was ist doch wohl ein häubgen?
Was macht es? nichts nicht mehr / als aus der braut ein weibgen.
    Ein weibgen? Aber halt / was wird nun weiter draus /
    Wenn man die süsse lust mit mulden badet aus?
Das weibgen wird sodann zu einer lieben mutter /
Und endlich heist sie gar des vaters unterfutter.
    Jch schertze warlich nicht / die gar zu liebe braut /
    Hat in vergangner nacht dem bräutgam viel getraut /
Jhr bestes kleinodgen das gab sie zu probieren /
Ob sich es schicken möcht ein vorgesteck zu zieren;
    Er aber sagte nein / mein kind / es giebt das ding
    Nichts mehr / sie gläub es mir / als einen finger-ring.
Und also wolt er ihr dis kleinodgen versetzen /
Jndem verlohr sichs gar; Nun stellt man ihm mit netzen
    Und hauben wieder nach / das ist gewißlich viel;
    Was man da fangen wird / ist lauter kinder-spiel.

Bachus.

Wie / Amor / schertzest du? was hat die braut verlohren?
Ein kleinod? träumt dir denn?

Amor.

             Ich habe ja geschworen.
Nicht viel von traum erwehnt / es ist nur allzu wahr.

Bachus.

Ist nicht dergleichen mehr?

Amor.

        Fürwar es hat gefahr.

Bachus.

Herr buhler ist verpflicht es wieder gut zu machen
Mit edelsteinen / gold und andern raren sachen
    Hat er nur stets zu thun; Ja was der Orient
    Von bunten glantz geschmeid aus seiner ferne sendt /

Das kennt er meisterlich / drum wag ich eine wette /
Daß er es leicht ersetzt; Und da ers auch nicht hätte /
   So findt sichs in der welt / es hat es doch das land /
   Das so gar wunderlich vergüldet strand und sand.
Das reiche Indien. Wo seyd ihr mit-gefehrten /
Die wir von dort mit uns auff unsre farth begehrten?
   Laßt eure schätze sehn / ist nicht dergleichen da /
   Als unsre braut vermißt? Last schaun

Amor.

Ach ja / ja / ja!

Bachus.

Was habt ihr mitgebracht aus euren fernen grentzen?
O seh' ich da nicht schmuck aus diesem fache gläntzen!

1. Indianer.

Jch kan nicht gar zu deutsch / verzeiht er mirs / ihr Herr /
   Daß ich nicht kan geredt / der sprach ist gar zu schwer.
Jch hab ein braver ding / schön mädle zu bedienen
Zu vo-vo-vorgesteck / da ist er von rubinen.
   Jch hab ein ander noch; hier seht der langer ding /
   Den steckt man in der haar / ist ein haar-nadel flinck /
Mit diamant versetzt: Hier schöne Braccialetti
Vor damen / sehn der herr / ich hab auch gar zu netti
   Pendenti zu der ohr; hier hab ein ander sack /
   Der vor schön jungfer dient / wenn sich vor hitze schwack /
Und will der arme kind sich abfe-fechert haben /
Daran ein schöner stiel / der hand-stiel kan sie laben.
   Der ist von gut beschlagt mit allerbester gold /
   Seht lauter schöner stück / und kauffen welch ihr wollt.

Amor.

O weit gefehlt! Was unsre braut verlohren /
Wird nicht gekaufft / denn es wird mit gebohren.
   Kein schatz bezahlts / und wär er noch so groß;
   Doch wer es hat / der wär es gerne loß.

2. Indianer.

Jch bin der nicht versucht von deutscher sprach zu sachten.
Hier hab ich was mit uns aus meiner land getrachten;
   Wie heissen das / was sich der jungfern butzen seyn /
   Da kommen solcher kerl / und machen lali drein /
Da stecken nein das ding?

Jude.

Mein freund / es heissen perlen.

Indianer.

Ja perl / ick haben auch schön ding vor pravi kerlen.
　　Wie heissen da das kerl? muß steck erst finger nein;
　　Der ist ein köstlich ding.

Jude.

　　　　Ja köstlich mag es seyn.
Es heißt auff deutsch ein ring.

Indianer.

　　　　Ein ring? Monsieur probier /
Wie da der ding wird stehn / und seiner hand bezier.
Hier haben ick / wie heist / das mitten ist gespalt?
Wie heist das weiber-ding / wenns weiber schon ist alt?

Jude.

Ach perlen-mutter ists.

Indianer.

　　　　Ja mutter / mutter sagen
Wolt ick; seht wie der ding ist erstlick schön beschlagen
　　Mit schöner stein versetzt / ick schwern pour mein seel /
　　Daß keiner juvelier hat von so schön juweel.

Amor.

Nichts überall / die raren köstlichkeiten /
　　Wie edel sie zu schätzen /
Die mögen doch bey weiten
　　Den schaden nicht ersetzen.
Was unsre braut verlohren /
Wird nicht gekaufft / denn es wird mit gebohren.

Bachus.

　　Es ist ja ein jude hier.
　　Mauschel ich gebiete dir /
　　Suche deinen kram zur hand /
　　Ob darbey dergleichen pfand.

Jude.

　　O lyäe! meine sachen
　　Dörffen sich hieher nicht machen;
　　　Es sind ja der juden mehr /
　　　Die das spießgen brauchen sehr.
　　Jch bin ja ein armer jude /
　　Wohn in einer schlechten bude.
　　　Schau / hier ist der gantze prast.

Bachus.

Nun so zeige / was du hast.

Jude.

Schaut / das ist mein / es ist mein gantzer plunder.
Hier bring ich alles dar / wer weiß / ob nicht darunter
　　Das / was das liebe kind die nacht verlohren hat;
　　Wo nicht / ey mein! so sind mehr juden in der stadt /
Als ich / ich armer tropff.　　Hier hab ich ein crystallen
Zu einem hosen-knopff / hier zwo vergüldte schnallen;
　　Hier ist ein alt kollet / die ermel auch dazu /
　　Hier ein schmaragd / doublet / hier schnällgen in die schuh.
Hier ist ein gantz geschehr von raren rauchen fleckgen /
Vors frauen-volck / schau her / hab ich hier seiffen-säckgen.
　　Von scharlach / sichre dich / die säckgen sind geweyht /
　　Womit sie waschen sich / daß man sie nicht beschreyt.
Hier hab ich auch zugleich hübsch eingefaßte schwämgen /
Die sind so zart und weich. Jch hab auch saubre kämgen /
　　Und schmucke schergen / die rund abgeschliffen sind /
　　Auch hole spiegel / wie man hier dergleichen findt /
Jn welchen zu besehn / was unten und zur seiten /
　　Wie öffters muß geschehn / zumahl bey dicken leuten;
　　Und was dergleichen mehr in meinem handel ist.
　　Mein! was ists ungefehr / was unsre braut vermißt?

Amor.

Jude / du bist gar geschossen /
Was sind das vor narrenpossen?
　　Was unsre braut verlohren /
　　Wird nicht gekaufft / denn es wird neu gebohren;
Kein schatz bezahlts / und wär er noch so groß /
Doch wer es hat / der wär es gerne loß.

Bachus.

Was ist es denn / wenn es kein geld erreichet?
Ja / wenn kein glantz und kleinod sich ihm gleichet?
　　Und wär es gold / vergnügt es gelbes geld /
　　So solt es selbst aus seiner güldnen welt
Der muntre greiff mit seinen krummen krahlen
Bald lieffern her / und den verlust bezahlen.
　　Vermag es nicht das reiche morgenland?
　　Es schickt uns ja den schönsten diamant.
Ja solt es seyn das blut der edlen adern
Jm Orient / ich wolte selbst drum hadern /
　　Und sagen: Her den gläntzesten rubin /
　　Sein feuer soll hinfort im golde glüh'n.
Der muschel thau / der reiffen perlen tropffen /
Die solten sich in ihrer mutter pfropffen /

Damit der preiß gantz unvergleichlich wär /
Und solte sie selbst Doris geben her.
Dem Caucasus würd es zumahl gefallen /
Begehrte man die hellesten crystallen /
Er gäbe sie.   Ja / wenn mans haben wolt /
Heischt uns der Po elecktrans klares gold.
Dient eines nicht / so solten sich vereinen
Der gantze preiß von perlen / gold und steinen /
Um gut zu thun / was unsrer braut entrafft.
Was ist es denn?

Amor.

Ach / ach / die jungferschafft!

Bachus.

Alsobald komm her / Zigeuner /
Du kanst wissen / und sonst keiner /
Wo ein ding hinkommen sey /
Obs gestohlen / obs genommen /
Ob es werde wieder kommen /
Holla! sag es / rede frey.

Zigeuner.

Das kan ich als ein mann / ich lobe meine proben /
Die proben werden mich und meine kunst auch loben;
Was du von mir begehrt / soll alsobald geschehn /
Doch wolt ich nur zuvor das kästgen gerne sehn /
Woraus der raub entwandt;

Amor.

Ey laß dirs doch vergehen /
Zigeuner wolstu nicht das kästgen gerne sehen?
Jch hätt es nicht gedacht / o schwerlich wird was draus /
Es ist ein heimlich fach / man zeuchts nicht gerne raus.
Hör aber / wenn dirs dient / es ist noch eins darneben /
Ein kunst-fach / das man dir kan zubeschauen geben.
Denn wenn du sonst probat in deiner sach und kunst /
So kanst dus gleichwol sehn / sonst wär es laurer dunst
Und eitle phantasey

Zigeuner.

o trage keinen kummer /
Der diebstahl wird noch kund im alten weiber-sommer;
Jtzt sieht der schade groß und unvergleichlich aus /
Und / wird gedenck an mich / ein kinder-possen draus.
Mein bräutle laß es gehn / der dieb ist dein bezwinger.
Wo du ihn haschen wirst / kriegstu gewiß 6. finger
An einer hand / er geht nun mit der schwartzen kuh /
Die hat ein rauches maul / und sieht wie muh / muh / muh.

Amor.

Was schwatzestu despect von fingern und von haschen /
Vertrittstu noch den dieb / wer hat ihn lernen naschen?
  Ja wär ich wie die braut / dem diebe stellt ich doch /
  Und wenn ich ihn erhascht / er müste mir ins loch.
Da möcht er sitzen / biß er das / was ich verlohren
Mir wieder machte gut / das hiesse denn gesch . . . .
  Die gar zu liebe braut kan wohl davor nicht ruh'n /
  Dieb / wenn sie dich erhascht / wie wirst dus kriegen thun?
Zigeuner leugstu nicht / so will ich dich was fragen /
Was steht der braut wohl zu? das must du mir noch sagen /
  Und alsdann soll mein wunsch darauff seyn eingericht /
  Tritt nur was näher her / und schau ihr ins gesicht.

Zigeuner.

Jtzt dacht ich eben dran / ich will die hand beschauen /
Die hand! Die hand sieht aus / als wie bey jungen frauen;
  Das Venus-cingulum läst einen durchschnitt sehn /
  Bedeutet / daß es ihr werd heut als gestern gehn.
Und immer so fortan.   Was zeigt gesicht und stirne?
Die braut vergleichet sich / die allzuschöne dirne
  Mit einem fruchtbarn baum / ich seh es ihr wohl an;
  Nun ein fataler tag Fahi-Sebastian
Heut im calender steht / was kan man etwa schliessen?
Der safft tritt in den baum / an äpffel / pfirschgen / nüssen /
  Und anderm stamm-gewächs; ich wünsch ein fruchtbar jahr /
  Man applicir es recht / so ist die deutung klar.

Wunsch.

Amor.

  EDler baum biß an den sturtzel /
  Fasse deine süsse wurtzel /
    Und erweise rare frucht.
  Schötgen sind ein kinder-spielgen /
  Nur die früchte so mit stielgen
    Die / die werden vorgesucht.
  Schöner baum / wo du gezwieselt /
  Solstu / da der safft nur krieselt /
    Seyn zum besten eingepfropfft.
  Wachse / blühe mit gedeyen /
  Deinen gärtner zu erfreuen /
    Daß er in die hände klopfft.
  Wachse bald auch in die dicke /
  Und breit als ein meister-stücke
    Deine schönsten äste weit!
  Wenn der herbst ins land wird kommen /
  Dem soll werden abgenommen /
    Was des himmels seegen beut.

An Lauretten.

LAurette bleibstu ewig stein?
Soll forthin unverknüpffet seyn
Dein englisch-seyn und dein erbarmen?
Komm / komm / und öffne deinen schooß
Und laß uns beyde nackt und bloß
Umgeben seyn mit geist und armen.

Laß mich auff deiner schwanen-brust
Die offt-versagte liebes-lust
Hier zwischen furcht und scham geniessen.
Und laß mich tausend tausendmahl /
Nach deiner güldnen haare zahl /
Die geister-reichen lippen küssen.

Laß mich den ausbund deiner pracht /
Der sammt und rosen nichtig macht /
Mit meiner schlechten haut bedecken;
Und wenn du deine lenden rührst /
Und deinen schooß gen himmel führst /
Sich zucker-süsse lust erwecken.

Und solte durch die heisse brunst /
Und deine hohe gegen-gunst
Mir auch die seele gleich entfliessen.
So ist dein zarter leib die bahr /
Die seele wird drey viertel jahr
Dein himmels-rundter bauch umschliessen.

Und wer alsdann nach meiner zeit
Zu lieben dich wird seyn bereit /
Und hören wird / wie ich gestorben /
Wird sagen: Wer also verdirbt /
Und in dem zarten schooße stirbt /
Hat einen sannfften tod erworben.

Schertz-Lied.

ALs die Venus neulich sasse
Jn dem bade nackt und bloß /
Und Cupido aus der schooß /
Von dem liebes-zucker asse /
Zeigte sie dem kleinen knaben
Alles / was die frauen haben.

Marmol-hügel sah er liegen /
Von begierden auffgebaut;
Sprach zur mutter überlaut:
Wenn werd ich dergleichen kriegen /

Daß mich auch die schäferinnen /
Und die damen lieb gewinnen?
Venus lacht aus vollem munde
  Uber ihren kleinen sohn:
  Denn sie sah und merckte schon /
Daß er was davon verstunde /
Sprach: du hast wohl andre sachen /
Die verliebter können machen.

Unterdessen ließ sie spielen
  Seine hand auff ihrer brust:
  Denn sie merckte / daß er lust
Hatte weiter nachzufühlen /
Biß ihr endlich dieser kleine
Kam an ihre zarte beine.

Als er sich an sie geschmieget /
  Sprach er: Liebes mütterlein /
  Wer hat an das dicke bein
Euch die wunde zugefüget?
Müst ihr weiber denn auff erden
Alle so verwundet werden?

Venus konte nichts mehr sagen /
  Als: Du kleiner bösewicht /
  Packe dich / du solst noch nicht
Nach dergleichen sachen fragen.
Wunden / die von liebes-pfeilen
Kommen / die sind nicht zu heilen.

*

WO sind die stunden
  Der süssen zeit /
Da ich zuerst empfunden /
  Wie deine lieblichkeit
Mich dir verbunden?
Sie sind verrauscht / es bleibet doch darbey /
Daß alle lust vergänglich sey.

Das reine schertzen /
  So mich ergetzt /
Und in dem tieffen hertzen
  Sein merckmahl eingesetzt /
Läst mich in schmertzen /
Du hast mir mehr als deutlich kund gethan /
Daß freundlichkeit nicht anckern kan.

Das angedencken
  Der zucker-lust /
Will mich in angst versencken.

Es will verdammte kost
Uns zeitlich kräncken /
Was man geschmeckt / und nicht mehr schmecken soll /
Jst freuden-leer und jammer-voll.

Empfangne küsse /
Ambrirter safft
Verbleibt nicht lange süsse /
Und kommt von aller krafft;
Verrauschte flüsse
Erqvicken nicht was unsern geist erfreut /
Entspringt aus gegenwärtigkeit.

Jch schwamm in freude /
Der liebe hand
Spann mir ein kleid von seide /
Das blat hat sich gewand /
Jch geh' im leide /
Jch wein' itzund / daß lieb und sonnenschein
Stets voller angst und wolcken seyn.

*

SO soll der purpur deiner lippen
Jtzt meiner freyheit bahre seyn?
Soll an den corallinen klippen
Mein mast nur darum lauffen ein /
Daß er an statt dem süssen lande /
Auff deinem schönen munde strande?

Ja / leider! es ist gar kein wunder /
Wenn deiner augen sternend licht /
Das von dem himmel seinen zunder /
Und sonnen von der sonnen bricht /
Sich will bey meinem morrschen nachen
Zu einen schönen irrlicht machen.

Jedoch der schiffbruch wird versüsset /
Weil deines leibes marmor-meer /
Der müde mast entzückend grüsset /
Und fährt auff diesen hin und her /
Biß endlich in dem zucker-schlunde
Die geister selbsten gehn zu grunde.

Nun wohl! diß urthel mag geschehen /
Daß Venus meiner freyheit schatz
Jn diesen strudel möge drehen /
Wenn nur auff einen kleinen platz /
Jn deinem schooß durch vieles schwimmen /
Jch kan mit meinem ruder klimmen.

Da will / so bald ich angeländet /
Dir einen altar bauen auff /
Mein hertze soll dir seyn verpfändet /
Und fettes opffer führen drauff;
Jch selbst will einig mich befleissen /
Dich gött- und priesterin zu heissen.

Lob-rede an das liebwertheste frauen-zimmer.

HOchwerthes jungfern-volck / ihr holden anmuths-sonnen /
　　Jhr auserwehlter schmuck / der hauß und gassen ziert.
Wer ist so steinern / der euch nicht hat lieb gewonnen?
　　Und welchen habt ihr nicht mit fesseln heimgeführt?
Wer ist so kühn / der darff für eure augen treten /
　　Wenn ihr die waaren habt der schönheit ausgelegt?
Wer will euch / liebste / nicht als einen Gott anbeten /
　　Weil ihr das bildnis seyd / das Venus selbst geprägt.
Jedoch ich will nur bloß ein theil von dem berühren /
　　Mit welchem die natur euch herrlich hat versehn.
Der sinnen schiff soll mich in solche länder führen /
　　Wo auff der see voll milch nur liebes-winde wehn.
Die brüste sind mein zweck / die schönen marmel-ballen /
　　Auf welchen Amor ihm ein lust-schloß hat gebaut /
Die durch das athem-spiel sich heben und auch fallen /
　　Auf die der sonne gold wolriechend ambra thaut.
Sie sind ein paradieß / in welchem äpffel reiffen /
　　Nach derer süssen kost iedweder Adam lechst /
Zwey felsen / um die stets des Zephirs winde pfeiffen.
　　Ein garten schöner frucht / wo die vergnügung wächst.
Ein über-irrdisch bild / dem alle opffern müssen.
　　Ein ausgeputzt altar / für dem die welt sich beugt.
Ein crystallinen qvell / aus welchem ströme flüssen /
　　Davon die süßigkeit den nectar übersteigt.
Sie sind zwey schwestern / die in einem bette schlaffen /
　　Davon die eine doch die andre keinmal drückt.
Zwey kammern / welche voll von blancken liebes-waffen /
　　Aus denen Cypripor die göldnen pfeile schickt.
Sie sind ein zeher leim / woran die sinnen kleben;
　　Ein feuer / welches macht die kälteste hertzen warm;
Ein bezoar / der auch entseelten giebt das leben;
　　Ein solcher schatz / für dem das reichthum selbst ist arm.
Ein kräfftig himmel-brod / das die verliebten schmecken;
　　Ein alabaster-hauß / so mit rubinen prahlt;
Ein süsser honigseim / den matte seelen lecken;
　　Ein himmel / wo das heer der liebes-sterne strahlt.
Ein scharff-geschliffen schwerd / das tieffe wunden hauet /
　　Ein rosen-strauch / der auch im winter rosen bringt.

Ein meer / worauff man der Syrenen kräffte schauet /
  Von denen der gesang biß in die seele dringt.
Sie sind ein schnee-gebürg / in welchem funcken glimmen /
  Davon der härtste stahl wie weiches wachs zerfleust.
Ein wasser-reicher teich / darinnen fische schwimmen /
  Davon sich sattsam ein verliebter magen speist.
Sie sind der jugend lust / und aller kurtzweil zunder /
  Ein krantz / in welchem man die keuschheits-blume sieht.
Sie kürtzen lange zeit / und stifften eitel wunder /
  Weil beydes glut und schnee auff ihrem throne blüht.
Sie sind ein runder sarg / wo liebe liegt begraben /
  Ein ditrich / welcher auch des hertzens grund auffschleust /
Ein ort / in dem nur lust will sitz und wohnstadt haben /
  Jn dessen hölen milch und nectar häuffig fleust.
Zwey fässer / welche sind mit julep-safft erfüllet /
  Lockvögel / derer thon ein freyes hertze bindt;
Zwey sonnen / welche zwar mit dünnem flor umhüllet /
  Doch macht ihr heller blitz die klärsten augen blind.
Sie sind ein zart gewand von schwanen-weisser seide /
  Daran man sehen kan / wie ieder faden steht /
Zwey hügel / derer höh' bedecket ist mit kreide /
  Zwey fläschgen / denen nie der wollust milch entgeht.
Zwey brünne / da nur stets gesunde wasser quellen /
  Und wo die dürre nicht der adern marck aussaugt.
Zwey jäger / welche zahm und wilde thiere fällen /
  Wo keines wird verschont / was nur zu fangen taugt.
Zwey schnee-balln / welche doch unmöglich schmeltzen können /
  Womit das jungfern-volck der männer seelen schmeist.
Zwey aufgestelte garn / und schlingen freyer sinnen /
  Aus denen gar kein mensch / wie klug er ist / entreist.
Zwey kräme / wo man huld und freundlichkeit ausleget /
  Und wo ein rother mund nur kan der kauffman seyn.
Zwey körb' / in welchen man bloß marcipan feil träget /
  Nach dessen süßigkeit die lippen lechsend schreyn.
Zwey thürme / derer pracht von elffenbein vollführet /
  Darauff Cupidens pfeil die wache fleißig hält.
Zwey kleinod / derer glantz der jungfern leiber zieret /
  Wenn ihre freundligkeit den männern netze stellt.
Sie sind ein blasebalg / ein feuer auffzufachen /
  Das durch kein mittel nicht kan werden ausgelöscht.
Zwey bette / wo rubin und marmel hochzeit machen /
  Wo süsse mandel-milch der rosen scharlach wäscht.
Sie sind ein see-compas / der hurtig rudern heisset /
  Eh man in hafen der vergnügen wird gebracht.
Ein reiner thron / auff dem der liljen silber gleisset /
  Worauff verliebtes volck nur hat zu sitzen macht.
Ein werthes heiligthum / das keusche lippen küssen /
  Für dem sich hertz und knie in tieffster demuth neigt.

Ein meer / aus dem sich lust und liebligkeit ergiessen /
  Ein bergwerck / dessen grund zwey demant-steine zeigt.
Doch niemand lobt den brauch die kugeln zu verdecken /
  Darauff man sehen kan / wo lieb- und lust-land liegt.
Ach schönste! glaubet mir / ihr möget sie verstecken /
  Ein liebes-auge hat dem allen obgesiegt.
Orontes selbst bezeugt / daß kein verbergen nutze /
  Der brüste Pharos hat durch zart gewand geleucht.
Er ruht im liebes-port ietzt unter ihrem schutze /
  Wenn uns ein rauher sturm noch um die segel streicht.
Wol dem nun / der wie er kan so vergnüget leben!
  Den so ein weisser schild für wehmuths-wunden schützt!
Der seinem munde kan dergleichen zucker geben /
  Der so vergnügt / wie er / im liljen-garten sitzt!
Der so die blumen mag auff weissen wiesen brechen;
  Der aus der brüste schacht rubin und demant gräbt.
Der rosen samlen kan ohn einzig dornen-stechen;
  Der von der speiß und krafft der süssen äpffel lebt.
Dem so das glücke blüht / den es so bruder nennet /
  Dem eine runde brust kan pfühl und polster seyn.
Der in der liebsten schooß mit vollem zügel rennet /
  Der seiner Venus so flößt liebes-balsam ein.

Er ist gehorsam.

SOl ich in Lybien die löwen-läger stören?
  Soll ich Aetnä schlund entzünden meine hand?
  Sol ich dir nackt und bloß ins neuen Zembels strand?
Soll ich der schwartzen see verdorrte leichen mehren?
Sol ich das Lutherthum in den mosqueen lehren?
  Sol ich / wenn Eurus tobt / durch der Egypter sand?
  Sol ich zu deiner lust erfinden neues land?
Sol ich auf Peters stul Calvin und Bezen ehren?
  Sol ich bey Zanziba die jungen drachen fangen?
  Sol ich das gelbe Gifft verschlingen von den schlangen?
Dein wille ist mein zweck / ich bin gehorsams voll /
  Es höret / geht und folgt dir ohre / fuß und willen /
  Was mir dein mund befiehlt / mit freuden zu erfüllen /
Nur muthe mir nicht zu / daß ich dich hassen sol.

Allegorisch Sonnet.

AManda liebstes kind / du brustlatz kalter hertzen /
  Der liebe feuerzeug / goldschachtel edler zier /
  Der seuffzer blasebalg / des traurens lösch-papier /
Sandbüchse meiner pein / und baumöhl meiner schmertzen /
Du speise meiner lust / du flamme meiner kertzen /

Nachtstülchen meiner ruh / der Poesie clystier /
Des mundes alicant / der augen lust-revier /
Der complimenten sitz / du meisterin zu schertzen /
Der tugend quodlibet / calender meiner zeit /
Du andachts-fackelchen / du quell der fröligkeit /
Du tieffer abgrund du voll tausend guter morgen /
Der zungen honigseim / des hertzens marcipan /
Und wie man sonsten dich mein kind beschreiben kan.
Lichtputze meiner noth / und flederwisch der sorgen.

DANIEL CASPER VON LOHENSTEIN

Umbschrifft eines Sarches.

JRrdisches und Sterblich Volck / lebend-todte Erden-Gäste /
Jhr Verwürfflinge des Himmels / ihr Gespenste dieser Welt / ˙
Denen nichts als falsche Waare / nichts als Rauch und Wind gefällt /
Närrsche klettert / und besteigt die bepalmten Ehren-Aeste /
Setzt euch Seulen von Porphyr mauert euch aus Gold Paläste /
Festigt Tempel euch aus Marmel / der der Zeit die Wage hält /
Rafft zu euch mit gicht'gen Klauen den verdammten klumpen Geld /
Macht euch euer stoltzes Lob durch gelehrte Schrifften feste.
   Aber wiß't wann das Verhängnüs euer Lebens-Garn reisst ab ˙/
Schwindet Wissenschafft und Kunst / Schätze / Reichthum / Ehe und Tittel /
Und ihr nehmet nichts mit euch / als den nackten Sterbe-Kittel:
Wo ihr anders aus dem allen noch erschwitzet Sarch und Grab.
Tausend / tausend sind gewest / die mich nicht erlangt noch haben /
Die die Lüfte / die die Glutt / die der blaue Schaum begraben.

Thränen
Der Maria Magdalena

zu den Füssen
Unsers Erlösers.

1. HJer lig' ich schnödes Weib zu Jesus keuschen Füssen /
Die Haut ist mir schneeweiß / die Sünden sind Blutt-roth;
Mein Leib ist eine Perl / die Seel' ist stinckend Koth;
Jch an Gestalt ein Schwan / ein Rab' in dem Gewissen /
Jch Unzucht-Schlange wil / ich Sünden-Molch wil bissen /
Den Geist in Lust zu sehn / stek' ich den Leib in Noth.
Weg Zauber-Gift der Lust / der Seele Gall' und Tod /
Der Andachts-Zucker sol die Lippen mir besüssen.
Der Brünste Kwäll und Thron / die Augen sollen flissen
Voll Thränen / welche sind der Seele Wein und Brodt.

Mein keuscher Glaubens-Bund sol küssen Fuß und Gott /
Auf geilen Lippen läst der Teuffel sich nur küssen.
2. Jm Schönheits-Purper pflägt der Laster-Wurm zu weben;
So mag mein Sinn den glatt - mein Antlitz runtzlicht sein /
Mein eingebisammt Haar wil ich mir äschern ein;
Bey Bisam und Geruch stinckt meistentheils das Leben.
Die Wangen-Rosen sind mit Dörnern rings umbgebē /
Die Lippen Nelcken sind der Wollust Sonnenschein /
Die Keuschheit bricht den Hals auf Schooß und Helffen-Bein /
An Lilgen-Brüste woll'n die Sünden-Wespen kleben.
Mir sol die keusche Scham auf Rosen-Wangen schweben /
Der Lippen Nelcken zihrt der Andacht heisse Pein /
Die kalte Keuschheit soll die Brunst der Schos beschnei'n:
Des Bethens Athem soll der Brüste Bälg aufheben.
3. Mein heißer Leib war vor ein Brand der Unkeuschheiten /
Jtzt ist mein kalter Leib ein Hauß der Andachts-Glutt.
Der Adern warmer Brunn / das heis entbrandte Blutt
Sind itzt ein Flammen-Kwäll der wahren Frömigkeiten.
Die Salbe die mein Haupt bebalsamte vorzeiten /
War als ein fruchtbar Thau für Venus Myrten-Gutt;
Jtzt heist die Gottesfurcht die theure Narden-Flutt
Auf meines Hauptes Haupt / auf meinen Jesus leiten.
Die Staffel die mich ließ in Wollust Himmel schreiten /
War mir ein Weg / wo sich die Höllenklufft aufthut.
Jtzt steig ich Himmel an durch meinen sanfften Muth;
Mein höchster Himmel ist bey Jesus Füß' und Seiten.
4. Auf diesen soll den Weg mir meine Busse bähnen /
Die Busse die mir vor ein Dorn in Augen war;
Als mein Erkänntnüs noch nicht Reu und Leid gebahr
Der Sünden / derer ich mich noch kaum kan entwähnen.
So hilff mir Sünderin / O Heiland doch von denen /
Die mich dein Ebenbild verstellen gantz und gar!
Die Seele / welche schwebt in Schiffbruch und Gefahr /
Errett und reisse sie dem Satan aus den Zähnen.
Dein Tempel sey mein Hertz / mein gläubig Säufz- und Sehnen.
Das Feuer / deine Füß' O Jesus mein Altar /
Zum Opfer bringt die Hand dir Salb' und Balsam dar /
Das Haupt der Haare Gold / die Augen Silber-Thränen.

Die Augen.

LAst Archimeden viel von seinen Spiegeln sagen
Dadurch geschlieffen Glaß der heissen Sonne Rad
Der Römer Schiff' und Mast in Brand gestecket hat /
Die in der Doris Schoos für Syracusa lagen.
Den Ruhm verdienet mehr der güldnen SonneWagen
Als Archimedens Kunst und seines Spiegels Blatt.
Denn diß sein Meisterstück hat nur an Dingen statt

An denen iede Glutt pflegt leichtlich anzuschlagen.
   Jn deinen Augen steckt mehr Nachdruck / Schwefel / Tag /
Als holer Gläser Kunst / der Sonnen-Strahl vermag.
Ja ihr geschwinder Blitz hat vielmehr Macht zu brennen;
Sie zünden übers Meer entfernte Seelen an /
Und Hertzen / denen sich kein Eiß vergleichen kan.
Sol man die Augen nun nicht Brenne-Spiegel nennen?

Auff schöne augen.

Jhr sterne / deren glantz der monden nicht kan gleichen /
Jhr sonnen / deren schein die sonne selbst muß weichen /
Jhr / die ihr doppelt vor- der liebe spiegel -stellt /
Jhr / die ihr jederman / so euch nur siehet / fällt /
Jhr / die ihr gnade wißt und ungunst auszutheilen /
Jhr / die ihr beydes könt verletzen und auch heilen /
Jhr / die verzweifflung uns so wohl als hoffnung gebt /
Verursacht daß man stirbt / und machet daß man lebt.
Jhr schönsten augen seyds / die ich hier will beschreiben /
Nah darff ich nicht bey euch / weit kan ich auch nicht bleiben.
Der tag der ist mir nacht / wenn ich euch schaue nicht /
Seh ich euch / werd ich blind / weiß nicht wie mir geschicht.
Doch dult ich dieses gern / und will viel lieber leiden /
Als weit entfernet seyn / und eure schönheit meiden.
Ein eintzig blick von euch vergnüget mich viel mehr /
Als strahlen die von sonn und sternen kommen her.

Auff einen schönen halß.

ES war der Lysis von verwunderung entzücket /
ES war ihm seel und sinn nicht anders als bestricket:
Er wuste selbst nicht recht / wie und was ihm geschehn /
Jndem er unverhofft was sonders hatt' ersehn.
Er dachte hin und her / und kont es nicht ergründen /
Er kunte nicht bey sich den rechten schlüssel finden;
Die weisse lilien verlohren ihren preiß
Bey diesem wunder-werck; der schnee schien nicht mehr weiß.
So kalt als dieser war / so grosse hitz' es machte /
Es red't und schwieg zugleich / es schien als wenn es lachte /
Jetzt bildet es ihm vor das runde himmels-zelt /
Bald bildet er ihm ein die kugel dieser welt.
Als nun in solchem stand war nahe zu ihm kommen
Der kleine liebes-gott / eh' ers in acht genommen /
Sprach er ihm also zu: nicht wunder Lysis dich
Ob diesem was du siehst; gar viel die haben sich
Verlohren an dem ort / den du anjetzt beschauet /
Wenn sie zu kühn gewest / und sich zu weit getrauet.

Diß ist der liebe thron / der schönheit auffenthalt /
Die wohnung aller lust / die süsseste gewalt /
Die sinn / gemüth und hertz in ihre bande bringet /
Die alles menschliche besieget und bezwinget /
Der ort / wo nichts als nur vergnügung ist bewust /
Der lieblichkeiten sitz / der tempel aller lust.
Geh / lieber Lysis / geh / jetzt magstu nur gedencken /
Wie du ein opffer kanst in diesen tempel schencken.

Auf Spurcam.

WUndre dich ja / Spurca / nicht / daß du keinen mann kanst kriegen;
Wer begehret wohl ein bett / da viel tausend gäste liegen?

Küssen.

JM küssen trifft ein mensch nicht leicht das rechte ziel /
Je mehr man hat geküst / je mehr man küssen will /
Je mehr man wird geküst / je mehr man wünscht diß spiel.

Tugend adelt.

GAr viel edler ist ein edler / den begläntzet tugendschein /
Als der / bey dem / statt der tugend / alte wapen müssen seyn.

Gleich und gleich.

AM besten ists / daß gleiche gleich sich paaren /
Die alten nicht mit den / so jung an jahren;
Die jungen nicht mit dem / so grau von haaren;
Die runtzlich sind / mit schönen und mit klaren /
Die milden nicht mit denen / so da sparen /
Die arm / mit dem so reich an geld und waaren.
Denn thun sie es / so müssen sie erfahren /
Ein braut-bett werde leicht zu schwartzen bahren.

Der welt brauch.

SChein floh die alte welt / und liebte nur das seyn:
Seyn haßt die neue welt / und suchet nur den schein.

Böse weiber.

NJchts ist auff Erden über böse weiber /
Sie fressen ihren männern aus das hertz;
Sie machen matt die sonsten frische leiber /
Gebähren nichts / als unruh / sorgen / schmertz /
Sie saugen aus das marck aus allen beinen /
Und machen sie durch zancken müd und faul /
Daß sie gleich ausgedorrtem holtze scheinen /
Und wie ein dürr und abgeschlagner gaul.

Man hört sie wie die bösen hunde bellen /
Wenn sie einmahl von zorn und grimm entbrandt;
Kein gutes wort kan sie zu frieden stellen /
Sie wollen allzeit haben oberhand.
Der mann muß donner / hagel / hören stündlich /
Es heist: du bettelhund / bey tag und nacht;
Zu allen schlägen sind sie unempfindlich /
Und werden ärger nur dadurch gemacht.

HEINRICH MÜHLPFORT

Sechstinne.
Wettstreit der haare / augen / wangen /
lippen / halß und brüste.

Haare.

WEr sagt / daß unser ruhm nicht göldne fessel schencket /
Wenn sie ein linder west um beyde brüste schwencket /
Entkerckert / frey und loß? hier wird ein geist umschräncket
Mit steter dienstbarkeit / der vor sich weggelencket
Von band und ketten hat. Ein ewig nectar träncket
Der haare liebes-reitz / der nur auff lust gedencket.

Augen.

WO unser flammen quell nicht heisse strahlen schencket /
Und den entbrandten blitz in hertz und seele schwencket /
So wird kein sterblich mensch mit huld und gunst umschräncket /
Hat unser leitstern nicht der liebe glut gelencket /
So wird sie gantz und gar in thränen-fluth erträncket;
Wer ist der jehmahls liebt / und unser nicht gedencket?

Wangen.

UNs hat Cupido glut / die rose blut geschencket /
Die lilje schnee / der sich um beyde zirckel schwencket /
Hier stehet helffenbein mit purpur rings umschräncket /
Und manch verliebter mund steht bloß auff uns gelencket /
Wen nicht die liljen-milch und rosen-öle träncket /
Der ist ein marmelstein / der nie an lust gedencket.

Lippen.

DEn köcher voller pfeil hat Venus uns geschencket /
Und ist es wunders werth / daß unsre glut sich schwencket
Biß an das sternen-dach? Hier liegt ein brand versencket /
Der ewig zunder gibt / der mit rubin umschräncket /
Die feuchte süssigkeit / wenn mund am munde hencket /
Und die vergnügte seel mit zimmet-säfften träncket.

Halß.

SEht meine perlen an / die Venus selbst geträncket
Jn ihrem liebes-schoß: Seht was sie mir geschencket /
Als um der mutter halß Cupido sich geschwencket /
Und seine süsse pein ins helffenbein versencket /
Hier lieget schnee und glut im gleichen kreyß geschwencket /
Jch bin der thurm / an dem der liebe rüstzeug hencket.

Brüste.

DJß schwesterliche paar / das voll von flammen hencket /
Von aussen vieler hertz mit liebes-öle träncket /
Jnwendig aber feur als wie ein Aetna schencket /
Da doch das schnee-gebürg sich von dem athem schwencket /
Und wieder von dem west der seuffzer niedersencket /
Hält alle lust und lieb in seinem platz verschräncket.

Nachklang der Sechstinne.

DEr haare schönes gold / der augen lichter brand /
Der wangen paradieß / der lippen himmel-wein /
Hat mit des halses zier / ohn allen zwang / bekannt /
Daß auff den brüsten soll der liebe ruhstatt seyn.

Auf einen mit guter hofnung umb höhere beförderung anhaltenden Schul-Lehrer.

1.

DU bist erhört Magister G - - /
Ergreiffe nun dein tintenfaß /
  Und schärffe deine feder;
Du hast ja in der winckel-schul
  Genug gegerbt das leder;
Nun ruffet dich der lehrer stul /
Sieh wie man dich ietzt kräftig ehrt!
    du bist erhört.

2.

Du bist erhört! dein graues haar /
Das vor von silber trächtig war /
  Wird ietzt von golde schimmern /
Es wird dich das Gymnasium
  Bald sehn in seinen zimmern /
Als des Parnassus eigenthum;
Wie dein mund ietzt lateinisch lehrt /
    du bist erhört.

3.

Du bist erhört! Laß deinen bart
Jetzt den barbierer rein und zart
   Und säuberlich aufschwäntzen;
Jch sehe wie der knaben schaar
   Mit neuen lorbeer-kräntzen /
Die um dich so geschäfftig war /
Des amtes würdigkeit vermehrt /
     du bist erhört!

4.

Du bist erhört! Denn dein quartal
Jst nicht mehr / wie vorhin / so kahl /
   Und bringt nur sieben groschen;
Zu dem so wird auch deine ruh
   Von den verwaschnen goschen /
Die man bißher dir schickte zu /
Der kleinen kinder nicht zerstört /
     du bist erhört!

5.

Du bist erhört! wie wird dein weib
Bey ihrem annoch krancken leib
   Jm alter hoch erfreuet!
Es frolockt die Constantia /
   Nun es das glück verleihet /
Weil sie den ruhm ihr sieht so nah /
Daß rublice der vater lehrt.
     du bist erhört!

6.

Du bist erhört in diesem jahr.
Es setzt dich in ein höher paar
   Auch der begräbnis-bitter.
Trotz einem der Magister heist /
   Und wär es gar ein ritter
Der tapfer auf die backen schmeist /
Daß er sich wider dich empört.
     du bist erhört.

Auf eben denselben bey fehlge-
schlagener hofnung.

1.

DU bist zerstört / Magister-G - - /
Jch thu dir in dein tintenfaß /
   Zerstampe deine feder /
Bleib nur in deiner winckel-schul
   Und gerbe da das leder /
Du bist zu klein zum lehrer-stuhl /
   Magister - - - - ist erhört.
     du bist zerstört!

2.

Du bist zerstört! dein graues haar /
Das vor für hoffart silber war /
   Gleicht ietzt den zigen-böcken.
Es wird in dem Gymnasium
   Dein ansehn niemand schrecken /
Das A. B. C. bleibt nur dein ruhm /
   Das man in winckel-schulen lehrt /
            du bist zerstört.

3.

Du bist zerstört! laß deinen bart
Nur bleiben / wie er vormahls ward
   Altvätrisch aufgesetzet.
Jch sehe wie der knaben schaar
   Von hertzen sich ergötzet /
Die unter - - rute war /
   Weil dich auch nicht ein chor-jung ehrt /
            du bist zerstört.

4.

Du bist zerstört / und dein quartal
Bleibt bey der ausgesetzten zahl /
   Bey deinen sieben groschen /
Sprich nur autoritätisch zu
   Den ungewaschnen goschen /
Den buben die nicht haben ruh /
   Und schreyn / daß man sein wort nicht hört /
            du bist zerstört.

5.

Du bist zerstört! es wird dein weib
Mit ihrem annoch krancken leib
   Jm alter nicht erfreuet.
Es fluchet die Constantia /
   Daß man sie so geheyet /
Jndem sie sieht vor augen da /
   Wie noch ihr vater nicht erhört /
            du bist zerstört.

6.

Du bist zerstört / und das ist wahr /
Drum bleibe nur in deinem paar /
   Spricht der begräbnis-bitter.
Trotz ob du gleich Magister heist /
   Und wärst du gleich ein ritter /
So lang du jung und mägdlein schmeist /
   So wirst du höher nicht geehrt /
            du bist zerstört.

Als Herr - - - - aus den 6ten in den 4ten *Ordinem*
als Schul-Collega gesetzet wurde.

Sonnet.

TRiumph / mein A. B. C.! ich bin nunmehr gerücket!
  Ach allerliebster schatz / nun wird es besser gehn;
    Es wird den cedern gleich ietzt deine wohnstatt stehn /
Nachdem der himmel mich so freundlich angeblicket.
Jch sehe schon im geist / in freuden schon entzücket /
  Wie die frau Jlse dich im paaren wird erhöhn:
    Wie die frau Cantorin / und wär sie noch so schön /
Wird zwey paar hinter dich; ach wenn! ach lust! geschicket.
  Dir / Priscian / sey danck / so lang ich dancken kan /
    Daß ich ein schulen-licht in solchem glantz bin worden.
Schaut mich verwundernde / Syntax-verwandte / an /
Wie aus dem sechsten ich spring in den vierten orden.
  Frau / kämm ins künfftige mir fleißig die parüque /
  Es heist mich sauber gehn mein blühendes gelücke.

HANS ASSMANN FREIHERR VON ABSCHATZ

Jn Morgen-Andacht verändertes
Abend-Lied.

Nun ruhen alle Wälder.

Nun klingen alle Wälder /
Vieh / Menschen / Städt und Felder
Sind von dem Schlaff erwacht /
Mein Hertze / laß dich hören /
Sey deinem GOTT zu Ehren
Auff einen Lob-Gesang bedacht.

Den schönen Himmel mahlen
Der Morgen-Röthe Strahlen
Mit neuen Farben aus:
Laß deiner schwartzen Sünden
Betrübte Nacht dahinden /
Und schmücke deiner Seelen-Hauß.

Der Mond ist abgegangen /
Man sieht von Osten prangen
Der Sonne göldnen Schein /
Mein JESUS / meine Wonne /
Soll meines Hertzens Sonne /
Das Auge meiner Seele seyn.

Der Leib entsagt der Ruhe /
Ergreiffet Rock und Schuhe /
Der armen Blösse Kleid;
Umgürte deine Lenden
Und nimm aus JESU Händen
Die Kleider der Gerechtigkeit.

Du siehest / wie ein ieder
Die ausgeruhten Glieder
Zu ihrer Arbeit weist /
So will dir auch gebühren /
Mit Freuden auszuführen /
Was Christenthum und Pflicht dich heist.

Das Auge sey gewendet
Zu dem / der Hülffe sendet /
Wenn Nacht und Noth bricht ein /
Beschaue seine Wercke /
Und laß sie Trieb und Stärcke
Zu neu-entflammter Andacht seyn.

Die Stimme sey erhoben /
Mit Danck und Preiß zu loben
Den Schutz vergangner Nacht /
Die Hand bereit zu heben /
Und Christlich auszugeben /
Was Fleiß und Segen eingebracht.

Der Höchste wird indessen
Das Seine nicht vergessen /
Und dir zur Seite stehn /
Daß du nach Noth ergötzet /
Durch keine Noth verletzet /
Jhm danckend wirst zur Ruhe gehn.

Abend-Lied.

Dieser Tag ist nun zum Ende /
Braunen Schattens tunckler Flor
Hüllt sich um des Himmels Wände /
Birgt der muntern Sternen-Chor /
Trübe Nacht und düstres Schrecken
Will den Kreiß der Erde decken.

Dunst und Thau umzieht die Felder /
Die man itzo ledig spürt /
Winde spielen durch die Wälder /
Deren Haubt sich zitternd rührt;
Thiere ruhen / Menschen schweigen /
Biß die Sonn ihr Licht wird zeigen.

Schwartz und finster sind die Thaten /
Die ich diesen Tag gehegt /
Jch bin aus der Bahn gerathen /
Welche zu dem Himmel trägt /
Darum fühl ich auch im Hertzen
Reu und Furcht und bange Schmertzen.

Stechen heisser Sonnen Blicke /
GOttes Zorn sticht noch so sehr /
Traurt man / wenn der Himmel dicke /
Wenn GOtt wittert / noch vielmehr /
Besser ists / als im Gewissen
Seine Gunst / den Tag vermissen.

Adam muß das Feuer fühlen /
Welches seine Blösse brennt /   .
Doch da sich der Tag will kühlen /
Wird das Hertzeleid gewendt /
GOttes Ruff / sein Thau der Gütte /
Labt sein schmachtendes Gemütte.

Ruffe mich / O GOtt / desgleichen /
Doch in Gnaden / izt zu dir /
Muß ich schon für Furcht erbleichen /
Weil nichts guttes wohnt in mir /
Tilgt doch dieser mein Verbrechen
Der sich ließ die Schlange stechen.

Ob mich Grab und Hölle schrecket.
Und die Todes-Nacht mir dräut /
Meine Fehler sind bedecket
Durch des reinen Lammes Kleid
Unter Nacht und Finsternissen
Kan ich Licht im Hertzen wissen.

Laß die Decke meiner Sünden /
Die mein Hertz umnebelt hat /
Mit der finstern Nacht verschwinden /
Segne meine Lagerstatt /
Daß ich mit verneuten Sinnen
Morgen kan dein Lob beginnen.

Geburts-Nacht.

Bey hellem Monden-Licht ward mir das Licht gegeben /
Laß mich / o höchstes Licht / in deinem Lichte leben /
Laß mich diß wahre Licht zu keiner Zeit verlieren /
Wenn mich manch irrend Licht will auff die Seite führen;
Wenn mich der schnöde Glantz der eitlen Wollust blendet /
Wenn mir dein helles Licht des Creutzes Wolck entwendet /

Wenn Fleisch und Blutt / wenn Welt und Hölle sich bemühen /
Den Leit-Stern deiner Gunst der Seele zu entziehen /
Laß deine Sonne mir im finstern Tode scheinen /
Und mich dein ewges Licht umgeben bey den Deinen.

Zeit und Ewigkeit.

ZUr Stunde düstrer Mitternacht /
Wenn alles schläfft / mein Auge wacht /
Erweg' ich / wie die Zeit wegeilt /
Die unser kurtzes Leben theilt.

Ein Tag ist lang / wenn Schmertz und Noth
Wird unser hartes Wochen-Brod:
Wie schwer die Angst und Arbeit sey /
Geht Woch und Tag doch bald fürbey.

Jn Monat theilet sich das Jahr /
Doch wird man unverhofft gewahr /
Wie dieser kömmt und jener weicht /
Biß Jahr und Leben mit verstreicht.

Trau / Seele / keiner Stunde nicht!
Du weist nicht / wenn das Leben bricht /
Und nimmst doch durch die kurtze Zeit
Den Weg zur langen Ewigkeit.

Ein Tag hat sein geseztes Ziel /
Das ihm die Sonne gönnen will /
Wer aber mißt den langen Tag
Der keinen Abend finden mag?

Wir schreiben nach des Monden Lauff
Die Zahl der Jahres-Wochen auff;
Wer ist der uns zu rechnen weiß
Der Woch ohn Ende rundten Kreiß?

Jedweder Monat hat den Schluß /
Damit er sich verlieren muß:
Der Monat / der nicht wechseln kan /
Fängt immerdar von neuem an.

Kein Jahr taurt über seine Frist /
Wenn sich der zwölffte Monden schlüst /
Wenn aber kömmt das Jahr zum Schluß /
Das alle Jahre schlüssen muß?

Es ist der Erden Weite kund /
Man find des Meeres tieffen Grund /
Wer weiß diß zu beschreiben / rath /
Was weder Ziel noch Anfang hat.

Jn tieffster Berge finstrer Schoß
  Giebt sich Crystall und Silber bloß:
  Vernunfft forscht nicht mit Fürwitz aus
  Der Ewigkeit verborgnes Hauß.

Trau / Seele / dieser Närrin nicht /
  Wenn sie dir hier viel Zeit verspricht /
  Der Weg ist kurtz durch diese Zeit /
  Und führt zur langen Ewigkeit.

An ihre Augen.

Jch bin kein Adler nicht / der deiner Sonnen Blincken /
Der deiner Wangen Glantz kan schauen unverwandt.
Wann deiner Augen Glutt in meinen widerstralt /
Und ihrer Flammen Schein auff meine Wangen mahlt /
So müssen sie beschämt zur Erde niedersincken;
Doch aber will ich nicht der scheuen Eule gleichen /
Die vor des Tages Zier erwehlt die braune Nacht;
Jch eile nach dem Feur / das mich zu Asche macht
Verdirbt die Mücke gleich durch selbst-gesuchten Brand /
Der edle Phönix wird doch eben so zur Leichen.

*

Jedwedes Thier das wohnt auff dieser weiten E r d e /
Es haß und fliehe denn / gleich Eulen / Licht und S o n n e /
Lebt / wie man sieht / allein in Arbeit bey dem T a g e :
Wenn aber sich das Haubt des Himmels krönt mit S t e r n e n /
Geht diß dem Stalle zu / und jenes nach dem W a l d e /
Ein jedes ruhet aus biß zu der M o r g e n r ö t h e.

Jch / wenn sich sehen läst der Glantz der M o r g e n r ö t h e /
Die braune Finsternis zu jagen von der E r d e /
Viel wilder denn ein Thier / ein wildes Thier im W a l d e /
Begrüsse Traurens-voll mit Seufftzen Licht und S o n n e /
Mit einer herben Bach von Thränen Mond und S t e r n e n /
Jn höchster Ungedult nach kaum verwichnem T a g e.

Wenn izt der Abendstern sagt ab dem hellen T a g e /
Und unsre Dämmerung bringt andern M o r g e n r ö t h e /
So schrey ich kläglich an die mir befeindten S t e r n e n /
Die mich gemacht zum Spiel und Schauspiel aller E r d e /
Beklage meine Noth bei Himmel / Lufft und S o n n e /
Daß ich mehr elend bin denn iedes Thier im W a l d e.

Kein grimmes Tiger-Thier / kein frecher Lew im W a l d e
Gleicht der / die mir geraubt die Freude meiner T a g e /
Und dennoch sieht mich treu und ohne Falsch die S o n n e /
Stets müde / nimmer satt von Leid die M o r g e n r ö t h e /
Zum Zeichen / daß der Leib zwar ist von schwacher E r d e /
Doch mein demantner Sinn sich gleicht dem Oel der S t e r n e n.

Ach könt ich / eh der Geist sich setzet bey den S t e r n e n /
Eh sich mein Schatten findt im Elyseer-W a l d e /
Geschieden von der Last / die werden soll zur E r d e /
Genüssen ihrer Gunst! die Zeit von einem T a g e
Bringt funffzig Wochen ein / ein Blick der M o r g e n r ö t h e /
Ein süsser Blick ist mir der Mittag heller S o n n e.

Der lichten Augen Paar läst hinter sich die S o n n e /
Der Sternen-Himmel prangt mit diesen Angel-S t e r n e n /
Der Rosen-Wangen Zier beschämt die M o r g e n r ö t h e /
Der süssen Stimme Schall die Nachtigall im W a l d e /
Wer schäzte nicht mit Jhr beseligt seine T a g e !
Ach aber / was verlangt der leichte Staub der E r d e ?

Mich decket in der E r d ein dünnes Brett vom W a l d e /
Eh mir so süssen T a g vergönnen Glück und S t e r n e n /
Eh mir die M o r g e n r ö t h erscheint von dieser S o n n e.

*

Diesen tödtet Bley und Eisen /
Jenen müssen Schmertz und Weh
Zu dem kalten Grabe weisen;
Liebe macht daß ich vergeh!

Mancher muß sein Leben schlüssen
Jn dem Schos der grünen See /
Jch zu Galatheens Füssen:
Liebe macht daß ich vergeh!

Also klagte seine Schmertzen
Filidor im grünen Klee /
Sagend mit betrübtem Hertzen:
Liebe macht daß ich vergeh!

Es bewegten sich die Steine /
Doch nicht seine Galathe:
Echo ruffte durch die Häyne:
Liebe macht daß ich vergeh!

Bellhumor im Garten begraben.

Wind-Fänger / Steige-Dach / Teich-Meßer / Enten-Fechter /
Lufft-Springer / Wage-Hals; Grund-Fischer / Flutt-Verächter /
Stein-Träger / Büchsen-Hold / Nacht-Wächter / Bettler-Feind /
Zeit-Kürtzer / Stunden-Dieb / Lust-macher / Gäste-Freund /
Bring-wieder / Trage-nach / Post-Renner / Such-verlohren /
Klug von Verstande / zart von Nas' / und schön von Ohren /
Thür-Oeffner / Sperre-Thor / Feld-Mauser / Schüssel-Held.
Wild-Störer / Katzen-Mord / Wett-Lauffer / Spring ins Feld /

Diß war mein wahrer Ruhm; doch werden die mich missen /
Noch mehr von kluger Treu mir nachzusagen wissen.
Als ich von Jahren satt mein müdes Leben schloß /
Gab mir Pomona selbst ein Grab in ihrer Schoß.

Dachses Grabschrifft.

Hier liegt ein strenger Katzen-Feind / ein schlauer Hasen-Fänger /
Ein Stürmer mancher festen Grufft / ein kühner Fuchs-Bedränger /
Man sah kaum so viel Haar auff seinen abgelebten Rücken /
Als er sein Lebenlang hat Wild zu Grabe helffen schicken.
Man wird / wie er zugleich der Hund und Jäger sey gewesen /
Mit Wunder in den Chronicken berühmter Hunde lesen.
Die Treue / die er Lebenslang erzeiget Herr und Frauen /
Ließ er an der Gespielin noch in seinem Tode schauen.
Wie sie zusammen Wäydewerck ins zehnde Jahr getrieben /
So sind sie auch in kurtzer Frist von gleichem Tode blieben.
Sieht gleich die Welt kein Ebenbild von seinen Kindern leben /
So wird ihm der gestirnte Hund doch seine Stelle geben.

Beschwer über den Bart.

Was ist bey schönem Mund ein starck gewachsner Bart /
Der Liebe Wespen-Nest / ein Dornstrauch um die Rosen /
Ein Stoppel süsser Frucht / ein scharffer Distel-Zaun /
Ein Schrancken / welchen wir den Hafen sperren schaun /
Ein spitzer Schifer-Felß in stiller Venus-Fahrt?
Wer preist die Käste / so die Stachel-Schale deckt.
Die Perle / welche noch in rauher Muschel steckt?
Mit was für Anmutt ist dem Barte liebzukosen?

Antwort.

Spotte wer da will den Bart:
Knaben bleiben unvollkommen /
Biß der Bart hat zugenommen:
Kahle Jugend muß sich schämen /
Glattes Mauls ein Weib zu nehmen /
Biß sich Bart und Witz gepaart.

Wenn der Bart den Mund schattirt /
Und die linden Haare stechen /
Muß der Mädgen Hertze brechen:
Kömmt Cupido auffgezogen /
Pfeile / Schlingen / Sähn und Bogen
Sind von Bärten die er führt.

Bärte sind der Helden Pracht:
Wer nicht viel ums Maul kan leiden
Läst ihm nicht leicht Ehr abschneiden /
Simsons Stärcke wohnt' in Haaren /
Weil kein Stahl sein Haubt befahren /
Der ihn blind und schwach gemacht.

Hertzog Heinrichs Bart und Mutt
Macht ihn weit berühmt in Polen;
Soll man weiter Zeugnis holen /
Friedrich Rothbarts Helden-Siege
Kennt der Welsche zur Genüge /
Zeugt der Saracenen Blutt.

Den geförchten Janitschar
Zieret der beraste Knebel /
Wenn bey dem geschärfften Säbel
Die gekrümmten Haar auffsteigen /
Sich als Ygel-Stacheln zeigen /
Steht sein Gegner in Gefahr.

Haare sind der Weißheit Nest /
Socraten und viel Gesellen
Will ich dir zu Zeugen stellen /
Daß im klugen Grichen-Lande
Langer Bart beym Weisen-Stande
Sey der beste Schmuck gewest.

Sieht man nicht gantz Morgenland
Nur die Hutt der blöden Frauen
Glatt-bemäulter Wacht vertrauen /
Bärte / Land und Haar regieren /
Weil / die keine Bärte führen /
Nicht verdienen bessern Stand?

Nichts zeugt die Natur umsonst /
Bärte können manche Flecken /
Manches Mahl und Runtzel decken.
Fehlten Bärte den Balbiren
Würden sie viel Brod verlieren /
Lieber tragt den Bärten Gunst.

Der verkleidete Comödiant.

Kund und zuwissen sey der Compagnie gethan /
Hier kommt ein neues Paar Comödianten an.
Jch der Comödiant bin Edel zu erkennen
Und darff manch hohes Hauß der Anglen Vätter nennen.

Mich hat das falsche Recht zu dieser Nahrung bracht /
Das meinen Bruder reich und mich zum Bettler macht.

Doch mag er / wie er will / mit seinen Güttern prangen /
Jch kan / was er niemahls / in einer Stund erlangen.

Der göldne Königs-Stab / die Kronen sind mein Spiel /
Jch trag und lege sie hinweg / so offt ich will.
Jhr führet allesamt mit mir ein gleiches Leben /
Und müsset / weil ihr lebt / Comödianten geben.

Wer mein Gefärte sey / streich ich nicht viel heraus /
Es weists der kluge Mund / die süssen Wangen aus /
Wenn eine Göttligkeit soll vorgestellet werden /
So schicke sich hierzu nichts bessers auff der Erden.

Sie ist / die nicht allein zum Scheine macht verliebt /
Die Wunden ohne Schwerdt / und biß auffs Hertze giebt.
Was der Gesellschaft wir nun willens vorzutragen /
Wird dieser Zeddel euch mit kurtzen Worten sagen:

Wir stellen künstlich für / was zu Athen erklang /
Was Roscius nur wieß / und Seneca besang /
Was Tasso und Guarin / die klugen Welschen / lehrten /
Corneille / Molliere in Franckreich neu vermehrten.

Was Londen und Madrit Verliebtes weisen kan.
Die Zeit ist / die ihr uns selbst werdet zeigen an /
Der Preiß / um welchen wir erlauben zuzuschauen /
Ein Kuß / zu legen ab bey mir und meiner Frauen.

*

     Fremde Kleider / falsche Haare /
     Falsche Treu / verfälschter Wein /
     Glatte Worte / falscher Schein /
     Sind anitz die beste Waare.
     Wer will sich bey solchen Tagen
     Mit der albern Warheit plagen?
     Leug die grösten Tummel-Plätze /
     Gib die Wort um gutten Kauff /
     Schneid von Ost und Westen auff /
     Darum strafft dich kein Gesetze!
     Wiltu viel die Warheit geigen /
     Wird man dir die Feigen zeigen.

*

     Friedlich ists am besten leben:
     Jnsgemein verliert nicht viel
     Wer mit Schlägen handeln will /
     Was er einfach ausgegeben /
     Kommt ihm über Haubt und Glieder
     Offt mit reichem Wucher wieder.

Doch ist Friede nur zu führen
Weil der stoltze Nachbar will /
Ehr und Auge leidt nicht viel
Und ist schwerlich zu curiren /
Soltu für die Ehre streiten
Thu es hurtig und bey Zeiten.

*

Tieffe See ist zu ergründen /
Und des Himmels hohes Hauß
Misst der kluge Stern-Witz aus;
Aber wo sind die zu finden
Die des Frauenzimmers Lüsten
Gründlich zu beschreiben wüsten?
So die Worte was verneinen /
Spricht das Hertze vielmahl ja /
Und der gröste Sturm ist nah
Wenn die Augen heiter scheinen.
Glücklich / wer bey solchem Handeln
Die Gedancken auch kan wandeln.

*

Was man öffters jung gethan
Hängt auch noch dem Alter an.

*

Wer die Ursachen nur vorhero kan ergründen /
Wird sich in alles / und aus allem leichtlich finden.

*

Wann die Baurn ihr Glücke wüsten /
Würden sie sich höher brüsten.
Sie erhalten alle Welt /
Gleich wie sie das Feld erhält /
Leben in der Tyranney
Vieler Herren Sorgen-frey:
Was der Fürst und Bürger essen
Wird von ihnen zugemessen.

*

Des Pöfels ungewisser Sinn
Wanckt / wie die Wellen / her und hin.

*

Gold-Hunger / schnöder Durst nach ungewissen Güttern /
Was hast du nicht vor Krafft bey menschlichen Gemüttern?

Die vier Alter.

Ein Knabe / der nun redt und sicher lauffen kan /
Liebt stilles Sitzen nicht / spielt gern mit seines gleichen /
Erzürnt sich bald / und läßt den Zorn auch bald verstreichen /
Fängt iede Viertelstund ein neues Wesen an.
Der Jüngling ohne Bart / der strengen Zucht entgangen /
Hat Pferd und Hunde lieb / sucht ihm das grüne Feld /
Wehlt langsam was ihm gutt / hält selten lange Geld /
Hört kein Erinnern an / hat Böses bald gefangen /
Hochtrabend / voll Begier / geschwinde Brunst zu fassen /
Und was er werth geacht hinwieder zu verlassen.
Bey reiffer Mannbarkeit ist alles umgekehrt /
Man nimmt des Beutels wahr / damit man solchen spicke /
Sucht Freundschafft in der Welt / müht sich um Ehr und Glücke /
Und hütet sich zu seyn mit Reu und Schimpff beschwert.
Viel Ungelegenheit umgiebt den gutten Alten /
Er sucht / und was er findt deß muß er sich enthalten
Aus Kargheit / Furcht und Geitz / greifft alles laulicht an /
Schiebt auff / und hofft noch viel / lobt was man hat gethan
Bey seiner jungen Zeit / klagt über Zeit und Sitten /
Und läßt der Jugend Thun nicht leichthin unbestritten.

BENJAMIN NEUKIRCH

An Charatinen.

WJe irret doch das rad der menschlichen gedancken!
Wir bilden offtermahls uns diß und jenes ein:
    Jedoch wann schluß und rath kaum unterschrieben seyn /
So fängt der leichte sinn schon wieder an zu wancken.
Mein kind / ich will dich nicht mit sitten lehren speisen;
    Mein brieff war neulich kaum nach - - abgeschickt /
    Die augen waren erst vom schlaffe zugedrückt /
Da reitzte mich die lust schon wieder nachzureisen.
Pfuy! sprach ich! lästu so die süsse zeit verschiessen?
    Strahlt deine sonne dich mit todten blicken an?
    Wer ist / der deinem thun hier grentzen setzen kan?
Und wer /der deinen geist in fässel denckt zuschliessen?
Wilstu die nase nun erst in die bücher stecken?
    Ach allzuschwache krafft vor deine liebes-pein!
    Da muß kein todtes oel und fauler balsam seyn /
Wo sich die funcken schon in lichte flammen strecken.
Weg mit der phantasey! weg mit der feder possen!

Ein mägdgen ist weit mehr / als alle bücher werth.
 Der hat sein glücke schon in asch und grauß verkehrt /
Der in das cabinet auch seel' und geist verschlossen.
Mit diesen sprang ich auff / fing alles anzuschmeissen /
 Riß zeddel und pappier in hundert stück entzwey /
 Und sprach: die last ist hin und Abimenin frey:
So muß ein tapffres hertz durch tausend stricke reissen.
Ein blat / ein kahles blat soll meine freyheit binden?
 Ha / (fuhr ich weiter fort) das stünde schülern an:
 Jch habe längsten schon dir / liebste / dargethan /
Daß ich in dir allein will meine kärcker finden.
Der eifer mehrte sich wie meine liebes-kohlen!
 Gleich aber als ich noch die letzten worte sprach /
 Da trat des fuhrmanns knecht in unser schlaff-gemach /
Um den verdienten lohn von neulich abzuholen.
Er ließ sich unverhofft durch meine lust bewegen /
 Befohlen und geschehn / war alles nur ein wort:
 Jch saß mit Thyrsis auff / und fuhren beyde fort /
Um dir die liebes-schuld / mein engel / abzulegen.
Es schien der himmel selbst bestrahlte mein verreisen /
 Die winde liessen nichts als amber-lüffte wehn /
 Die wolcken musten uns in tausend rosen sehn /
Und auge / mund und hertz mit voller anmuth speisen.
Die pferde säumten nicht den leicht-beladnen wagen /
 Die räder flohen schnell / wie pfeile / strohm und plitz /
 Die glieder fühlten kaum den hart gebauten sitz /
Und wurden wie ein stein durch dicke lufft getragen.
Und so weit muste mich das blinde glücke küssen.
 Darauff nahm Sandau uns zur abend taffel ein:
 Ach Sandau! daß du soltst mein trauer-denckmahl seyn!
Ach Sandau / daß du mich in diese noth gerissen!
Warum hab ich doch hier die liebe müssen brechen?
 Warum hat dich mein hertz mit thränen angeschaut?
 Ach Sandau! hätt ich nicht auff deinen sand gebaut /
So dürffte nicht der todt itzt meine sünde rächen.
Verzeihe liebstes kind / ich muß es nur bekennen /
 Ein weib / ein schwaches weib hat meinen krantz entführt;
 Doch wo dich noch ein strahl der alten liebe rührt /
So laß nicht deinen zorn wie meine laster brennen.
Nicht wundre / schönste / dich / wie dieses zugegangen:
 Jch nahm von ihrer hand nur einen becher wein /
 Der becher flößte mir den liebes-nectar ein /
Und ich ward wider art gantz unvermerckt gefangen.
Da sah ich ihr gesicht / als hundert sonnen blitzen /
 Sie schien mir etwas mehr als Venus selbst zu seyn.
 Und das verborgne gifft der stillen liebes-pein
Fieng an mit aller macht in meiner brust zu schwitzen.

Die tafel ward darauff mit tüchern überzogen /
    Hier trug man löffel-kraut und hasel-hüner auff /
    Und setzte vor begier die scharffen messer drauff.
Dort ward der süsse wein aus gläsern eingesogen.
Was uns der starcke safft vor geister eingegossen /
    Wie sich die stille glut im busen angesteckt /
    Was vor ein liebes-strohm mir meine brust befleckt /
Und wie mein mattes hertz von flammen fast zerflossen /
Jst / schönste / diß pappier zu wenig abzureissen;
    Genug / der schlaff zerbrach den augen ihren schein /
    Ein jeder scharrte sich ins weiche lager ein;
Jch aber fieng allein für trauren an zu kreissen.
Amanda (so will ich die geile Venus nennen)
    Lag dichte neben mir zur seiten mit der brust /
    Mein seuffzen war ihr trost / und meine liebes-lust
Schoß auch verborgne glut / ihr feuer anzubrennen.
Ach daß ich / sagte sie / dein leiden könte stillen /
    Ach kühlte meine brunst auch / liebster / deine pein /
    So müste diese brust itzt nicht verschlossen seyn.
Und dieser dünne zeug nicht meinen Leib umhüllen.
Jch netzte deinen mund mit hundert tausend küssen /
    Es würde nichts als lust aus allen adern gehn /
    Die lippen müsten dir in vollem amber stehn /
Und mein erhitzter schooß mit muscateller fliessen.
Nun aber kenn ich nicht die qvelle deiner wunden.
    Es muß was höhers seyn / das deine freude bricht /
    Dein kummer stammt aus mir und meiner anmuth nicht /
Sonst wäre schon der trost für deine noth gefunden.
Mir ward durch dieses wort die seele fast entrissen /
    Doch stieß ich / wo mir recht / noch diese seuffzer aus:
    Bleibt / schönste / deine brust nur meiner wollust-haus /
So weiß mein sonnen-licht von keinen finsternissen.
Was brust? versetzte sie / das hertze steht dir offen /
    Komm / reiß den blumen-schatz nach deinen willen hin /
    Komm / küsse / biß du satt / ich aber krafftloß bin /
Und endlich beyde wir in liebe sind ersoffen.
Drauff ließ das kühne weib die feder-decke fliegen /
    Und gab den geilen leib von allen ecken bloß /
    Hier sprang das leichte schloß von ihren brüsten loß /
Dort sah ich noch was mehr in voller flamme liegen.
Das leichte marmol-spiel der apffel-runden ballen /
    Der schnee-gebürgte bauch / der purpur-rothe mund /
    Und was noch etwan sonst hier zu berühren stund /
War leider! allzu starck zu meiner unglücks-fallen.
Jch ärmster konte mir nicht länger widerstreben /
    Jch warff mich in den schlamm der sünden-vollen lust /
    Jch druckte leib an leib / und wieder brust an brust /
Und wünschte nichts als so mein leben auffzugeben.

Mein leben / daß allein an meiner liebsten augen /
   Mein leben / daß allein an ihrem hertzen hieng /
   Und daß / wenn meiner brust der athem gleich entgieng /
Doch wieder konte safft aus ihren lippen saugen.
Jch lernte / wie sich fleisch und fleisch zusammen schickte /
   Und sanck vor matter pein in den gewölbten schooß /
   Biß meine beste krafft wie warme butter floß.
Und wie die seele gar aus meinen adern rückte.
Gleich aber / als wir noch der süssen lust genossen /
   Kam und zerriß ihr mann die zucker-süsse ruh /
   Und schaute mit bestürtzt- und blassen augen zu /
Wie unser leib und geist in einen klumpen flossen.
Der eyfer ließ ihn nicht viel donner-worte machen /
   Diß war sein erster gruß: Ha / hure / liegstu hier!
   Wacht denn ein ieder Hund vor deiner kammer-thür /
Und stößt sich ieder fels an deinen liebes-nachen?
Mit diesem fieng er mir von schelmen an zu singen /
   Da fühlt ich / wie der zorn mir gall auff galle goß;
   Die glieder brannten an / die klingen giengen loß /
Und ieder suchte nun den degen anzubringen.
Jnzwischen weiß ich nicht / ob es sich schicken sollen /
   Daß ich durch einen sprung zur erden nieder sanck.
   Da merckt ich / daß der stahl durch meine ribben drang /
Und mir das warme blut kam aus der brust geqvollen.
Wie / wenn ein tieger-thier das leben sieht entweichen
   nach blut-besprützter haut / sich doppelt stärcker macht:
   So ward mein eyfer auch in volle glut gebracht /
Und dachte mit gewalt den mörder abzureichen.
Jch schwang mit blosser faust mein Eisen hin und wieder;
   Ach / aber nur umsonst! die adern wurden schwach /
   Die seele selber floß durch meine purpur-bach;
Jch aber fiel erstarrt auff meinen rücken nieder.
Da sucht ich ärmster nun vergebens zu genesen /
   Nachdem die wunde mir das halbe leben nahm.
   Doch als ich wieder heim / und zu mir selber kam /
Jst / Charatine / diß mein erstes wort gewesen:
Ach Abimenin! ach! was hast du doch verbrochen?
   Wo bleibt die grüne treu / wo der verliebte schwur /
   Der neulich / falscher / dir aus deinem munde fuhr /
Als Charatine dir das hertze zugesprochen?
Geh hin / und rühme dich der süssen liebes-wunden /
   Geh / sage wie ihr thau die lippen dir gekühlt /
   Diß hast du nur geschmeckt / und jenes nur gefühlt;
Denn beydes ist bereits auff einen Tag verschwunden.
Verräther / traust du dich wohl selber anzuschauen?
   Muß so dein liebes-glaß in hundert stücken gehn?
   Wer wird hinfüro mehr auff deine freundschafft sehn /
Und auff den porcellan der glatten worte bauen?

Doch / Abimenin halt! halt deinen geist zurücke!
  Bezähme qvaal und pein mit zügeln der gedult.
  Offt ist ein kleiner fall und hencker-werthe schuld
Zu der erwünschten gunst die beste gnaden-brücke.
Geh / wirff dein angesicht zu ihren zarten füssen /
  Und mache deinen fleck mit tausend thränen rein /
  Laß ein beklemtes ach stat hundert worte seyn /
Und nichts als trauer saltz aus beyden augen schiessen.
Das feur wird endlich doch die reine brust bewegen /
  Die brust / in welche sich mein falsches hertze schloß /
  Die brust / aus der die lust der keuschen liebe floß /
Und die mir kett und band hat wissen anzulegen.
Was aber hast du vor? was hoffst du? sprach ich wieder.
  Auff zweiffel volle gunst? Nein / Abimenin / nein.
  Die sonne tilget nicht die flecken deiner pein /
Und stürtzt dich nur in grund des grösten kummers nieder.
Du wirst vergeblich nur die thränen hier vergiessen /
  Dein abgeschicktes flehn ist keiner ohren werth.
  Wer selbst den himmel ihm in höllen hat verkehrt /
Muß auch mit etwas mehr als schlechtem wasser büssen.
Hier riß die traurigkeit aus den gesetzten dämmen /
  Jch stieß mit ungestüm den degen in die brust /
  Und sprach: Wo gleich itzund die schmertzen meiner lust
Dich / Charatine / nicht mit wehmuth überschwemmen;
So solstu doch die treu aus meinem blute lesen.
  Mein engel / zittre nicht. Jtzt folgt das ende drauff:
  Denn hier erwachten mir die müden augen auff /
Da war das gantze spiel ein blosser traum gewesen.

Auff das verbündniß des Königs in Franckreich mit dem Türcken.

DJe welt verwundert sich / warum der Saracen
An Franckreich bündniß sucht / und Franckreich es beliebet:
Noch mehr / das Ludewig ihm selber lehren giebet /
  Wie er den Christen recht soll in die flancken gehn.
Verwundert euch nur nicht / und lebet ohne sorgen:
  Jhr wißt / daß Ludewig will eine sonne seyn /
  Die Türcken sind der mond; drüm trifft es billig ein:
Ein monde muß sein licht ja von der Sonne borgen.

[Auff das bildniß des Königs in Franckreich / ...]
Ein anders / auff eben dieselbe bilder-säule.

DEr stoltze Ludewig zeigt hier / wie er gekriegt /
Wie er die feinde bindt / die er doch nie besiegt /
Wie er den frieden giebt / den er doch schliessen müssen /
Wie er die eintracht sucht / die er doch stets zerrissen;

Wie er ein land verschenckt / das ihm niemahls gebührt.
Das aber zeigt er nicht / wie er die welt auffrührt:
Wie er die kirche kränckt / die er doch soll beschützen;
Wie er auff Pabst und Rom läst seinen donner plitzen:
Den allerbesten freund um cron und scepter bringt /
Auff katzen steuren legt / sein volck zu betteln zwingt /
Und fremde reiche sucht / die seines fast verschlingen:
Was muß den könig doch zu dieser thorheit bringen?
Jch glaub / er läst uns hier / weil nicht die that geschehn /
Und ihm die krafft gebricht / nur seinen willen sehn.
Ach aber armer held / verspare deinen willen!
Man läst sich heute nicht mit leeren wollen füllen.
Dein leben ist uns schon so gut als dir bekandt:
Drum meide nur den schein und allen falschen tand;
Die nachwelt möchte sonst / wenn sie dein lob wird lesen /
Gedencken / dieses bild sey Leopold gewesen.

Auff die Perlitz-Mühlendorffische Hochzeit.

DAs grüne feigenblat / das Adam vor sich nahm /
War kaum mit schlechter kunst um seinen leib gewunden /
Als Eva schon bey sich in die gedancken kam:
Ey / warum haben wir uns beyde doch verbunden?
Jst Adam so wie ich an gliedern auch bestellt /
So dürffen wir uns ja nicht vor einander schämen?
Und führt er sonsten was / das etwan mir gefällt /
Warum will die natur mir mein geschencke nehmen?
Sie hätte noch vielmehr der sachen nachgedacht /
Was aber ließ sie doch die kurtze zeit umfassen?
Weil gleich den augenblick das urtheil ward gebracht:
Sie solten beyderseits das paradieß verlassen.
Nach diesem schlug das feur zwar frische flammen an /
Sie fand sich aber noch zu zeiten sehr betrogen;
Den Adam war nunmehr mit peltzen angethan /
Und hatte leib und haut mit fellen überzogen.
Wer war wohl ärmer nun als Eva dazumahl?
Sie mischte speiß und tranck mit kummer-reichen thränen;
Jhr hertze war voll angst / die seele voller quaal /
Und muste sich umsonst nach ihrer kühlung sehnen.
Doch weil sie mittler zeit noch solche grillen fieng /
Und der gedancken schiff ließ hin und wieder fliegen /
Geschach es ungefähr / daß sie zu felde gieng /
Und ihren Adam fand im grünen grase liegen.
Sein leib war mehrentheils von kleidern unbedeckt /
Die glieder streckten sich / wie silberne Colossen /
Nur diß / was die natur zum zunder ausgesteckt /
War noch zu mehrer lust in rauches fell verschlossen.

Wie / wenn nach trüber nacht der schwartze schatten weicht /
Wenn himmel / wolck und lufft in reinem golde strahlen /
   Alsdenn der kühle thau die felder überstreicht /
Und sich die tulipen mit frischem purpur mahlen.

So zog der Even hertz den freuden-balsam an;
Die adern stürtzten sich in geister-volle flammen /
   Und was ihr ehermahls das gröste leid gethan /
Schlug itzt in einen dampff der grösten lust zusammen.

Sie fiel vor süsser qval in den begrünten klee /
Die füsse suncken ihr bey ihren Adam nieder /
   Und endlich drückte sie des leibes zarten schnee /
Und ihre schwanen-brust an seine marmol-glieder.

Der stirne taffel-werck / des halses helffenbein /
Der lichte carmasin der rothen mund-corallen /
   Die alle dauchten ihr nur leerer schaum zu seyn /
Auff die ein heisser mund läßt seine küsse fallen.

Sie forschte weiter nach / und blößte seinen schooß /
Jhr finger rührte sich um seine weiche lenden;
   Da war sie völlig nun der alten sorgen loß /
Und schaute den betrug in ihren liljen-händen.

Ja / sprach sie / voller scham / das hab ich wohl gedacht /
Daß Adam nicht umsonst die blätter vorgenommen;
   Wer aber hat ihm nur den plunder angemacht /
Und wo ist Adam doch zu diesem schaden kommen?

Doch / was bedenck ich mich? die brust ist ja zu klein;
Vielleicht hat die natur mir meinen mann betrogen /
   Und hat / was sonsten soll am busen oben seyn /
Durch ihre wunder-kunst biß unten hin gezogen.

Jch weiß nicht / ob sie gar zu laute worte sprach;
Denn Adam fieng nun an vom schlaffe zu erwachen:
   Doch als er endlich sah / was Even noch gebrach /
Da must er bey sich selbst der blinden einfalt lachen.

Er schloß ihr zartes haupt mit seinen armen ein /
Und netzte mund und hand mit hundert tausend küssen /
   Biß daß die stille krafft der unbekandten pein /
Jhm ließ das sanffte gifft durch seine nieren fliessen.

Da schärfft er allererst der Even den verstand /
Sie laß aus seiner hand die süssen zucker-beeren /
   Und beyde wünschten nun / daß diß versüßte band /
Und diese stunden doch nur möchten ewig währen.

Hierauff zerfloß ihr geist durch die zerstreute welt /
Der starcke dampff ergriff den gantzen kreyß der erden /
   Und selbst im himmel ward der feste schluß gefällt:
Es solten künfftig nun aus jungfern frauen werden.

Was wunder ist es denn / daß euch / geehrtes paar /
Das anmuths-volle garn der liebes-lust umschlossen?
   Weil diese süsse noth unüberwindlich war /
Und eur gefängniß selbst aus Adams schooß geflossen.

Was fleisch ist / sauget auch vom fleische seine krafft /
Und wer ist der mir will mit worten widerstreben ?
 Daß nicht / weil Eva sich am apffel hat vergafft /
Die engel oben nur / und unten menschen leben?
 Jhr thut / was die natur auff erden eingesetzt /
Was selbst der himmel hat in eure brust geschrieben;
 Was auch das Alterthum vor reine lust geschätzt /
Und fast vor aller welt ist unverworffen blieben.
 Drum kan der himmel euch auch nicht zuwider seyn.
Das glücke wird euch stets in vollen ampeln brennen /
 Und dieser zeiten gifft wird durch der sorgen pein /
So wenig eure lust / als die gemüther trennen;
 Wo euer fuß hintritt / da werden rosen stehn /
Doch solt ihr beyde nicht die scharffe dornen fühlen;
 Sie soll als eine braut in balsam-ströhmen gehn /
Und er soll lebens-lang mit jungfer-äpffeln spielen.
 Wo hätt' ihr besser wohl eur leben angebracht?
Wie solt eur freuden-baum wohl andre früchte tragen /
 Als itzt / da eure lust in voller blüte lacht /
Und eure liebe muß in tausend knospen schlagen?
 Seyd eurem glücke nur nicht selber hinderlich /
Und laßt den perlen-thau nicht in der lufft zerfliegen /
 Denn freut euch beyderseits / wenn um Jacobi sich
Ein junger Perlitz wird in seiner muschel wiegen.

HANS VON ASSIG

Cupidinis testament.

1.

CUpido lag im krancken-bette /
Und stellte sich recht kläglich an /
Als wenn er lust zu sterben hätte /
Es war um alle krafft gethan;
Drum wünscht er wegen seiner sachen /
Ein richtig testament zu machen.

2.

Er schickte nach dem advocaten /
Alsbald kam ein notarius /
Der halff in allen sachen rathen /
Und also fiel indeß ein schluß:
Verlaß ich was nach meinem sterben /
So soll das frauenzimmer erben.

3.

Die lieben jungfern sollen haben
Den überaus verliebten geist /
Auch alle andre leibes-gaben /
Und alles was sonst männlich heist;
Und zwar wie alles steht und liget /
Jch weiß sie sind damit vergnüget.

4.

Den weibern will ich gleichfalls dienen /
Vor die sind meine flügel gut /
Dieweil dergleichen haußrath ihnen
Am allermeisten nöthig thut /
Sie brauchen sie zu flederwischen /
Und zu der männer federpüschen.

5.

Was aber mach ich mit den alten?
Mein letzter stulgang ist zu schlecht:
Gelt! wenn der podex wird erkalten /
Der ist vor alte weiber recht.
Ja ja es soll darbey verbleiben /
Der herr beliebe nur zu schreiben.

6.

Crumpificus war wohl zu frieden /
Er sprach: der herr thut wohl daran /
Denn so bleibt aller streit vermieden;
Doch ehe diß geschehen kan /
So muß ich sieben zeugen sehen /
Sonst kan kein testament geschehen.

7.

Cupido lag in letzten zügen /
Die zunge ward almählich schwer /
Er sprach aus lauter unvergnügen:
Holt sieben reine jungfern her /
Die noch von keinen männern wissen /
Die sollen dieses werck beschliessen.

8.

Er lieff als wenn er flügel hätte /
Cupiden fiel indeß ein fluß /
Und also starb er auff dem bette /
Zugleich kam auch Crumpificus;
Und hatt' in vier-und zwantzig stunden
Nicht eine reine jungfer funden.

JOHANN VON BESSER

1.

NJcht schäme dich / du saubere Melinde /
   Daß deine zarte reinligkeit
Der feuchte mond verweist in eine binde /
   Und dir den bunten einfluß dräut.
Der grosse belt hegt ebb' und flut /
Was wunder / wenns der mensch der kleine thut.

2.

Die röthligkeit bey deinen bunten sachen
   Hat niemahls deinen schooß versehrt.
Wie muscheln sich durch purpur theuer machen /
   So macht dein schnecken-blut dich werth.
Wer liebt dein dinten-meer wohl nicht /
Weil man daraus corallen zincken bricht.

3.

Nur einmahl bringt das gantze jahr uns nelcken /
   Dein blumen-busch bringts monatlich /
Dein rosen-strauch mag nicht verwelcken /
   Sein dorn der hält bey dir nicht stich /
Denn was die sanfften blätter macht /
Das ist ein thau von der johannis-nacht.

4.

Kanst du gleich nicht die hurtgen lenden rühren /
   Lobt man dich doch im stille stehn /
Der augenblau wird leichtlich sich verlieren /
   Denn wirst du seyn noch eins so schön.
Man sammlet / spricht die gantze welt /
Viel besser frucht / wenn starcke blüte fällt.

5.

Laß mich darum doch keine fasten halten /
   Ein könig nimmt den schranck zwar ein /
Doch muß er fort / wenn sich die wasser spalten /
   Der geist muß ausgestossen seyn.
Man geht / wie iedermann bekandt /
Durchs rothe meer in das gelobte land.

C. ELTESTER

Die liebe steigt nicht über sich / sondern unter sich.

DEin auge solte mir zum tempel neulich dienen /
  Allein der grosse brand that meiner seelen weh:
  Drum zog sie sich hinab zu deiner wollust see /
Und kühlte wieder sich mit nectar und rosienen.
Sie tranck / und ward beräuscht aus deinen mund-rubinen /
  Und taumelte von dar auff deiner brüste schnee /
  Die zweyen bergen gleich / von wegen ihrer höh /
Am gipffel etwas roth / sonst gantz beeiset schienen.
  Doch / weil hier kälte war / sie aber nackt und bloß /
  So kroch sie endlich gar in deinen warmen schooß /
Da ward ihr allererst ihr lager angezeiget.
  Climene / zürne nicht. Sie folget der Natur /
  Sie geht den reglen nach / und hält der liebe spur /
Die mehrmahls unter sich / nicht aber auffwärts steiget.

An die vollkommenheit seiner Solime.

DJe schönheit / welche dir aus allen gliedern blickt /
Der hals / dem helffenbein und alabaster weichen /
Der mund / vor welchen selbst der purpur will erbleichen /
  Die augen / deren blitz fast alle welt entzückt /
  Und deren keusche glut die hertzen fest verstrickt /
Die stirne / die den glantz der perlen kan erreichen /
Die wangen / welchen nie kein silber zu vergleichen /
  Jn denen lieb und huld ihr bildniß eingedrückt;
Die wohlgestalte läng / das anmuths-volle wesen /
  Die attlas-weiche hand / die schnee zuschanden macht /
  Der haare kostbarkeit / und über irrd'sche pracht /
Und was du sonsten mehr zu deinem schmuck erlesen /
  Macht / daß man dich verehrt vor andern weit und breit /
  Ein fehler bleibt dir nur / der ist die grausamkeit.

UNBEKANNTE VERFASSER
DER SAMMLUNG
‹HERRN VON HOFFMANNSWALDAU GEDICHTE›

Lust-gespräch zweyer hertzlich-verliebten personen /

vorgestellet unter einem schäfer und schäferin / Thyrsis und Psyche
genannt.

Thyrsis.

KEnnt Psyche diese brunst / und weiß mein treues lieben /
  Warum wird Thyrsis dann zu keiner zeit vergnügt?
Warum will man die lust ihm weiter noch verschieben?
  Die lust durch welche man der liebe brunst besiegt.
Denck Psyche / daß dir diß nicht wird zum ruhm gereichen /
  Daß du verliebet machst / und steckest feuer an /
So du nicht löschen wilst.   Laß dich mein kind erweichen!
  Schenck mir die süsse schooß / die mich ergetzen kan.

Psyche.

Mein Thyrsis deine brunst ist gar zu sehr entzündet /
  Jch seh die flamme wohl / und deiner liebe glut /
Und wie du nur auff mich dein hoffen hast gegründet /
  Doch glaube mir / du eilst mit gar zu schnellen muth.
Geh in dich selbst hinein / und überleg es eben /
  Erndt auch der ackersmann wohl eh'r den weitzen ein?
Und pflegt der wintzer auch den wein wohl ehr zu heben /
  Bevor sie beyderseits bemüht gewesen seyn?
Zwar weiß ich / daß du mich / mein Thyrsis stets geliebet /
  Dein blick hat iederzeit mir deine gunst gezeigt.
Dein geist hat sich mit mir erfreut und auch betrübet /
  Jch müste steinern seyn / wär ich dir nicht geneigt.
Jch sag es noch nicht all; Jch bin dir zwar gewogen /
  Doch hat dein edler sinn mich auch verliebt gemacht.
Jch hab aus deinem mund die liebe selbst gesogen /
  Als Amor dich zu erst mir zu gesichte bracht.
Diß alles reitzt mich zwar / dein bitten zu vergnügen /
  Doch hält mich anderseits die furcht und hoffnung ab;
Der lüste blauer dunst / der soll mich nicht betriegen /
  Weil ich die tugend mir zum zweck gesetzet hab.

Thyrsis.

Was hilfft michs / daß dein mund so viel von lieben saget /
  Ja daß er eitel treu und glauben mir verspricht?
Wenn du / so offt ich dich nur um ein ja gefraget /
  Mir den bescheid ertheilst: Jch will und thu es nicht.

Die that die ist gewiß zu schlimm sie zu beschönen /
    Auch kan der grausamkeit so gar kein deckel seyn;
Was du hier suchst von furcht und hoffnung zu erwehnen /
    Es sind gefärbte wort / und nichts als leerer schein.
Denn ist dein geist mit mir in einigkeit verbunden /
    So sey in hoffen auch bey uns kein unterscheid;
Nun hab ich in der that / ihr weiber / wahr befunden /
    Daß ihr in worten so / und so im hertzen seyd.
Ja / woltest du dich nur recht in die liebe finden /
    So würdest du alsdenn in keiner furcht mehr stehn.
Wer liebt / der kan die furcht und hoffnung überwinden /
    Und mitten in gefahr mehr als zu sicher gehn.
Wir wolten unsrer lust in lieb und ruh geniessen /
    Es solte keiner nicht ein wörtgen sagen nach;
Wer würde wohl von uns und unsrer liebe wissen /
    Wenn wir alleine seyn bey jener stillen bach?
Bey jener stillen bach / da unsre heerde weidet /
    Und keinem / ausser uns / zu hüten ist vergunt;
Da sich das bunte feld von grünen büschen scheidet /
    Wenn Tellus tritt hervor mit dem belaubten mund.
Wohlan! so reiche mir den nectar deiner brüste /
    Und schencke mir die lust mit vollem maasse ein.
Laß diesen ort / da ich zum ersten mahl dich küßte /
    Auch itzo von genieß der liebe zeugen seyn.

Psyche.

Halt ein / man pfleget nicht die frucht sofort zu brechen /
    Zu der uns nur gelüst. Wenn eine geile hand
Die rossen rauben will / so pflegt der dorn zu stechen /
    Darum wann Thyrsis liebt / so lieb er mit verstand.
Er leite seinen sinn auff züchtige gedancken /
    Und trete freche lust mit füssen unter sich;
Er lasse seinen schritt nicht von der tugend wancken /
    Und kämpffe seinen kampff im lieben ritterlich.
Wir sind bey weiten nicht schon aller furcht entbunden /
    Das glück ist ungewiß / es fehlt noch viel daran.
Ob du / mein Thyrsis / gleich ein mittel hast erfunden /
    Daß unsre heimlichkeit kein mensch ergründen kan.
Zwar ist die rechte thür zu unserm vortheil offen /
    Doch steht uns noch zur zeit nicht eben alles frey;
Was du bereits begehrt / must du als künfftig hoffen /
    Die lust / wenn sie zu früh / gebähret späte reu.
Wir wollen unterdeß hieran vergnüget leben /
    Was uns der stille ort und unsre zucht vergünnt.
Jch will dir mund und hertz / und tausend küsse geben /
    Du solst mein engel seyn / mein schatz / mein liebstes kind.
Was über dieses ist / das halt ich fest verschlossen /
    Es ist von glaß gemacht / rührt mans / so bricht es bald;

Nur wir sind übel dran / ihr / wenn ihr es genossen /
  Geht eurer wege fort / uns macht der kummer alt.
Denn schläget über uns angst / noth und furcht zusammen /
  Ein ieder lacht uns aus / wir werden kinder-spott /
Es zeiget ieder stein von unsern geilen flammen /
  Wir gehn mit schmach einher / und sind lebendig tod.
Drum wenn du mich mit ernst und rechter treue meynest /
  So schaue / daß dein wunsch mir auch nicht schädlich sey /
Und bist du in der that / wie du von aussen scheinest /
  So bin ich des gewiß / und alles zweiffels frey.

Thyrsis.

Wenn deinen klugen geist und hochbegabten sinnen /
  (Als welchen es an witz und tugend nicht gebricht)
Jch nicht schon längst erkannt von aussen und von innen /
  So würd ein hartes wort dir itzt seyn zugericht.
Jch würd ein gantzes lied von deiner falschheit singen /
  Und wie dein kaltes hertz mit mißtraun angefüllt /
Ach unbewegliche! mich suchet umzubringen /
  Jndem dein hartseyn mich mit trauer-flor umhüllt.
Denn würd ich ungescheut dir unter augen sagen:
  Kanst du mit deinem tod denn nicht zufrieden seyn?
Mustu mich noch zuvor mit tausend martern plagen?
  Eh in dem grabe mich dein grimm gesencket ein.
Soll denn mein treues hertz und ungefärbtes lieben /
  Das die beständigkeit als meisterin regiert /
Durch deinen argwohns-wind stets werden umgetrieben /
  Bevor du weder fleck noch fehl an mir verspürt?
Wohlan! so will ich gern mit meinem tod bezeugen /
  Daß du / o grausame! mir weit zu viel gethan;
Doch soll sich auch dein ruhm zugleich zur erden beugen /
  Wenn man die ursach wird des todes sehen an.
So würd ich ohngefehr dich angeredet haben /
  Wenn mir nicht deine treu und neigung wäre kund;
Nun aber seh ich mehr auff deiner klugheit gaben /
  Und trau dem hertze zwar / nicht aber deinem mund.
Dein hertze lässet dich nicht argwohn auff mich tragen /
  (wiewohl dein mund von nichts als furcht und zweiffel spricht)
Und was du pflegst von uns und unsrer list zu sagen /
  Das / wie ich sicher weiß / ist nicht auff mich gericht.
Die liebe die mich hin zu deinen füssen leget /
  Jst nicht von gestern her / ich hasse solchen brand /
Der sich in unsrer brust von ohngefehr erreget /
  Und alsofort verlescht / fast eh wir ihn erkannt.
Zwar als ich deine zier und dich zum ersten sahe /
  Empfand ich alsofort von oben einen zug;
Es war was seltenes / das damahls mir geschahe /
  Doch war bey weitem es zur liebe nicht genug.

Jch fieng nur nach der hand und mehlich an zu brennen /
  Biß endlich mit der zeit mein feur zum stande kam.
Drum wird man künfftig auch mein lieben ewig nennen /
  Weil es durch lange zeit recht wurtzeln an sich nahm.
Jch kan dich nun nicht mehr / als du besorgst / verlassen;
  Jch habe / Psyche / dich mir zu gewiß erkiest.
Jch bin dir ewig hold / ich kan dich nimmer hassen /
  Weil du mein auffenthalt und mein vergnügen bist /
Laß du nur einen blick auff meine scheitel schiessen /
  Und dencke: Thyrsis ist es endlich noch wohl werth.
Man laß ihn / was er längst so sehnlich hofft / geniessen /
  Die braut bleibt billig dem / der treulich liebt / beschehrt.

Psyche.

Jsts mit dir so bewandt / und wilt du's also haben?
  Das hätt ich nicht gedacht! Nein / Thyrsis ist kein kind;
Er ist bereit zu klug / und hat zu freye gaben /
  Dergleichen einer nur bey frommen kindern findt.
Er kan von seiner lieb ein hauffen worte machen /
  Jch muß ihm endlich doch nur zu gefallen seyn /
Und glauben seinem mund / und allen seinen sachen.
  Wie schleicht so unvermerckt die liebe bey mir ein?
Doch will ich dieses noch hiermit voraus bedingen /
  Daß er nur mir allein hinfort ergeben sey /
Und sich bemüh / dahin die meinigen zu bringen /
  Daß sie mich ehelich ihm künfftig legen bey.

Thyrsis.

Mein thun ist dein befehl / dein wollen mein vergnügen;
  Jch ehre deinen spruch / und deine trefligkeit.
Wer wolte sich wohl nicht für einer göttin schmiegen /
  Die so gar gütig sich zu unsrer hülff erbeut?
Sagt mir / ihr Najaden / was hier vor götter wohnen?
  Jch seh ein götter-bild / und weiß nicht wie es heißt:
Es scheint / es habe sich / mein lieben zu belohnen /
  Die Venus selbst versteckt in Psychens edlen geist.
Jch glaube / dieser ort und lustige gestaden /
  Die ziehen gar vielleicht die götter zu sich her;
Pflegt sich die Venus auch bißweilen hier zu baden?
  Vielleicht ist euer bach ihr lieber als das meer.
Jch bleibe noch darbey / ich muß dich göttlich nennen /
  Dein auge bildet mir die Juno selbsten vor.
Es möchte Jupiter vor deiner liebe brennen /
  So hoch schwingt / Psyche / sich dein edler glantz empor.
Die wollen-weiche hand / und deren zarte finger /
  Die geben nichts nicht nach Minerven ihrer zier;
Der weissen brüste paar / die allerliebsten dinger /
  Derselben schönheit geht weit Aphroditens für.

Dein wohlgesetzter fuß / und rund-gewölbte waden /
   Die zeigen einen schnee / der unsre seel erqvickt /
Dergleichen Thetis auch / wenn sie sich pflegt zu baden /
   bald aus der see erhebt / bald wieder unterdrückt.
Wie glücklich mag der seyn / der deine schönheit schauet?
   Wie selig aber der so deine rechte küßt?
Ja welcher seine lust auff deinen brüsten bauet /
   Da gläub ich / daß gewiß derselb halb göttlich ist.
Ach solte sich mein fuß mit deinen schenckeln paaren /
   Und liessest du / mein kind / mich völlig zu dir ein!
Was meynst du würde mir alsdenn wohl wiederfahren?
   Jch würde gar vielleicht mehr als unsterblich seyn.

Psyche.

Jch geh in einem meer / das voll verwunderns / unter /
   Vor sachen / die ich nicht versteh / erstarr ich recht;
Bald komm ich aus mir selbst / bald werd ich wieder munter /
   Weil kein geborgtes lob mir meine sinnen schwächt.
Wie ist es? sucht dein mund mich etwan zu bethören?
   Weil er ein iedes wort mit schmeichel-farbe ziert.
Sag an / was ist es denn? ich muß es endlich hören;
   Denn wer zuvor nicht beicht / der wird nicht absolvirt.

Thyrsis.

Komm / meine schöne / komm! Hier unter diesen fichten /
   Das / was ich sagen will / geht mich und dich nur an.

Psyche.

Was wilt du da mit mir / du loser schalck / verrichten?
   Jch weiß nicht / ob ich dir so leichtlich trauen kan.

Thyrsis.

Komm nur / du wirst es ja schon selbst bey zeiten sehen /
   Und fürchte dich vor nichts / dieweil ich bey dir bin.

Psyche.

Ja eben fürcht ich mich vor dir mit dir zu gehen.
   Doch mag es seyn gewagt. Jch folge deinem sinn.

Thyrsis.

Mein / setze dich zu mir hier unter diesen eichen /
   Wo uns die Flora selbst ein buntes küssen schenckt.

Psyche.

Was nimmst du kühner vor? was suchst du zu erschleichen?
   Daß unter meinem rock sich deine rechte senckt.

Thyrsis.

Es kam von ungefehr / und hat nichts zu bedeuten /
    Hat doch ein bräutgam diß der braut wohl eh' gethan.

Psyche.

Jch bin zu jung darzu / drum lauff ich weg bey zeiten.
    Nein / freund! es geht bey mir dergleichen ding nicht an.

Thyrsis.

Fleuch nicht / du möchtest sonst die götter zornig machen.
    Es ist Cupido selbst und Venus mit im spiel.

Psyche.

Die götter kenn ich nicht / ich muß nur ihrer lachen /
    Die mutter und der sohn die thun mir gleiche viel.

Thyrsis.

Wohlan! so lerne sie anitzo denn erkennen.
    Es lebt und liebt die welt allein durch ihre gunst.

Psyche.

Doch sorg ich / möchten sie mich gantz und gar verbrennen /
    Man sagt / ihr wesen sey ein feur / ihr arbeit brunst.

Thyrsis.

Diß feuer zündet an die angenehmen flammen /
    Durch welche sich bey uns ein neuer Phönix zeigt.

Psyche.

Laß mich / wir kommen sonst noch wohl einmahl zusammen /
    Schau / wie sich allbereit der tag zum ende neigt.

Thyrsis.

Jtzt gehet Phöbus hin / der see sich zu vermählen /
    Die beste buhler-zeit ist / wenn der tag gebricht.

Psyche.

Du magst nach deiner art die zeit und stunden zehlen /
    Jch hab hier nichts zu thun / von buhlen weiß ich nicht.

Thyrsis.

Das / was du nicht verstehst / kanst du von mir itzt lernen.
    (Verleihe Venus mir von oben deine krafft!)

Psyche.

Jhr götter steht mir bey / ach helfft ihr güldne sternen!
    Wo nicht / so ists geschehn mit meiner jungferschafft.

Thyrsis.

Nach deiner jungferschafft wird Jupiter nichts fragen.
  Aus jungfern hat er selbst offt manche frau gemacht.

Psyche.

Wenn Jupiter nicht hört / will ichs den andern klagen:
  Diana rette das / was ich dir zugedacht.

Thyrsis.

Ach lerne dich / mein kind / nur in die weise schicken /
  Dein ruffen ist zu spät / die göttin hört dich nicht.

Psyche.

Dieweil es mir denn nicht will wider dich gelücken /
  Wohlan! so sey mein sinn zu deiner lust gericht.

Thyrsis.

Jch gebe dir dafür mein haus und hoff zu lohne /
  Hilff nur / daß unsre lust anitzt vollkommen sey.

Psyche.

Mich deucht es ist genung zu einem jungen sohne.
  Hör auff! du legest mir zu grosse schmertzen bey.

Thyrsis.

Die schmertzen tödten nicht / sie sind zu überwinden /
  So offt man weiber macht / so thuts den jungfern weh.

Psyche.

Laß ab / mein liebster schatz / dich gar zu tieff zu gründen /
  Auff daß mein leben nicht mit deiner lust vergeh.

Thyrsis.

Verzieh / es wird sich itzt der süsse thau ergiessen /
  Jch mercke / wie die lust zu meinen adern dringt.

Psyche.

Und ich fühl honigseim in meinem busen fliessen /
  Die wollust macht mich satt

Thyrsis.

                    Mich hat sie schon umringt.
Ach schatz! ach! ach!

Psyche.

                    Mein kind! ach liebster! ach mein leben!
Jst das nicht zucker-lust?

Thyrsis.

Ach ich bin gantz entzückt!

Psyche.

O süsser lebens-thau! den mir mein schatz gegeben.

Thyrsis.

O süsser lebens-qvell / wie hast du mich erqvickt!

Psyche.

Es ist mir meine brust vor wollust auffgeqvollen /
Die hügel hüpffen mir vor freuden noch empor.

Thyrsis.

Mein gantzer leib der ist von vieler brunst zerschwollen.
Nachdem mir deine gunst geöffnet hat das thor.

Psyche.

So hast du Thyrsis doch noch über mich gesieget /
Dieweil in meiner schooß dein sieges-zeichen steckt.

Thyrsis.

Den sieg hat dir vielmehr der himmel zugefüget /
Der mich für deine knie gefangen hingestreckt.

Psyche.

Diana zürne nicht / daß ich mit Amors waffen /
Als andre krafft gebrach / zu felde gangen bin.

Thyrsis.

Wenn gleich Diana zörnt / kan Venus doch verschaffen /
Daß dir nicht schädlich sey ihr hart erboster sinn.

Psyche.

Auff! auff! wir müssen fort / es rauscht dort bey den bächen /
Wer weiß / was jener baum für einen schleicher hegt?

Thyrsis.

Die fichten wollen sich von unsrer lust besprechen /
Weil sie der kühle west durch seine macht bewegt.

Psyche.

Jch muß nun wieder hin zu unsern schatten eilen /
Die Phillis rufft mich selbst / leb wohl / o meine zier!

Thyrsis.

Dieweil du denn allhier nicht länger kanst verweilen /
So nimm vor diesesmahl den letzten kuß von mir.

Psyche.

Jch muß dem leibe nach dir itzt zwar abschied geben /
  Doch mein verliebter geist wird allzeit bey dir seyn.

Thyrsis.

Leb wohl / und liebe wohl / und leide wohl / mein leben!
  Und dencke: Treue lieb ist nimmer ohne pein.

Streit der jungen und alten jungfern /

welchen von beyden der vorzug gebühre.

Vortrag der jungen.

JHr schwestern / die ihr schon mehr jahre könnet zehlen /
  Als gute zähne noch in eurem munde stehn;
Was habt ihr wohl vor recht auff unsre lust zu schmählen?
  Meint ihr / wir sollen euch gleich aus dem wege gehn?
Nein! eh wir eurem trotz den stoltzen willen lassen /
  Soll ein geschärffter stahl des streites richter seyn;
Warumb soll unsern schertz ein scheeles auge hassen?
  Wir jungen bilden uns mehr als ihr alten ein.
Jhr habt zwar freylich schon viel mehr als wir erfahren /
  Weil unsre jugend euch noch erstlich lehrgeld zahlt;
Allein wie? kommt auch wol verstand noch vor den jahren?
  Drum macht ihr euch selbst alt / wenn ihr mit klugheit prahlt.
Was aber acht man doch ein altes ungeheuer?
  Ein frisch und junges ding zieht man den alten für;
Ein alter hering kost nicht so viel als ein neuer /
  Ein junges pferd das gilt mehr als ein altes thier.
Wer steckt die nase gern zu faulen pomerantzen?
  Wer liebt ein altes licht / das wie der teuffel stinckt?
Wer will doch allererst ein altes schloß verschantzen /
  Das allbereits zerfällt und im morast versinckt?
Drum must ihr alten nun uns jungen mädchen weichen /
  Jhr seyd schon halb verdorrt / wir seynd noch frisch und grün /
Jhr seyd kaum schwartzem bley / wir golde zu vergleichen /
  Um unsre scheitel blüht der herrlichste jeßmin:
Jn unserm busen findt man schnee und brand beysammen /
  Der halß der übertrifft den allerweißten schwan /
Auß unsern augen gehn die stärcksten liebesflammen
  Und zünden wie ein blitz der männer hertzen an:
Die wangen blühen uns voll lieblicher narcissen /
  Auff denen Liljen-milch und rosen-purpur lacht.
Wie mancher pflegt vergnügt auf unsern mund zu küssen /
  Der ihm die seel entzückt / das hertz voll feuer macht.
Wir können ohne zwang die stärcksten überwinden /
  Wir schlagen unsren feind durch einen holden strahl;

Die liebsten können wir so fest als ketten binden
    Und führen sie erlächtzt zum frischen liebes-thal.
Dann rufft ein ieder uns nicht anders als / mein engel /
    Mein hertzgen / schätzgen / kind / mein morgenstern / mein licht /
Und streut auff unsern schoß die schönsten nelcken-stengel /
    Dergleichen eure hand / ihr alten / niemahls bricht.
So bleibts demnach darbey / ihr müst zurücke treten /
    Weil euer glantz nicht so / wie unsrer / schimmern kan;
Doch fangt ins künfftige nur fleißig an zu beten /
    Vielleicht bekommet ihr noch endlich einen mann.

Antwort der alten.

JHr närchen thut gemach / was bildet ihr euch ein?
Was habt ihr thoren viel vom alter zu gedencken?
Jst dieses euch verhast / so last euch jung auffhencken /
    Halt eure zung im zaum und last das spotten seyn.
    Mit eurer prahlerey wird wenig außgericht /
Jhr stellt euch allzu stoltz und überaus verwegen /
Ach lernt das ding zuvor vernünfftig überlegen /
    Was gilts / ob euer mund hernach nicht anders spricht.
    Daß ihr uns alte nennt / das thut ihr nur aus neyd /
Dieweil wir nicht mit euch so kindisch tändeln wollen /
Wir wären sonst fürwar noch ärger als die tollen /
    Es wundert uns / daß ihr noch stets so kindisch seyd;
    Zu dem so geht was alt sehr offt dem jungen vor.
Die jungen schoten sind zwar allzeit angenehmer;
Doch sind die alten schon zum stecken viel bequemer /
    Denn ihre keume schiebt den schönsten strauch empor.
    Der alte wein ist ja viel besser als der most /
Die mürben mispeln sind doch immerfort die besten /
Die schönsten früchte stehn offt an den ältsten ästen /
    Und alter honig wird zuletzt zur zucker-kost.
    Was aber sagt ihr viel von eurer schönheit pracht /
Die ihr bißweilen doch mit flor die flecken decket?
Meint ihr / man wisse nicht / daß ihr den schalck verstecket /
    Und eure glatte haut mit schmincke schöner macht?
    Doch seht euch fleißig für / daß euer ruhm nicht fällt /
Die schönste rose wird am zeitigsten gebrochen /
Die süßte frucht wird offt von einem wurm gestochen.
    Wohl der / die ihren glantz stets unbefleckt behält!
    Wenn man euch engel nennt / so nehmt nicht leiber an /
Wie etwan geister thun / so cörper angenommen /
Das spucken dörfft euch sonst nicht allzu wol bekommen.
    Um engel / wie ihr seyd / ists allzubald gethan.
    Die liebsten ruffen euch: Mein allerliebstes kind!
Was gilts / ihr krieget auch der liebe milch zu saugen /
Jhr seyd ein blumenfeld in eurer buhler augen /
    So schaut daß sich kein wurm zur zucker-rose findt.

Der / so euch schätzchen nennt / der gräbt gewißlich nach /
Biß daß er seinen schatz / und euer bergwerck funden.
Was seyd ihr vor ein stern / wenn euer glantz verschwunden?
So euer licht verlöscht / wird euer schein zur schmach.
Drum stellt / bethörte / nur das freche prahlen ein /
Begehrt ihr ie mit uns nicht weiter umzugehen /
So packt euch immerhin / wir werden euch nicht flehen;
Wir bleiben dennoch wol / die wir gewesen seyn.

[GRABSCHRIFTEN]

Eines alten bösen weibes.

EJn schädlich basilisck / in grimmig tieger-thier /
Ein weib / das wie ein hund zum beißen trug begier /
Und in dem leben hat gleich einer sau gerochen /
Die ist in dieses loch nur allzu spät gekrochen.

Eines bequemen mannes.

MJr hat das trincken mehr / als lieben / freude bracht /
Weil dieses kräffte nahm / und jenes stärcke macht:
Doch ist mein weib dabey nicht unvergnügt geblieben /
Sie ließ mir frey den trunck / ich ließ ihr frey das lieben.

Jtem.

DJe hosen durfft ich nur ans weibes bette hencken /
So war es schon genung / es folgte drauff ein kind.
Wer nicht vererbet ist / der laß ihm diese schencken /
Wer weiß / ob andre so / wie meine / kräfftig sind?

Eines trunckenboldes.

EJn meister beym toback / ein held bey bier und wein /
Ein esel von verstand / ein affe von geberden /
Ein mensch dem nahmen nach / den wercken nach ein schwein /
Der muste toll und voll hier eingesencket werden.

Eines sackpfeiffers.

JCh machte knecht und magd recht lustig durch mein pfeiffen /
Niemahls war ich beschwert zum drücken / blasen / greiffen /
Jtzt liegt nach meinem tod die pfeiffe gantz allein.
Thu mir den liebes-dienst und blaß einmahl darein!

Die weiber sind nicht ohne fehler.

EJn weib sey wie es immer sey /
So wird ihr doch was fehlen;
Die schöne die ist selten treu /
Die garstige macht quälen;
Die kluge commandirt zu viel /
Die dumme treibt nur narren-spiel;
Die junge bringt galans ins hauß /
Der alten stinckts zum halse raus;
Die reiche läst dirs geld nicht frey /
Die arme wird dirs stehlen.
Ein weib sey wie es immer sey /
So wird ihr etwas fehlen.

Die männer auch nicht.

EJn mann sey wie er immer sey /
So wird ihm doch was fehlen;
Ðer säuffer legt das geld nicht bey /
Er jagt es durch die kehlen;
Der jung ist liederlicher art /
Und nascht gern auff der seiten;
Der alte ist ein nösselbart /
Und kan wohl nicht zu zeiten.
Der geitz des reichen leidet noth
Bey seinem vollen kasten;
Der arme läst bey schwartzem brodt
Das arme weibchen fasten.
Der krieger ist kein courtisan
Und macht es nicht fein sachte;
Den keuschen kommts nicht allzeit an;
Den wilden alle nachte.
Der hochgelahrte ist erpicht
Allein auff seine bücher;
Der ignorant taugt folgends nicht
Und ist noch wunderlicher.
Mit kurtzem: es bleibt wohl dabey
Und ist nicht zu verhehlen;
Ein mann sey wie er immer sey /
So wird ihm doch was fehlen.

Der verstellte liebhaber.

1.

MEin kind / laß uns fein heimlich lieben /
Nicht wie es sonst pflegt zu geschehn;
Wir müssen unsre lust verschieben /

So oft es andre leute sehn;
Wir müssen uns ein wenig drücken
Und lernen in die leute schicken.

2.

Wir wollen so zusammen halten /
Daß niemand uns verrathen kan;
Wenn du mich siehst die hände falten /
So bet ich deine schönheit an;
Wenn meine arme sich bewegen /
So wünsch ich dich herein zu legen.

3.

Schlag' ich die augen in die höhe /
So gehn die seufftzer über sich;
Und wenn ich für mich niedersehe /
So grüßet mein gehorsam dich.
Merck / wenn ich an die lippen rühre /
Daß durch die lufft ich küsse führe.

4.

Wenn ich mit meinen fingern spiele /
So drück ich gleichsam deine hand;
Und wenn ich an die stirne fühle /
Bedeut es heimlichen verstand /
Ja jede stellung für den leuten
Muß etwas sonderlichs bedeuten.

5.

Kein mensch soll mercken was ich mache /
Und wie es um uns beyde steh'/
Jch gehe traurig wenn ich lache /
Und lache wenn ich traurig geh':
Aus mir kan keinem was erhellen /
Jch kan mich stellen und verstellen.

6.

Wir beyde reden ohne zungen /
Vernehmen uns auch ohngefehr;
Wirstu zu tadeln mich gezwungen /
Halt ich es doch für eine ehr;
Du wirst es auch nicht übel nehmen /
Wenn ich aus noth dich muß beschämen.

7.

Hörst du mich / oder ich dich / nennen /
Wird keine röth uns abgejagt;
Wir thun als wenn wir uns nicht kennen /
Und wissen nicht was jener sagt:
Vexirt man uns / so braucht man lügen
Sich mit der warheit zu begnügen.

8.

Nun dieses wollen wir so treiben
  Und uns so lieben unvermerckt /
Und immer bey dem läugnen bleiben /
  Biß unsre blödigkeit sich stärckt.
Das aber kan so offt geschehen /
So offt wir uns alleine sehen.

9.

Verschwiegenheit in liebes-sachen
  Jst eine recht bewährte kunst.
Wir wollens fein behutsam machen
  Und gantz nicht äussern unsre brunst.
Jst ein verliebter nur verschwiegen /
Kan er die klügsten auch betriegen.

Beim Geldwechsler ...

. . . heißt diese Szene auf einem Holzschnitt aus «Der Seele Trost», erschienen Anno 1478 in Augsburg. Beim Geldwechsler, dem Vorfahr des Bankiers, hat man sein Geld umgetauscht, gewechselt, prüfen lassen oder auch angelegt. Die Wertprüfung war wichtig, denn Münzpächter und Münzschläger waren nicht immer die ehrlichsten Gesellen. «Jedoch bei golde blei, bei allerlei münze beislege», klagte schon der Ackermann aus Böhmen.

Schon früher also mußte man auf der Hut sein, damit das Geld einem nicht in der Hand weniger wert wurde. Nur war das probateste Privatmittel gegen den Geldwertschwund damals nicht jedem zugänglich: Ein Christ durfte bis ins späte Mittelalter keinen Zins nehmen. Wenigstens in diesem Punkt haben die Zeiten sich geändert.

XIII

CHRISTIAN WEISE

Die verliebte jägerey.

DJe lieb ist gleichsam eine jagt /
Da sich ein grosser hauffen
Jn die gebüsche wagt /
Wo angst und müh entgegen lauffen /
Und wo die gantze welt
Sich fast in das gehäge stellt.

2. Die netze sind von heucheley
Und eitelkeit gestricket /
Darinnen wird die treu
Der jungen einfalt offt berücket /
Und wer nicht langen kan
Der flickt ein bißgen hoffnung dran.

3. Der spürhund ist die ungedult /
Der billt und läst sich hören /
Die unschuld mit der schuld
Jn ihrem lager zu verstören:
Wie ist er doch bemüht
Eh er das wild vor augen sieht?

4. Und also muß der windhund fort
Durch bitten und versprechen /
Durch klagen da und dort
Die ungewisse bahne brechen /
Biß man den ganßen rest
Der grossen docken lauffen läst.

5. Offt schiest man ehr und tugend todt /
Dann die verliebten minen
Sind wie der haasen-schrot:
Wohl denen die sich so bedienen!
Denn wer ein narr will seyn /
Schiest gar mit silbern kugeln drein.

6. Wiewohl manch armer jäger sagt
Er hab es gut erlesen /
Und hab ein reh gejagt /
So ist es kaum ein fuchs gewesen:
Und wer den hirschen hetzt /
Nimmt wol ein eichhorn auf die letzt:

7. Oft setzt ein hauer seinen zahn
Jn die getroffne liebe
Mit solchem eyfer an /
Daß alle gunst in einem hiebe
Zu grund und boden geht /
Und wenn sie noch so feste steht

8. Doch geht / ihr freunde / geht ins feld /
Habt ihr mit euren netzen
Schon einmahl auffgestellt /
So seyd ihrs schuldig fortzusetzen:
Denn der ist übel dran
Der hetzen und nicht fangen kan.

Die unterschiedlichen Liebhaber.

JCh schwatzte neulich von galanen /
Als ich bey meinen mädgen stund;
Da ließ sie mich hernach vermahnen /
Die sachen wären ihr nicht kund;
Sie möchte mich wol gerne fragen /
Was ein galan ausdrücklich sey?
Da ließ ich ihr zur antwort sagen /
Die leutgen wären vielerley.

2. Dann sagt ich / wer sich aller orten
Zum lieben frauenzimmer macht /
Und ist doch kalt in seinen worten
Ob er gleich noch so freundlich lacht:
Wer alle wochen eine neue
Zum zeitvertreib erwählen kan /
Und fragt nach keiner liebes-treue /
Der ist ein blosser spaß-galan.

3. Und wer sich läst die grillen treiben /
Daß er die gassen nunter schwäntzt /
Ob etwan durch die fenster-scheiben
Ein weisses jungfer-häubgen gläntzt /
Und meint er habe durch den tempel
Der liebes-pflicht genug gethan /
Der heist den andern zum exempel
Ein lauff- und pflasterstein galan.

4. Wann auch ein junger gelber schnabel
Sich im processe selbst verführt /
Und alles mit der silbern gabel
Fein fromm und sittsam embrochirt /
Auch nichts in seinen complimenten
Als ehren tugend sprechen kan /
So heisset er bey uns studenten
Nur ein devotion-galan.

5. Und wer mit allerhand spendaschen
Der liebsten ihre köthe schmückt /
Und alle tage seinen pagen
Nach zucker und citronen schickt /
Wer offtermahls spatziren fähret /
Zur hochzeit gehet / wenn er kan /
Und seine pfennge so verzehret /
Jst ein discretion-galan.

6. Doch welchen das geneigte glücke
Zu der vollkommenheit bestimmt /
Daß er durch seine liebes-blicke
Den mädgen auch das hertze nimmt /
Wer mit vermischten wechselküssen
Den stillen bund erhalten kan /
Obs gleich die leute wenig wissen /
Jst ein affection-galan.

7. Wiewol die schlimmsten löffelknechte
Geniessen manchmal treflich viel /
Nur dessentwegen weil der rechte
Nicht ins gehäge kommen will:
Jnzwischen weil sie solches wissen
Gehn sie mit allen freuden dran /
Und unter solchen lücke büssen
Wird mancher noch ein noth-galan.

8. Nächst diesem bildt sich mancher immer
Die allerschönsten sachen ein /
Und muß doch bey dem frauenzimmer
Jm spiele pickelhäring seyn /
Er kan sich zwar vor selig schätzen
Und nimmt den schertz mit willen an;
Doch sag ich / wer sich lässet hätzen /
Jst ein vexation-galan.

9. Hieran ihr herren junggesellen
Jch habe mich allhier bemüht
Euch in der liebe vorzustellen /
Wo jemand seines gleichen sieht /
Der gehe nur in sein gewissen
Und zieh sich selber vor gericht.
Jch werde diesen loben müssen
Der hefftig liebt und meynt es nicht.

Kleine Leute sind so gut als die Grossen.

JHr leute wolt ihr meiner lachen
Daß ich ein bißgen kleine bin /
So wil ich euch zuschanden machen /
Jch dencke lachet immer hin /
Wie offte sieht ein kleines hauß
Viel schöner als ein grosses aus.

2. Die kleinen zobeln kommen höher
Als eine grosse beeren-haut /
Ein mandel-nüßgen isst man eher
Als eine schüssel sauer kraut /
Und weil die kleinen lerchen gehn
So läst man wohl das rindfleisch stehn.

3. Ein kleines mode-hütgen stutzet
Mehr als ein babilonscher thurm /
Ein kleines seidenwürmgen nutzet
Mehr als ein grosser regen wurm /
Der beste sammt hat kleiner maß
Als wohl der grobe cannefaß.

4. Manch bübgen hat zwar kurtze beine /
Und macht doch einen guten tantz /
Manch füchsgen ist von ansehn kleine
Und hat doch einen grossen schwantz /
Den kleinsten hunden hänget man
Die allergrösten klöppel an.

5. Und dieses läugnet warlich keiner /
Ein resolvierter kerl ist so
Jn kleinen duodez viel feiner
Als so ein narr in folio.
Ein kleiner hat ein loses maul /
Hingegen sind die grossen faul.

6. Wie war es in dem paradiesse /
Da Adam zu der Eva kam /
Und sie als seine zuckersüsse
Vergnügung in die armen nahm /
Und als das höchst-verliebte paar
Ein Männlein und ein Fräulein war.

7. Nach diesem ist es ja geschehen /
Daß sich ein weibgen ohngefehr
An einen ochsen hat versehen /
Da kommen nun die grossen her:
Drum bleibt die art auch unverrückt /
Und sie sind etwas ungeschickt.

8. Jch wil gar gerne kleine bleiben /
Ein ander kerle mag sich nun
Jn Goliats regiester schreiben /
So wil ich doch nicht furchtsam thun /
Der kleinste zwerg ist gleich so gut
Als auch der gröste – – – –

Phillis muß einen haben/ der wie milch und blut aussieht.

MAedgen must du mich betrüben /
Kanst du meinen treuen sinn
Nicht ein bißgen wieder lieben /
Weil ich doch dein diener bin?
Ach es kommt mir nicht so gut /
Jch bin nicht wie milch und blut.

2. Bring ich gleich die jungen tage
Mit verliebten sorgen zu /
Hab ich doch vor meine plage
Keine vielgewünschte ruh /
Denn es kömmt mir nicht so gut /
Jch bin nicht wie milch und blut.

3. Das ist noch mein ungelücke
Und die allerschwerste pein /
Daß ich meinen feind erblicke
Wo ich gerne wolte seyn /
Diesem kömmt es nun so gut /
Denn er ist wie milch und blut.

4. Niemand darff dir zu gefallen
Einen liebes trempel gehn /
Denn der esel ist für allen
Doch in deinen augen schön /
Ach es kömmt ihm trefflich gut
Weil er ist wie milch und blut.

5. Nun ich bin ohn allen zweiffel
Auch nicht eine fleder-mauß /
Jch seh auch nicht wie der teuffel
Oder sonst ein wetter aus
Alles / alles wäre gut /
Wär ich nur wie milch und blut.

6. Ach wer will mich schöner mahlen /
Kommt ihr meister / kommt hieher /
Gerne will ich euch bezahlen /
Wann es tausend thaler wär /
Trauet mir / mein geld ist gut /
Mahlt mich nur wie milch und blut.

7. Nun da will ich brave stutzen
Als ein kerl von raison /
Da will ich mich besser butzen
Als ein kleiner Fürsten-Sohn /
Dann da werd ich gleich so gut
Wann ich bin wie milch und blut.

8. Doch dieweil ich mehr begehren /
Mehr von hertzen wündschen kan /
Als mein glücke will gewähren /
Seh ich meinen unstern an /
Ach es kömmt mir nicht so gut /
Jch bin nicht wie milch und blut.

Er ist fromm / aber wenn er schläfft.

ALs ich meiner Rosilis
Neulich an die schürtze grieffe /
Sagte sie mir gar gewiß /
Jch wär fromm / doch wann ich schlieffe;
Sonsten wär ich in der haut
Ein rechtschaffen böses kraut.

2. Ja mein liebgen / fieng ich an /
Jch gesteh es / wenn ich wache /
Daß ich es nicht lassen kan:
Doch es ist so eine sache /
Stelle deine schönheit ein /
So will ich nicht lose seyn.

3. Uber dieses bin ich doch
Jn dem schlaffe fromm und stille /
Drum mein engel / ist es noch
Dein und mein beliebter wille /
Suchst du die gewogenheit
Bloß in meiner frömmigkeit.

4. Ey so schlaff einmahl bey mir:
Sonsten muß ich es gestehen /
Daß ich keinmal kan zu dir
Fromm und eingezogen gehen:
Soll ich fromm seyn / meine zier /
Ey so schlaf einmal bey mir.

Der Küster zu Plumpe beschreibet seinen zukünfftigen ehestand.

ES ist nunmehr beschlossen
Und ich will unverdrossen /
Hinaus auff Plumpe ziehn /
Da will ich probe singen /
Und mich vor allen dingen
Umb ein hübsch lied bemühn.

2. Nach diesem will ich sorgen /
Ob ich heut oder morgen /
Ein schätzgen haben kan /
Jch will ein weib erkiesen /
Denn hat es doch vor diesen
Mein vater auch gethan.

3. Doch soll sie mir gefallen /
So muß sie auch in allen
Mich lassen Herre seyn /
Sie muß zu allen schweigen
Und mir respect erzeigen /
Sonst thät ich zehnmal drein.

4. Sie muß sich lassen schelten /
Und muß auch diß entgelten
Was sie nicht schuldig ist:
Wann ich sie werde schlagen /
Muß sie gedultig sagen:
Schatz / daß du böse bist.

5. Jch muß im hause schmehlen /
Und gantz allein befehlen
Umb kleider / speiß und tranck:
Den hals wolt ich ihr brechen /
Wenn sie nicht wolte sprechen:
Nun GOtt sey lob und danck.

6. Trotz / wann ichs haben wolte /
Daß sie nicht sprechen solte
Die weisse milch sey schwartz.
Sie muß gehorsam bleiben
Und mir zu ehren gläuben /
Dreck wäre fiedel-hartz.

7. Sollt ich gleich alls versauffen
Und in die schencke lauffen /
So geht es sie nichts an /
Gnug / daß sie ihre sachen
Jn ruh und friede machen
Und essen kochen kan.

8. Jch folge meinem kopffe /
Und werffe mit dem topffe
Nach frauen / kind und magd /
Wo jemand in dem hause /
Wenn ich zu offte schmause /
Mir was zu wider sagt.

9. Wann ich will lerchen fressen /
So mag sie unterdessen
Jm käse lustig seyn /
Geh ich zu wein und biere /
Alsdann so jubilire
Sie übern gänse-wein.

10. Spiel ich wo in der karten
So mag sie immer warten
Auff wucher und gewinn /
Denn werd ich viel verspielen
So sol sie redlich fühlen
Wie ich so böse bin.

11. Und wann ich zwölffmahl hätte
Zusammen in das bette
Ja an ihr bein gethan /
So muß sie dennoch kommen
Hab ich nicht einen frommen
Und wohlgerathnen mann.

12. Sie muß mein bärtgen bürsten
Wie einen jungen fürsten /
Sie muß die schwartzen flöh
Aus meinen hembden haschen /
Und mir die hosen waschen
Wann ich auffs häußgen geh.

13. Sie muß mir mäulgen geben
Und ist es mir nicht eben
So muß sie gar den steiß
Mir zu gefallen hertzen
Sonst kan sie leicht verschertzen
Was sie am besten weiß.

14. Wolt ich sie gar verschencken
So darff sie nichts gedencken
Das mir zu wieder ist /
Sie muß sich lassen führen /
Kurrentzen und regieren
Nur wie es mir gelüst.

15. Wil ich mich von ihr scheiden /
So muß sie diß auch leiden /
Wil ich zum mädgen gehn /
So muß sie mit dem liechte
So lang ich es verrichte
Mir vor dem bette stehn.

16. Wird sie viel kinder kriegen
Darff sie in wochen liegen
Nur vierzehn tage lang /
Die übrigen vier wochen
Da muß sie wieder kochen
Und wär sie sterbens-kranck.

17. Wird sie in letzten zügen
Und auf dem todte liegen /
So will ich ihr voran
Die neue liebste sagen
Daß ich in vierzehn tagen
Zur hochzeit schreiten kan.

18. Und wird sie endlich himmeln
So mag sie vor verschimmeln
Und auf der bahre stehn /
Die hunde sollen trauren
Und mit dem plumpen bauren
Jn langen mänteln gehn.

19. Heran ihr lieben kinder
Jhr nehmt mich doch geschwinder
Wann ihr so deutlich hört /
Wie schön ihr sollet werden
Mit reden und geberden /
Durch einen mann geehrt.

20. Kommt nur mit hellem hauffen /
Auff plumpe naußgelauffen
Und lacht mich freundlich an /
Jch bin ein teutscher sänger
Der als ein rattenfänger /
Die weiber haschen kan.

Die Junggesellen-Noth.

DEr ehstand plagt mich offt /
Daß ich mich unverhofft
Jns wesen nein verliebe /
Denn hab ich lange zeit /
So denck ich allbereit /
Ach hätt ich eine frau / die mir die zeit vertriebe.
   2. Früh morgens steh ich auff /
Und wann ich meinen lauff
Bald hie bald da betrachte /
So rumpelt mir der bauch /
Derhalben denck ich auch /
Ach hätt ich eine frau / die mir ein süpgen machte.
   3. Und wann ich meinen bart
Recht nach der neuen art /
Gern in die falten schraubte /
So kommen federn drein /
Da muß ich traurig seyn /
Ach hätt ich eine frau / die mir im barte klaubte.
   4. Bißweilen bin ich kranck /
Da lieg ich auf der banck /
Und bete meine sprüche /
Doch in dergleichen qual /
Da denck ich hundertmahl /
Ach hätt ich eine frau / die mir im rücken striche.
   5. Jm bette kommt ein floch /
Der hüpfft mir gar zu hoch /
Und macht so krumme sprünge /
Daß ich mit uberdruß
Von hertzen wünschen muß /
Ach hätt ich eine frau / die mir die thiergen fienge.
   6. Jm winter wär es zwar
Kein wunder / wann ich gar
Mich da zu todte härmte /
Doch seh ich diß noch an /
Dieweil ich wünschen kan /
Ach hätt ich eine frau / die mir das bette wärmte.
   7. Wann ich in meinem sinn
Rechtschaffen böse bin /
Und meine lust nicht büsse /

So denck ich vielerley
Doch dieses auch dabey /
Ach hätt ich eine frau / die sich erschlagen liesse.
   8. Jn summa / was ich thu /
Da kan ich nicht darzu.
Als wie der hund im schilffe /
Es ist mir alles leid /
Drum wünsch ich allezeit /
Ach hätt ich eine frau / die mir aus nöthen hülffe.

Die Jungfer-Noth.

WO find ich einen trost
Jn meinen hertzenleide?
Mein glück ist doch erbost.
Und gönnt mir keine freude
Ach gebt mir einen mann /
Der mich verlaßnes kind ein bißgen trösten kan.
   2. Jch bin vor warten kranck /
Die schönen sommer-tage
Sind mir nur gar zu lang /
Und mehren meine plage:
Drum gebt mir einen mann /
Der mir die liebe zeit mit lust vertreiben kan.
   3. Jch weiß kein eintzig spiel /
Das mir belieblich wäre /
Zwar / wann ich spielen wil /
So find ich kein gehöre /
Drum gebt mir einen mann /
Der mit mir aus- und ein im bette spielen kan.
   4. Zur hochzeit möcht ichs wohl
Von junggesellen leiden /
Doch weil ich immer soll
Nur welcke rüben schneiden /
So gebt mir einen mann /
Der auf der hochzeit mich zum tantze führen kan.
   5. Es ist mir nicht bewust /
Daß ich in vielen jahren
Auff eine sommer-lust
Spatzieren wär gefahren /
Ach gebt mir einen mann /
Der mich zur vogel stang auf pfingsten führen kan.
   6. Hab ich in dieser welt
Nicht lauter ungelücke /
Das liederliche geld /
Das wächst mir auch nicht dicke:
Drum gebt mir einen mann /
Dem ich die pfenge fein im hosen steubern kan.

7. Ach / ist er noch nicht da /
Es liegt mir im gekröse
Fürwahr ein bißgen nah /
Jch werde gerne böse /
Drum gebt mir einen mann
Der meinen bösen sinn mit sanfftmuth leiden kan.

8. Jch bin der jungferschafft
Von gantzem hertzen müde /
Und meine schlechte krafft
Hilfft mir zu keinem friede /
Drum gebt mir einen mann /
Der mich zu einer frau mit ehren machen kan.

Es hungert ihn nach Fleische.

ACh weh! wie hungert mich / wo krieg ich neue krafft
Wo find ich einen koch / der mir zu essen schafft?
Der fleisch kram ist zwar offen /
Jch aber weiß nicht wohl /
Wo ich was gutes hoffen
Und mich vergnügen soll.

2. Putt-hüngen fleisch ist weich / und gehet niedlich ein /
Es mag auch gut genung vor schwache mädgen seyn /
Doch wann die liebe speise
So zart und schlappricht sieht /
Verliert man auf die weise
Gar leicht den appetit.

3. Das kalb-fleisch ist noch jung / u. beist sich lieblich an
Wenn man die eutergen mit unterschneiden kan /
Doch wen es an der mutter
Nicht lang gewesen ist /
So ist es auch ein futter /
Darnach mich nicht gelüst.

4. Das rind-fleisch ist gemein / und wird sehr hoch beliebt /
Dieweil es guten Safft / und volle nahrung giebt:
Es hält vortreflich wieder /
Doch dieses gute lob
Jst nicht vor schwache glieder /
Was starck ist / das ist grob.

5. Das schöpsenfleisch ist nett / doch wañ mans essen wil /
So machts im leibe nicht die geister gar subtil /
Der schmack ist auserlesen /
Jndessen ist es doch /
Ein tummes schaaf gewesen /
Und hat den schaafs-kopff noch.

6. Das schweinen-fleisch ist süß / jedoch mir graut dafür /
Es ist um eine sau gar zu ein garstig thier /
Drum will mirs nicht zu sinne /

    Da klebt ein bißgen koth /
Da sitzet eine finne.
    Da ist es sonsten roth.
7. Das wilpert ist nicht schlim / ich hätt es länst bestellt
Doch es bedarff viel speck und kost ein haufen geld /
    Das ist mein gröster tadel /
      Drum denck ich nicht dahin /
    Dieweil ich nicht von adel
      Noch groß von mitteln bin.
8. Wiewohl ich tadle nicht das essen gar zu scharff /
Wer nur nicht esel-fleisch aus noth gebrauchen darff /
    Der wird noch nicht verderben:
      Es weist sich manchmahl aus /
    Eh man wil hunger sterben /
      So fängt man eine mauß /
9. Jetzt geh ich in den kram / und suche guten rath /
Wer weiß / wer schon das fleisch zuvor beschnuppert hat /
    Man muß sich doch begnügen /
      Es wird doch alls bezahlt /
    Und hätten es die fliegen
      Gantz sprenglich ausgemahlt.
10. Jch halte / mancher kriegt ein olle putterie /
Sie schmeckt nach allerley / und gleichwohl lobt er sie /
    Drum will ich mich beqvemen /
      Und will in kurtzer frist
    Das erste bißgen nehmen /
      Das mir bescheret ist.

Er hat ein jung Mädgen.

GEht ihr grossen jungfern fort /
Und gedencket nicht ein wort /
Daß ich mich um euch betrübe /
Dann mein sinn wird offenbahr /
Und das mädgen das ich liebe /
Geht nunmehr ins zwölffte jahr.
  2. Jhre zarte freundlichkeit
Spielt in keuscher sicherheit /
Und bestrahlt die schönen wangen
Durch dergleichen überfluß /
Daß ich über dem verlangen
Auch zum kinde werden muß.
  3. Jhre jugend ist noch rein /
Und bewahrt den glatten schein
Jn der einfalt ihres hertzens /
Andre lieben in den wind /
Welche schon des stillen schmertzens
Aus der übung kundig sind.

4. Hofft man auf die rosen nicht /
Eh die grüne knospe bricht /
Jst sie aber aufgebrochen /
Wird man leicht des handels satt /
Dann wer weiß / wer sie berochen /
Und zuvor begriffen hat.

5. Drum / ihr jungfern last mich gehn /
Jst mein liebgen nicht so schön
Als ein Bild von sechzehn jahren /
Nun so darff ich auch die list
Mir zum schimpffe nicht erfahren.
Daß sie falsch und eckel ist.

6. Mangelt ihr am gliedern was /
Ach wie bald ersetzt sie das /
Jst doch dieß die beste freude /
Wann die jugend sachte blüht /
Und man seiner augen-weide
Untern händen wachsen sieht.

7. Nun das ist mein fester schluß /
Und wofern ich warten muß /
Will ich lieber jetzt in zeiten
Nach der süssen liebe gehn /
Als daß ich so gar von weiten
Soll mit meiner hoffnung stehn.

Hochzeit-Fragen.

WAs ist die jungferschafft? ein quintgen hudeley /
Das zehnmahl schwerer ist / als sonst ein centner bley.
Doch was ist eine braut? ein ding / das gerne küst /
Und weder eine frau noch eine jungfer ist.
Was ist ein bräutigam? ein mann und nicht ein mann /
Dieweil er sich noch nicht der mannheit rühmen kan.
Was mag das jawort seyn? es ist das erste spiel /
Wann man das leder nun mit ernst verkauffen will.
Sagt / was verlöbniß ist? ein angestelltes fest /
Davor man in der kirch am letzten bitten läst.
Was ist das auffgebot? es ist ein später fleiß /
Darinn erzehlet wird / was sonst ein jeder weiß /
Was ist das hochzeit-fest? es ist ein warmes bad /
Darinnen wirth und gast was auszuschwitzen hat.
Was mag die trauung seyn? die zeit / da man verehrt /
Was einen sonst mit recht und ehren zugehört.
Was ist ein junggesell? ein affe / der das spiel /
Dem herren bräutigam flugs abstudiren will.
Was ist ein jungfergen? es ist ein gläßgen wein /
Das niemand trincken darff / wann alle durstig seyn.

Was ist die erste nacht? die hochzeit in der that /
Da manche mehr gehofft / als sie zu kosten hat.
Was ist die ander nacht? ein süsser überdruß
Da man die alte schuld von gestern zahlen muß.
Was ist die dritte nacht? es ist die rennebahn /
Da man aufhören muß / wann mans am besten kan.
Was ist die jungefrau? es ist ein loser sack /
Der in der compagnie auch garstig reden mag.
Was ist der ehstand selbst? es ist ein vogelhauß /
Die draussen wollen nein / die drinnen wollen rauß.
Was ist das erste kind? ein schmertz weñs bald bekleibt.
Ein schimpf / wenns zeitlich kommt / ein hohn / wenns aussen bleibt.
Was ist das andre kind? es ist ein guter rath
Vor leute / welche man gern zu gevattern hat
Was ist das dritte kind? ein ungebetner gast /
Des vaters geld-verderb / der mutter überlast.
Was ist das vierdte kind? es ist ein gutes ziel
Nach diesen sage man / zuviel / zuviel / zuviel
Was ist das fünffte kind? mit diesen heist es wol /
Jch esse was mir schmeckt / und leide was ich sol.
Was sind die söhnigen? ein volck das nichts erwirbt /
Uñ da des beutels kraft / als an der schwindsucht stirbt.
Was sind die töchtergen? die kosten wenig geld /
Biß alle pestilentz auf ihre hochzeit fällt.
Was ist die beste lust? wann man nicht viel begehrt /
Und wenn das wenige fein gut und lange währt.

CHRISTIAN GRYPHIUS

Betrachtung der Welt bey der Krippe Christi.

WEg Tand! weg Eitelkeit! weg Schätze dieser Welt /
Weg / was den müden Geist mit Sorg' und Angst beschweret /
Und ein gekräncktes Hertz durch lange Qvaal verzehret.
Weg Hochmutt! dessen Glantz im Augenblick verfällt.
Weg Ehre! die nur Müh und Unlust in sich hält.
Weg Freuden! die ihr mir des Himmels Freuden wehret /
Und in der geilen Schoos unreine Nattern nähret /
Mir ist ein besser Glück und hoher Trost bestellt.

Mein JEsus / den ihr hier hört in der Krippe weinen /
Wil der bedrängten Schaar mit Hülf' und Rath erscheinen.
Mein JEsus machet mich von allem Kummer los /
Und tröstet mich / ob gleich die Schmertzen noch so gros.
O allerschönstes Kind / in deiner Wiege liegen
Lust / Ehre / Leben / Trost und ewiges Vergnügen.

Auf einen angenehmen Hund.

GAlantel / welch ein Glück! hat seine Frau erfreuet /
   Galantel / welchem sich kein Sirius vergleicht /
   Galantel / der den Preiß der Treffligkeit erreicht /
Galantel / dem die Gunst der Sternen viel verleihet /
Galantel / den man izt mit Majoran bestreuet /
   Galantel / der den Schwantz oft an den Teppich streicht /
   Galantel / welcher nicht dem grösten Mopsus weicht /
Galantel / dessen Zahn ein geiler Buhler scheuet.

  Wo / Phöbe / werther Hund / die Augen auf dir hat /
   So kräncket deinen Fuß kein schnelles Wagen-Rad /
Doch hütte dich vor dem / den wir den Pluto heissen:
   Du kommst / so schön du bist / den Katzen ziemlich bey /
   Drumb möchte dermaleinst dich in der Raserey
Der Cerberus sein Hund statt einer Katz' erbeissen.

Ungereimtes Sonnett.

OB gleich Cloridalis auf ihre Marmor-Kugeln /
   Die / wie ein ieder sagt / der Himmel selbst gewölbt /
   Und auf ihr Angesicht / das Sternen gleichet / trozt /
Ob schon / wie sie vermeynt / des Paris goldner Apfel
Vor sie allein gemacht / ob gleich viel altes Silber
   Jn ihrem Kasten ruht / doch ists ein eitler Wurf /
   Den sie nach mir gethan; ich bin gleichwie ein Felß /
Und lieb ein kluges Buch mehr als der Venus Gürtel.

Die Liebe reimet sich so wenig mit Minerven /
Als eine Sterbe-Kunst zu Karten und zu Würffeln /
Das Braut-Bett in die Gruft / Schalmeyen zu der Orgel /
Ein Mägdchen und ein Greiß / als Pferde zu den Eseln /
Als Meßing zum Smaragd / als Rosen zu den Disteln /
Als diese Verse selbst / ja fast noch weniger.

Auf einen Bauren-Aufstand.

STeckt auch ein Gräflicher- und sonst ein hoher Tittel
Jn dieser Raserey? Gewiß der Bauren-Kittel
Erwegt sich kaum so viel. Doch wer an Pohlen denckt /
Wer ein gescheutes Aug auf Münchens Rotte lenckt /
Wer / was auch anderwärts vor kurtzer Zeit geschehen /
Bedachtsam überlegt / wird gar zu deutlich sehen /
Daß ein erhitztes Volck / bey welchem der Soldat
Den Meister allzulang und scharff gespielet hat /
Gleichwie die Rasenden / zu einer Flinte greiffet /
Und nicht mehr tantzen will / wie ihm ein ander pfeiffet /
Drum nehmt euch / wo ihr könnt / ihr Krieger wohl in acht;
Wer in die Wespen sticht / und Bauren wütend macht;
Wer / wenn der Rock verzehrt / auch nach dem Hembde schnappet /

Der wird bey seiner Beut als wie ein Wolff ertappet.
Der nach dem Wilde läufft / und seiner selbst vergißt /
Wenn er in toller Wuth ein schädlich Luder frißt.
Du aber / frecher Schwarm! was hast du wohl zu hoffen?
Dir steht der Weg zu Rad / und Strick und Galgen offen.
Der Hencker rüstet sich / du ungeschliffner Tropff /
Du Schnapphan / du Poltron / auf deinen Schelmen-Kopff.
Man wird dich / glaub es mir / bald zum Gehorsam bringen /
Und dir aus dem *B dur* ein *ejulate* singen.
Gerechter GOtt / verzeih der unerfahrnen Schaar /
Und rette / was dich ehrt / aus Jammer und Gefahr.
Schütt aber / weil dir doch die Bosheit der Verräther
Nicht unverborgen ist / auf ieden Ubelthäter /
Der dieses Unheil hegt / und auf sein gantzes Haus
Jn deines Eyfers Grimm Pech / Flamm und Schwefel aus.

Seuffzer über die langwierigen Kriege.

WElch eine Raserey herrscht itzt in manchen Lägern!
Man sucht die Obristen nur unter nahen Schwägern;
Schau / in der Windel liegt ein junger Leutenant /
Ein alter Corporal bleibt immer unbekannt.
So war es nicht bestellt / wie Tylly Kriege führte /
Wie Wallenstein sein Heer mit Lieb und Furcht regierte.
So macht' es Spinola / so macht' es Moritz nicht /
Von denen alle Welt als grossen Helden spricht.
Gustavus wird uns bald mit seiner Zucht beschämen /
Und sich wohl nimmermehr nach unserm Thun bequemen.
Was soll Vortreffliches itzt aufzurichten stehn /
Wenn wir nur auf Geblüt und nicht auf Tugend gehn?
Mit solcher Eitelkeit ist Teutschland nicht gerathen /
Denn wie der Officier / so sind auch die Soldaten.

Auf einen Tyrannen.

DEr Himmel dräuet dir / du toller Wütterich,
Bey dem Gewalt und List den Scepter unterstützet.
Er zeigt / ich seh' es schon / ein flammend Schwerdt vor dich /
Das über deinem Haupt als ein Comete blitzet.
Was tobst du / o Tyrann? Dein Rasen hält nicht Stich;
Dein Rasen / das so Wein als Frauen-Lieb erhitzet.
Bedencke / was du thust: Der Ausgang nahet sich /
Und ein Sennacherib fleucht / wenn der Höchste schützet;
Jch seh / wie GOttes Zorn zu ernster Rach erwacht /
Wie CHristus / den du offt als einen Fabel-Götzen /
Du andrer Belsazer / im Nacht-Panquet verlacht /
Dich dermaleinst im Ernst scharff wird zur Rede setzen.
Es heißt: Wer wie ein Fuchs die Klauen kan verstecken /
Doch bald den Leuen zeigt / soll wie ein Hund verrecken.

XIV

MYSTIK

DANIEL CZEPKO VON REIGERSFELD

Je inniger / ie vollkom̄ner.

Halt an / wo wiltu hin? Du darffst nicht Him̄el an /
Nicht / wo die Zier der Welt / der Sonnen schöne bahn:
Kom̄ mit mir in dich selbst. Du hast / erkeñstu dich:
Ja mehr als Sonn und Welt und Him̄el schleust in sich /
Schau in dich / lieber Mensch / du findest dich ohn Tod:
Die Zier ohn Welt: den Glantz / ohn Sonn: ohn Him̄el / Gott.

Ohne die Ruh keine Seeligkeit.

Ruh ist das höchste Werck / das iemals Gott bedacht /
Da / als er schuff / hat er sich selbst zur Ruh gemacht /
Ein iedes Ding schreyt: Ruh. Und wo die Ruh entbricht /
Jst alle Seeligkeit / ist Gott / ist Tag und Licht:
O Mensch / hier zeig ich dir / schau in dich / diese Ruh:
Doch wiltu sie recht sehn / so schleuß beyd' Augen zu.

Ein schlechter Unterscheid.
Der Welt Kinder Spiel.

Die Kinder reiten her auff Stecken: Wir auff Pferden!
Die Kinder schlagen aus den Ball: Wir die Beschwerden!
Die Kinder treiben umb das Hörnlein: Uns der Wahn:
Die Kinder gehn auffs Eyß! Wir auff der Wollust Bahn!
Die Kinder laßen loß den Drachen: Wir die Sinnen!
Die Kinder ziehn den Mönch! Uns allerhand Beginnen!
Die Kinder halten hoch die Gläser: Wir das Geld!
Die Kinder brauchen Kaul und Kegel: Wir die Welt!
Die Kinder hängen Stroh an sich: Wir goldne Stücke!
Die Kinder schockeln sich am Kloben: Wir am Glücke!
Die Kinder steiffen sich auf Steltzen: Wir auff Gunst!
Die Kinder schwellen an die Blasen: Uns die Kunst!
Die Kinder schlagen sich umb Nüße: Wir umb Ehre!
Die Kinder macht der Ring verwirrt: Uns böse Lehre!
Die Kinder jagt vom Platz ein Schreckbild: Uns der Tod!
Wer spricht / er ist kein Kind / der ist der Kinder Spott!

Haüser / Bücher / Waffen / laßen selten schlaffen.

Wie eitel es / umb groß in der Welt zu werden / sey.

Was suchst du Mächtiger / umb großes Lob zu haben /
Biß Himel an zu baun / biß Höllen ab zu graben?
    Umbsonst. Egypten bringt die Saülen in die Lufft /
    Rhodis ein Soñenbild: Mausolus seine Grufft /

Und sagen dir: Umbsonst! Die großen Wunderwercke
Schreyn deine Arbeit an / und lachen deiner Stärcke.
    Gelehrter! Wie daß du dich also sehr bemühst,
    Vom Zustand aller Welt viel schreibest / redst / und siehst.

Nur auch umbsonst! Das Gifft wird Socraten dir weisen /
Das Bad den Seneca / den Cicero das Eysen:
    Die sagen: daß / wie scharff und spitzig ihr Verstand,
    Sie / wie die Welt deñ lohnt / was spitzigers erkañt.

Was wilt du / Siegender / dich trotzig unterwinden,
Der gantzen Welt das Joch und dein Lob anzubinden?
    Umbsonst! Der Grieche bringt den Alexander für:
    Den Cæsar zeigt sein Rom / die Persen ihren Cyr /

Es sagen auch: Umbsonst! die mächtigen Monarchen:
Jhr Grab zeigt deines dir / in dem du aus kanst schnarchen.
    Sey mächtig / sey gelehrt / sey siegreich: Mensch / umbsonst /
    Dein Schloß / dein Witz / dein Harnsch / ist Rauch / ist Dampff / ist
                                     Dunst.

Wer in ihm selber wohnt / sich selber kan ergründen /
Sein Hertze selber weiß in Ihm zu überwinden:
    Jst mächtig / ist gelehrt / ist siegreich umb und an /
    Und hat vielmehr verbracht / als der voll Stolz und Wahn

Die Lufft erfüllen wil durch felsichte Paläste,
Durch Bücher alle Welt / durch Krieg die Himels Feste.

Gold macht große Schuld.

An das Gold.

O Gold / daß du so hoch bist in der Welt geacht /
Nicht / weil dir Gütt und Recht muß knien zu den Füßen /
Nicht / weil du die Welt du kanst in strenge Dienste schlüßen /
    Nur / weil du aus der Höll' / hab ich dein Thun verlacht.

    Die Welt steigt in die Erd / erhebt / was sie versenckt
Und uns hinunter stößt: Der Felsen Eingeweide
Und ihr vergifftes Marck führt uns zum steten Leide:
    Zur Freyheit / die uns druckt / zur Wolfarth / die uns kränckt.

Drumb Gold / wer dich nur hat / dem fehlt denn nichts als du /
Er kan ohn alle Scheu / was er begehrt / erreichen:
Doch sage mir / wie daß du also must erbleichen?
  Jch fürchte mich so sehr / denn niemand läst mir Ruh.

Unglück prüfet das Gemüthe.

Von der Tugend.

Je mehr du Würtze reibst / ie lieblicher sie schmeckt:
Je mehr du Feuer störst / ie weiter es sich streckt:
Je mehr das Schiff beschwert / ie sicherer es geht;
Je mehr der Baum geprest / ie ruhiger er steht;
Je mehr man Eysen braucht; ie mehr blinckt es herfür:
Je mehr man Silber schmeltzt; ie mehr gläntzt seine Zier.
So ist die Tugend auch / ie mehr man sie wil neiden /
Je mächtiger sie wird / und stärckt sich durch ihr Leiden.

Das ewige Nu.

Wann hat die Ewigkeit / o Mensch / dich aufgelesen,
Jn welche niemand kom̄t / der vor nicht da gewesen.

Am Blicke hänget es.

Viel Jahre thun es nicht / die Ewigkeit zu wissen:
Ein Augenblick / und nicht so viel / muß sie umbschliessen.

Finsternüs : Licht :
Licht : Finsternüs.

Der Himmel und die Höll / o Mensch / nihm dich in acht:
Die haben beyd ein Licht / wie bey uns Tag und Nacht.

Wol sterben : vor sterben.

Wer vor dem Tode stirbt / darff nicht im Tode sterben /
Das Leben nach dem Tod ist sein: Er kan es erben.

Sich gleichen ist vergleichen.

Gott must du gleiche seyn / wilt du Gott recht erkeñen /
Was Gott nicht ist / das muß zu Grund in dir verbreñen.

Inwendige Seeligkeit.

Gott macht mich nimmer gut / such ich Ihn ausser mir:
Schau dich nicht umb / dein Heil ist nirgend als in dir.

Erforsche dein Gewissen.

Was liesest du so viel in frommer Leute Leben?
Schau deines an: es wird dir beßre Lehren geben.

Geistliche Hoffarth.

Nicht denck: Jch bin Gott gleich / wie hoch dein Witz und Schein /
Der Teufel bläst dich auf: Gott liebt / die niedrig seyn.

Gott: Mensch:
und
Mensch: Gott.

Mensch kleide dich in Gott: Gott wil sich in dich kleiden /
So wird dich nichts von Jhm / auch Jhn von dir nicht scheiden.

Keiner macht es besser.

Nicht fluch auf ihn / du thust / was Adam hat gethan /
Der Apffel ist in dir / und beissest täglich an.

Gott: Wort: Natur:

Folg ihr / biß daß du siehst das ewge Wort: Es sey.
So kom̄st du der Natur / dem Wort / und Gotte bey.

Ruh.

Mensch / der Bewegung Quell und Ursprung ist die Ruh /
Sie ist das best. Jhr eilt die gantze Schöpffung zu.

Das ewige Heute.

Der wird nicht auferstehn / der vor nicht auferstanden /
Der jüngste Tag ist itzt und nicht darnach vorhanden.

Ewige Geburt.

Gott schafft die Seel / und sie schafft Gott im Gegenschein /
Jn dem er sie gebiert / wil er gebohren seyn.

Glauben Bekäntnüß ein Sünden Deckel.

Viel sehn den Himmel an / wañ sie im Tempel stehn /
Und meinen doch die Erd / auf der sie sind und gehn.

Mache ledig / daß Gott fülle.

Das Höchst in der Natur ist Willen und Verstand /
Wann beyde ledig stehn / alsdañ wird Gott erkannt.

Gott ohne Wercke.

Der Willen / darumb hat Gott die Natur erlesen /
Besteht in ihr im Werck / in Gott allein im Wesen.

Gott wil im Menschen.

Weil Gott ohn dich / o Mensch / nicht wollen mag noch kan /
So leid ihn / und nihm dich ja nicht des Willens an.

Das treuhertzige Creutze.

Wer vom Baum des Lebens isset / wird Gott gleich.

Aller Baüme Zier und Flamme /
   Dessengleichen auff der Welt
Solche Frucht an keinem Staͤme
   Keiner uns vor Augen stellt.
     Süße Reisen /
     Süßes Eysen /
   Dran die süße Last sich hält.

Hertze, sey gemuth zu singen /
   Das Sünd tragnde Gottes Laͤm/
Erd und Hiͤmel höre klingen
   Den Gott tragnden Baum und Stamm.
     Dran gestorben /
     Heil erworben/
   Der Erlöser aller Welt /
     Süße Reisen /
     Süßes Eysen /
   Dran die süße Last sich hält.

Da / als Adam ward betrogen /
   An die Frucht des Holtzes bieß:
War der Herr ihm schon bewogen /
   Der Jhn Hoffnung faßen hieß:
     Aus Genaden
     War dem Schaden
   Dieses Holtz schon vorgestellt /
     Süsse Reisen /
     Süsse Eysen /
   Dran die süsse Last sich hält.

Aller Baüme Zier und Flaͤme!
   Dessengleichen auff der Welt
Solche Frucht an keinem Stamme
   Keiner uns vor Augen stellt:
     Süsse Reisen /
     Süsses Eysen /
   Dran die süsse Last sich hält.

Und es must auff solche Weise
Die Erlösung vor sich gehn:
Holtz vom Holtz und Speis umb Speise
Dem Verlaümbder wiederstehn /
Mit den Rinden
Uns verbinden /
Durch die uns der Feind gefällt /
Süße Reisen /
Süsses Eysen /
Dran die süsse Last sich hält.

Als nun kam das Ziel der Zeiten /
Kam er auch auff sein Verheisch:
Unser Heil uns zu bereiten /
Gott ward Mensch: Das Wort ward Fleisch.
Wil sich trauen
Der Jungfrauen
Die das Creutz umbfängt und hält:
Süsse Reisen /
Süsses Eysen /
Dran die süße Last sich hält.

Aller Baüme Zier und Flame!
Deßengleichen in der Welt
Solche Frucht an keinem Stamme
Keiner uns vor Augen stellt.

Wie ein Kind liegt Gott von fernen /
Der Herr wil im Stalle seyn:
Der den Himel deckt mit Sternen /
Windeln schlechte Windeln ein:
Füß und Hände
Schlüßen Bände /
An dem Creutze hängt der Held.
Süße Reisen /
Süsses Eysen /
Dran die süße Last sich hält.

Nach dem dreissig Jahr die Sonne
Jhren Schöpffer angeschaut /
Kehrt Er sich voll Lust und Wonne
Zu dem Creutz als seiner Braut:
Dieser Bogen
Wird gezogen /
Gottes Lam darauff zufällt:
Süsse Reisen /
Süsses Eysen /
Dran die süsse Last sich hält.

Aller Baüme Zier und Flamme /
   Dessengleichen in der Welt
Solche Frucht an keinem Stamme
   Keiner uns vor Augen stellt.

Umb Jhn sehn wir nichts als Rutten /
   Nägel / Dörner / Kolben stehn:
Die geschlagnen Wunden blutten /
   Lassen milde Ströme gehn.
      Erd und Sonne
      Trinckt die Woñe /
   Welche von dem Creutze fällt /
      Süsse Reisen /
      Süsses Eysen /
Dran die süße Last sich hält.

Kehre zu uns deine Zweige /
   Laß die dohnen Armen frey /
Werde weich / auff daß sich neige
   Unsers Lebens Baum herbey.
      Deine Rinde
      sey gelinde
Deinem Schöpffer / der dich hält.

Aller Baüme Zier und Flamme!
   Dessengleichen in der Welt
Solche Frucht an keinem Stamme
   Keiner uns vor Augen stellt.

Eintzig du bist werth gewesen
   Einzuziehn das Lohn der Zeit /
Du bloß hast den Port erlesen
   Unsrer gantzen Sicherheit.
      Du alleine
      Machest reine
Durch des Lañes Blut die Welt /
      Süsse Reisen /
      Süßes Eysen /
Dran die süsse Last sich hält.

Wurtzle tieff in unsre Hertzen
   Süßer Baum des Lebens ein /
Laß in bittern Todes Schmertzen
   Deine Frucht uns heilsam seyn.
      Nichts kan fällen /
      Wann die Höllen
Unser Hertz das Holtz vorhält.

Aller Baüme Zier und Flamme!
   Dessengleichen in der Welt
Solche Frucht an keinem Stamme

Keiner uns vor Augen stellt.
    Süße Reisen /
    Süsses Eysen /
Dran die süsse Last sich hält.

Gantz sterben werd' ich nicht.

EJn Theil ist todt: ein Theil zeigt sich in Kindern hier:
EJn Theil im Ruff: ein Theil in schöner Bücher Ziehr.
EJn Theil im Rath: ein Theil in guter Freunde Noth.
So lebt das gröste Theil. Daß minste das ist todt.
Jedoch was sind die Theil' / es lebt die Seele ja.
Ob alle Theile hin; Genung / ist sie nur da.

[Aus]
Coridon et Phyllis
...

    Fürsten mögen Kriege führn /
Jch wil / ob sie Drommeln rührn /
Meine Haut doch nicht verkauffen:
Dieses Tichters Handvoll Blut
Darff sich umb des andern Gut
Nicht biß in die Grube rauffen.

    Was wird endlich draus gemacht /
Jst gleich alles umbgebracht /
Jst gleich Volck und Land verstorben?
Ach und Weh der strengen Noth /
Denckt / ihr schlaget diese todt /
Vor die Gottes Sohn gestorben.

    Ach! Der Mensch / den Gott erkiest /
Dessen Nachbild er auch ist /
Muß er auf der Farth vergehen.
Sol das Theil / wo Menschen seyn /
Gantz geäschert werden ein /
Sol darauf kein Deutscher stehen.

    Reiset / wo ihr es erkañt /
Doch einmahl durch unser Land /
Schaut / was unser Aecker tragen:
Schaut / ob nicht viel Meilen hin
Pilgrams Leute müssen ziehn /
Eh ein Wirths Haus zu erfragen.

    Haüser liegen sonder Zier
Jn der Dörffern vor der Thür:
Wermuth wächst in leeren Stuben /
Ja in Städten geht das Vieh

Durch das Gras biß an die Knie /
Wie auf ungebrachten Huben.

Gütter / die sechstausend werth /
Eh als Sechs Jahr umbgekehrt /
Seh ich vor sechs Thaler kauffen:
Ja der sie geschencket kriegt /
Muß offt / eh er baut und pflügt /
Umb den andern Tag entlauffen.

Der zuvor mit Geld erfüllt /
Einen Stall voll Pferde hielt /
Muß am weissen Stabe gehen /
Der viel Malter eingeährt /
Und nicht einen Bauch ernährt /
Bleibt für frembden Thüren stehen.

Unser Land sieht voller Graus /
Sieht so wüst und einsam aus /
Daß es gantz nicht zu beschreiben:
Daß / der alles finster macht /
Boreas nicht über Nacht
Jhm darinne traut zu bleiben.

Nun so wird der Ort geziert /
Wo man reiche Kriege führt /
Und das Volck wil Armuth lehren:
Armuth / welche voller Noth
Weder Menschen / weder Gott
Endlich pfleget anzuhören.

Nein / ich hasse diese Pflicht /
Jch wil aus dem Halffter nicht
Mein bescheidnes Brod gewinnen:
Brod / das manchen hat erwürgt /
Und vom Galgen loß gebürgt /
Da er sichrer sterben künnen.

Solt ich einer solchen Schaar /
Welche schiert auf Haut und Haar /
Dienste / Leib und Blut entbitten?
Welch ohn Ehr und Erbarkeit
Jhre Städte fort gespeyt /
Als den Unflath böser Sitten.

Das Gesetze / drauf sie schwern /
Drauff sie Kraut und Loth begehrn /
Jst nur plündern / stehlen / rauben:
Wer am ärgsten fluchen kan /
Jst der beste Krieges Mañ /
Hat allhie den rechten Glauben.

...

    Wer beklagt den Landmann nicht /
Der da stündlich voller Pflicht
Muß mit Weib und Kind entfliehen:
Muß ihm lassen Haut und Haar
Offte von bekañter Schaar
Schändlich Ohren über ziehen.

    Theuer können wir ja schwern /
Daß die / welche wir ernährn /
Viel mehr Wirth als Feind erschlagen:
Viel mehr Riett auf unser Vieh
Übernehmen / als auf die /
So auch Spieß in Faüsten tragen.

...

    Häls an Sattel Knöpffe schnürn /
Umb die Stirne Knebel rührn /
Glieder aus den Faüsten schrauben:
Eisen / die voll Feuer seyn /
Jn die Gurgeln schmeltzen ein /
Jst die Frucht von ihrem Glauben.

    Jn die Oefen / wo sie sind /
Seh ich Mann und Weib und Kind
Offt auf einen Klumpen sacken:
Seh ich über ihrer Brust /
Biß ihr ist kein Schatz bewust /
Brände rauchen / Flañen knacken.

    Welcher Geist wird nicht versehrt /
Wenn er ihren Schlafftrunck hört /
Sehet / der wird umbgerissen /
Einer treibt durch Holtz den Mund /
Einer füllt ihm Jauch in Schlund /
So vom Miste pflegt zu flüssen.

    Wenn die Pfütz in Därmen braust /
Und durch Nas und Ohren saust /
Springt der ein ihm auf den Magen:
Also tritt nach einer Thür
Diese Jauch aus vielen für /
Draus sie wird mit Macht geschlagen.

    Überlebt er diese Noth /
Quälet ihn ein schwerer Tod:
Jedes Glied beginnt zu zittern:
Ohren / Augen / Nas und Mund /
Draus die Jauche springt / ist wund /
Lunge / Hertze / Haubt erzittern.

Händ und Füß in Feuer Fang
Hencken andre durch den Strang /
Drüber wird ein Baum gezogen:
Geht das Feuer unten an /
Schockeln ihrer zwey den Mañ /
Biß sie ihn gantz tod gewogen.

Und wer kann die Mörder zehln /
Wo / das Leben einfach stehln /
Wo / das Haubt vom Leibe trennen /
Wo / das Knebeln voller Noth /
Wo das Prügeln biß in Tod
Eine Gutthat ist zu nennen.

Endlich / wer erträgt die Pein?
Leute / die ein Schatten seyn /
Die sich arm und kranck gegeben:
Die man sieht wie Raben hin
Nach den todten Aeßern ziehn /
Die / wie Vieh im Felde leben.

Jhrer viel in solcher Noth
Bitten den getreuen Gott
Umb Egyptens seine Plagen:
Solche Straffe nehmen sie
Vor den Seegen spat und früh /
Wenn sie so vor Hunger klagen.

Maüse / die man sonst verflucht /
Werden da mit Lust gesucht /
Ungeziefer wird genommen.
Frösche kaufft man mühsam ein /
Ja / da sol Gott gnädig seyn /
Wo nur dieses zu bekommen.

Nun es fällt mir offte zu /
Wo man alle Treu und Ruh
Auf das Höchste sucht zu spañen.
Wo man alle wüste macht:
Daß der Krieg bloß sey erdacht
Menschen aus der Welt zu bannen.

...

Überall durch Zufall.

Kein Gastgebot / kein Spiel /
Kein Tantzen und kein Wincken /
Kein Nahmen und kein Trincken /
Nach der Buchstaben Ziel.
Kein Krantz / kein Gruß / kein Brief /
Auch sonst kein Fund noch Grief

Kan bey den Liebes Sachen
Auch nicht das minste machen.
Es ist in uns ein Bronnen /
Draus kom̄t / was angenehm /
Behäglich und bequem /
Nach seiner Art geronnen:
Das wird numehr geliebt /
Weil sich es mehr ergiebt;
Als Gastgebot / als Spiel /
Als Tantzen und als Wincken /
Als Nahmen und als Trincken
Nach der Buchstaben Ziel.
Als Krantz / als Gruß / als Brief /
Und mehr / als Fund und Grief:
Wer Liebe wil genüssen /
Muß diesen Brunnen wissen.

Wer fragt / verjagt.

Ach Mägdlein / deine Zier
Sieht wie ein Blümlein für /
Das zart und neu gebohren:
Und sich so bald verlohren /
So bald ein kühler Wind
Zu wittern sich beginnt:
Durch stille seyn und schweigen
Bekleibt und bleibt es eigen:
Erfährst du / was es sey /
So ist sie schon vorbey.
Glaub / eh als du es funden /
Jst es bereit verschwunden.

Diæt Hochtrabender Quacksalber.

Jß'st du? Der Artzt der nim̄t die besten Austern dir /
Hält sie vor Ungesund / ob sie Jhm gleich nichts schaden.
Trinckst du? alsbald du wilt die Zung im Golde baden
Fast er den Kelch und setzt vor sich den Malvasier.

Kranckst du? er kocht dir Tränck / ob er nicht gleich davon
Den minsten Tropffen schmeckt / und macht dir viel Beschwerden.
Stirbst du? Weil er dir hilfft fein nach der Kunst zur Erden /
Heischt als ein Hencker er noch vor den Tod sein Lohn.

Ja wol / man kan ihm kaum gerecht im Zahlen seyn /
Verdrüßlich / weil man lebt / beschwerlich / wann wir sterben /
Und unrecht nach dem Tod ist dieser Leute Werben:
Es steht da selten wol / wo sie gehn aus und ein.

Ehe ärger / als beßer.

Beantwortung einer immerwährenden Frage.

Du fragst mich allemahl / wann wird es besser seyn?
Wo es dich nicht verdrüßt / ich wil es dir wol sagen:
Dann wird es beßer seyn / wann ieder nach Behagen
  Sich in den alten Stand wird laßen weisen ein.

Alsdann so wird der Blind im Pfarrock einher gehn /
Der Krumme seinen Dienst dort hintern Mauern suchen /
Der Schlim̄ in Klöster ziehn mit Eyer Brod und Kuchen:
  Der Blaße vor der Thür mit seinem Hüttlein stehn.

So wird / (verzeih es mir / ich rede / wie ich bin)
Der Kürschner wieder nehn / der Fleischer Vieh begreiffen /
Der Pfeiffer auff dem Thurm ein Lied zu Tische pfeiffen:
  Der Drechsler drehn / den Strang der Seiger-Wächter ziehn.

Wann alles so gesetzt in alten Stand wird seyn /
So wird es beßer auch / als wie ich hoffe / werden:
Mein Bruder / was schafft dir mein Antwort vor Beschwerden /
  Glaub es / was ich geredt / das weiß ich nicht allein.

Nicht zur Auffrückung / sondern Verbeßerung.

An den argdencklichen Leser.

Jst was nicht deutsch und nicht verständlich etwan hier /
Mein Leser / oder bin ich gar zu derb an Worten /
Und treffe deine Stirn und Art an meisten Orten /
  Wirff alle Schuld auff dich und nicht auff mein Papier.

Sein Leben giebt mir ja die Schelt Wort an die Hand /
Und könt ich von Natur und Art nicht Verse schreiben /
Der Eifer würde sie dir in die Nasen reiben /
  Den ich empfind / alsbald ich deine Sünd' erkän̄t.

Dich kenn ich nicht / doch treff' ich deine Laster an /
So bist du mir vielmehr als dir bekannt gewesen /
Ob ich dich nicht gesehn / kanst du dich hier schon lesen /
  Zuförderst wer du bist / und dann / was du gethan.

Wiltu zum Richter gehn? Halt an / der Tag ist da /
Dann wo du zornig bist / hat dich / wie ich kan schließen /
Dein Argwohn schön verdam̄t! Durch wen? Durch dein Gewißen /
  Vernein es / wie du wilt / es spricht doch allzeit: Ja.

Über des Edlen Herren Abraham
von Franckenbergs Seriphiel.

Den Zehlenden.

Die Zahl / ein' edle Kunst / die offenbahrt uns Gott /
   Und er wird offenbart durch sie aus weiser Noth:
Jhr erster Ausfluß ist das allgemeine Wesen /
Jn dem hat die Geburth das Ein ihm auserlesen:

Du Göttliche Gewalt / Du Thron Fürst dieser Krafft /
   Die aus dem Ein entspringt / und würckt und alles schafft:
Und wir selbständig sehn durch alle Zahlen flüßen:
Willkom'n Seriphiel. Mach uns die Kunst zu wißen.

So weit das große Tieff: in dem die Sternen stehn /
   Und ringrecht durch den Trieb des Grundbewegers gehn /
Sich in der Ewigkeit in Jhm weiß auszustrecken:
So weit wil dir den Zweck der Herrschung Gott auffstecken.

Du kanst der Sternen Zahl und sagst Sie aus der Hand /
   Ob ihrer mehr noch sind als Thetis grauer Sand:
Kein Vogel / Fisch und Thier im Hiem̄el / Meer und Erden
Brüt / streicht und wirfft. Jhm muß die Zahl erst von dir werden.

Und aus der Zahl da fleust das Wesen ieden ein /
   Da wo ein Einfluß sich dem andern macht gemein:
Du machst / daß alle Ding' in dem sie durch dich gehen /
Dort in der Algebra / hier Mercava bestehen.

Gott schleust die gantze Welt in deine Ziffern ein /
   Es ist gezehlt / wie lang sie sol seyn / und nicht seyn:
Es ist gezehlt / schau umb: Sie stehn dir im Gesichte /
Die Sündfluth und der Tag des Herrn und das Gerichte.

Jm ersten Ein da quillt das wesentliche Meer
   Der Unvergänglichkeit ohn End' und Anfang her:
Das rinnt von Zahl auff Zahl durch dieses große Gantze /
So wir sehn und nicht sehn in ungeendtem Glantze.

Daß in den Zahlen uns / in uns die Zahlen wir
   Umschaun / und in das Ein gekehrt seyn für und für:
So bringt Herr Franckenberg ein geistlichs Licht getragen /
Das untern Engeln Er im Himmel auffgeschlagen.

Du Edler Franckenberg! Dein hiem̄lischer Verstand
   O seelge Freundschafft! macht mit Engeln uns bekãnt:
Wir können diesen Dienst mit Zahlen nicht bezahlen /
Das Ein / das muß es thun: Drein sie gehn / draus sie strahlen.

Erweckte Seelen auff! Was vor kein Cabalist /
   Es sey Pythagoras / es sey der Trismegist /
An Ziffern ausgezehlt durch Glauben und durch Schweigen /
Wird itzt ein Engel Euch an Fingern zehln und zeigen.

Und du Seriphiel / umziffre diesen Berg /
Den Gott bestritten hat: feur an dis heilge Werck:
Führ uns durch die zwölff Zahln ins ungezehlte Wesen /
Wo alle Zahl zerfleust: wenn sie das Ein nur lesen:

Jn diesem Ein besteht das Reich der Ewigkeit /
Das nichts als ein Gemüth und Licht ist weit und breit:
Mein Mensch / das Reich / das Ein ist hier: Wilt du es wißen:
Findstu es nicht in dir / must du es ewig mißen.

Religio der allerschädlichste Deck Mantel.

An die Evangelischen Krieger.

Weil ihr die Prediger auff Predigstühle stellt /
Und unterdeßen bloß sucht unser Gut und Geld /
Meint ihr / ihr bringet uns mit Spießen und mit Stangen
Das Evangelium / das ihr habt umbgehangen.

Verzeiht es mir / weil ihr mit Donnern und mit Quähln /
Die armen Leute wollt biß auff das Leben scheeln /
Und voller Raub und Mord erweitert eure Schätze /
Daß ich es sagen darff: Jhr bringet das Gesetze.

Alte Buhler gewiße Narren.

An Graumundum Pubertum.

Die Erndte läßest du schon zwey mahl dreißig mahl
Jn Säcken eingefüllt auff deine Söller tragen:
Dein Alter können dir der Töchter Kinder sagen:
    Jedoch wilt du vermehrn der Jungen Stutzer Zahl.

Kein Spiel / kein Gastgeboth stellt ie ein Nachbar an /
Auff das dein neues Kleid du auch nicht soltest schicken /
Den auffgesetzten Bart seh' ich von fernen blicken /
    So weiß als einen Schleyr ein Klag Weib tragen kan.

Wann auff Gesundheit du des Frauen Zimers trinckst /
So bleibt kein Tropffen nicht auff deinem Nagel stehen /
Da bist du sehr bemüht / wo schöne Mägdlein springen /
    Kein Reh' erhebt sich so / wie du im Tantze springst.

Dein Schubsack der ist recht der Buhler Lieder Hauß /
Die in die Seiten du voll Andacht pflegst zu singen:
Die Bücher / welche wir aus frembden Ländern bringen /
    Hast alle du im Kopf und sagst und plauderst draus.

Ja wol / du stellest dich bey uns behäglich ein /
Wann etwan wir vermummt zum Abend Tantze gehen:
Mein Greiß / laß uns das Spiel / nichts kan ja ärger stehen /
    Als wañ ein alter Hecht wil Pickelhäring seyn.

Nahmen und That
bringet Genad.

Des Ehbetts erste Frucht. Des Stam̅baums zarter Reiß.
Der Liebe keusches Pfand. Der Treu erwehlte Preiß.
Der Eltern goldner Trost. Des Tauffsteins heilger Gast.
Des Hertzens traute Lust. Des Halses süsse Last.
O Tochter / liebster Schatz / den ich von Gott vermocht:
Sey Last / Lust / Gast und Trost / sey Preiß / Pfand / Reiß und Frucht /
Und tritt als Gottes Gab und Gottes Lob herein /
So wirst ein Anna du und Theodora seyn.

JUSTUS SIBER

[Aus ‹Seelen-Küsse aus dem Hohen Liede›]

Der achte Kuß.

V.10.11.12.13.14.15.16. Auff die Frage der
Töchter Solimee.

Sunamithinn.

WOlt ihrs wissen / soll ichs melden /
O ihr Töchter Solimee /
Wie der Hertzog aller Helden /
wie doch mein Geliebter seh?
Woll! so hört auff meine Weisen /
Die denselben werden preisen.
Roosen trägt er in den Wangen /
Roosen in der Lippen-Feld /
Er kan mit den Lilien prangen /
Die den Roosen zugesellt /   Ps. 45.
Drum so ist er ausserkohren
Unter allen / so gebohren.
Nichts / als Gold köm̅t in die Augen /
Wenn sein Haupt wird angeschaut /
seine krause Lokken saugen
mich an ihn als seine Braut /
Weil sie für den schwartzen Raben
An der Schwärtze Vorzug haben.
Seiner Augen Sonnen rauben /
Kräfft der werthen Zierligkeit /
Allen Preiß den frommen Tauben /
Weil sie je und allezeit
Nach dem Milchbad schöner sehen /
Und in steter Fülle stehen.

Ringe mit den teursten Steinen
   zieren seiner Hände Paar;
fängt sein Körper anzuscheinen /
   Denn ist Helffenbein nicht klar /
Wenn es gleich zur Gnüge zieren
Die berümtesten Saffiren.
Seine Beine sind im gehen
   gleich der Marmor-Seulen Pracht /
die auff göldnen Füssen stehen /
   und der Kunst nach sind gemacht.
Er ist Zedern zuvergleichen /
Libanon selbst muß ihm weichen.
Süsse Milch und Honig fliessen /
   wenn er seine Zunge regt /
Ja des Lebens-Ströme schiessen /
   wenn er seinen Mund bewegt.
Sie / die rechten Lieblichkeiten
Zieren ihn von allen Seiten.
Seht ihr Solimeeschen Nimfen /
   Seht / ein solcher ist mein Freund /
Der da weidet an den Sümffen /
   wenn die Mittags-Sonne scheint /
Seht / ein solcher ist mein Leben /
wie soll ich ihn nicht erheben?

Der neunde Kuß.

V. 11. Sein Haupt ist das Feinste Gold.

Sunamithinn.

MEin Freund war erst ein B a u m / ein R e b' / ein F l u ß / ein F ü r s t e:[1]
  Weil aber keiner von der Frucht des B a u m e s nam;
   Und keiner üm den Safft zu dieser R e b e n kam;
Und keiner bey dem F l u ß bekennte / daß ihm dürste;
Und keiner sich befliß dem F ü r s t e n zu vertrauen;
  Da sprach der werthe Held: G o l d   l i e b t   i t z   j e d e r m a n /
  D a m i t   m i c h   n u n   f o r t h i n   e i n   j e d e r   l i e b e n   k a n /
s o   s o l l   m e i n   g a n t z e s   H a u p t   w i e   G o l d   s e i n   a n z u -
                                  s c h a u e n.

Der zehende Kuß.

V. 13. Seine Lippen sind wie Roosen / die mit fliessend / &c.

---

1 Vid. Sarb. Epigr. 39.

Sunamithinn.

WER da / O Liebster / will an deiner Seiten leben /
  der mus der Bitterkeit gar woll gewohnet sein /
  weil du nicht allezeit was süsses schenkkest ein /
besondern Honig-Safft mit Mirren pflegst zu geben /
O Schönster laß mich auch an deinen Lippen schmekken
  Den süssen-bittern Trank. O süsse Bitterkeit /
  Sey du mein Unterhalt zu dieser Unglüks-Zeit /
Auff daß du mir hernach das süsse magst erwek-
                            ken!

ANGELUS SILESIUS

[AUS DEN ‹HIRTEN-LIEDERN DER IN IHREN JESUM VERLIEBTEN PSYCHE›]

Sie fraget bey den Creaturen nach jhrem Allerliebsten.

Wo ist der schönste den ich liebe?
Wo ist mein Seelen Bräutigam?
Wo ist mein Hirt' und auch mein Lamm?
Umb den ich mich so sehr betrübe?
Sagt an jhr Wiesen und jhr Matten
Ob ich bey euch jhn finden sol?
Daß ich mich unter seinem schatten
Kan laben und erfrischen wol.

Sagt an jhr Lilgen und Narcissen
Wo ist das zarte Lilgen Kind?
Jhr Rosen saget mir geschwind
Ob ich jhn kan bey euch geniessen?
Jhr Hyacinthen und Violen /
Jhr Blumen alle mannichfalt /
Sagt ob ich jhn bey euch sol holen /
Damit er mich erquikke bald?

Wo ist mein Brunn jhr kühlen brünne?
Jhr Bäche wo ist meine Bach?
Mein Ursprung dem ich gehe nach?
Mein Quall auff den ich immer sinne?
Wo ist mein Lust-Wald O jhr Wälder?
Jhr ebene wo ist mein Plan?
Wo ist mein grünes Feld jhr Felder?
Ach zeigt mir doch zu jhm die Bahn!

Wo ist mein Täublein jhr Gefieder?
Wo ist mein treuer Pelican
Der mich lebendig machen kan?
Ach daß ich jhn doch finde wieder!
Jhr Berge wo ist meine Höhe?
Jhr Thäler sagt wo ist mein Thal?
Schaut wie ich hin und wieder gehe /
Und jhn gesucht hab überall!

Wo ist mein Leitstern / meine Sonne /
Mein Mond und gantzes Firmament?
Wo ist mein Anfang und mein End?
Wo ist mein Jubel / meine Wonne?
Wo ist mein Tod und auch mein Leben?
Mein Himmel und mein Paradeiß!
Mein Hertz dem ich mich so ergeben /
Daß ich von keinem andren weiß.

Ach Gott wo sol ich weiter fragen!
Er ist bey keiner Creatur.
Wer führt mich über die Natur?
Wer schafft ein Ende meinem Klagen?
Jch muß mich über alles schwingen /
Muß mich erheben über mich;
Dann hoff' ich wird mirs wol gelingen /
Daß ich O Jesu finde dich.

Sie begehret verwundet zu seyn von jhrem Geliebten.

Jesu du mächtiger Liebes-Gott
    Nah dich zu mir:
Denn ich verschmachte fast biß in Tod
    Für Liebs-Begiehr:
Ergreiff die Waffen / und in Eil
Durchstich mein Hertz mit deinem Pfeil /
    Verwunde mich :/:

Komm meine Sonne / mein Lebens-Licht /
    Mein Auffenthalt;
Komm und erwärme mich daß ich nicht
    Bleib ewig kalt:
Wirff deine Flammen in den Schrein
Meins halbgefrohrnen Hertzens ein /
    Entzünde mich :/:

O allersüsseste Seelen Brunst
                    Durch-glüh mich gantz;
Und überform mich auß Gnad und Gunst
                    Jn deinem Glantz:
Blaß an das Feuer ohn Verdruß /
Daß dir mein Hertz mit schnellem Fluß
                    Vereinigt sey :/:

Dann wil ich sagen daß du mich hast
                    Erlöst vom Tod;
Und als ein lieblicher Seelen-Gast
                    Besucht in Noth:
Dann wil ich rühmen daß du bist
Mein Bräutgam / der mich liebt und küst /
                    Und nicht verläst :/:

Die Psyche begehrt ein Bienelein auff den Wunden Jesu zu seyn.

Du grüner Zweig / du edler Reiß /
Du Honig-reiche Blüte /
Du auffgethanes Paradeiß /
Gezweig mir eine Bithe;
Laß meine Seel ein Bienelein
Auff deinen Rosen-Wunden seyn.

Jch sehne mich nach jhrem Safft /
Jch suche sie mit Schmertzen;
Weil sie ertheilen Stärk' und Krafft
Den abgematten Hertzen:
Drumb laß mich doch ein Bienelein
Auff deinen Rosen-Wunden seyn.

Jhr übertrefflicher Geruch
Jst ein Geruch zum Leben;
Vertreibt die Gifft / verjagt den Fluch /
Und macht den Geist erheben:
Drumb laß mich wie ein Bienelein
Auff diesen Rosen-Wunden seyn.

Jch nahe mich mit Hertz und Mund
Sie tausendmahl zu küssen;
Laß mich zu jeder Zeit und Stund
Den Honig-Safft geniessen;
Laß meine Seel ein Bienelein
Auff diesen Rosen-Wunden seyn.

Ach ach wie süss' ist dieser Thau /
Wie lieblich meiner Seele!
Wie gutt ists seyn auff solcher Au /
Und solcher Blumen-Höle!

Laß mich doch stets ein Bienelein
Auff diesen Rosen-Wunden seyn.

Nihm mein Gemütte / Geist / und Sinn /
Leib / Seel / und was ich habe;
Nihm alles gäntzlich von mir hin;
Gib mir nur diese Gabe:
Daß ich mag stets ein Bienelein /
Herr Christ auff deinen Wunden seyn.

Sie schreyet nach dem Kusse seines Mundes.

Er küsse mich mit seines Mundes Kuß /
Und tränke mich mit seiner Brüste Fluß /
Denn sie schmekken über Wein;
Und sein Mund
Macht zur Stund
Eine Seel voll Freuden seyn.

Ach ach die Lieb ist strenge wie der Tod!
Er küsse mich der süsse Liebes-Gott:
Denn mein Hertze flammt und brennt
Dürst und lächtzt /
Seufftzt und ächtzt /
Und das Leben naht zum End.

Wo ist sein Geist der Himmel-süsse Thaw?
Er lass' jhn doch erkühln meins Hertzens Aw!
Oder nehme vollends hin
Meinen Geist
Der schon meist
Sich verlohren hat in jhn.

O Jesu / ists daß ich dir bin vertraut /
So komm doch her und küsse deine Braut!
Denn dein Kuß der ists allein
Den mein Hertz
Sucht mit Schmertz /
Uber Gold und Edelstein.

Sie vermahnet zur Nachfolgung Christi.

1.

MJr nach / spricht Christus unser Held /
Mir nach / jhr Christen alle:
Verläugnet euch / verlaßt die Welt /
Folgt meinem Ruff und Schalle:
Nehmt euer Kreutz und Ungemach
Auff euch / folgt meinem Wandel nach.

2.

Jch bin das Licht / ich leucht' euch für
Mit heilgem Tugend-Leben;
Wer zu mir kommt und folget mir /
Darff nicht im finstern schweben:
Jch bin der Weg / ich weise wol /
Wie man wahrhafftig wandeln sol.

3.

Mein Hertz ist voll Demütigkeit /
Voll Liebe meine Seele;
Mein Mund der fleust zu jeder Zeit
Von süssem Sanfftmut-Oele;
Mein Geist / Gemüte / Krafft und Sinn
Jst GOtt ergeben / schaut auff jhn.

4.

Fällts euch zu schwer? ich geh voran /
Jch steh euch an der Seite;
Jch kämpffe selbst / ich brech die Bahn /
Bin alles in dem Streite:
Ein böser Knecht / der still darff stehn /
Wenn er den Feld-Herrn an-sieht gehn?

5.

Wer seine Seel zu finden meynt /
Wird sie ohn mich verlieren;
Wer sie umb mich verlieren scheint /
Wird sie nach Hause führen:
Wer nicht sein Kreutz nimmt und folgt mir /
Jst mein nicht werth und meiner Zier.

6.

So last uns denn dem lieben HErrn
Mit unserm Kreutz nachgehen;
Und wolgemut / getrost und gern
Jn allem Leiden stehen:
Wer nicht gekämpfft / trägt auch die Kron
Deß ewgen Lebens nicht davon.

[AUS DEM ‹CHERUBINISCHEN WANDERSMANN›]

Man weiß nicht was man ist.

Jch weiß nicht was ich bin / Jch bin nicht was ich weiß:
Ein ding und nit ein ding: Ein stüpffchin und ein kreiß.

Du must was GOtt ist seyn.

Sol ich mein letztes End / und ersten Anfang finden /
So muß ich mich in GOtt / und GOtt in mir ergründen.

Und werden das was Er: Jch muß ein Schein im Schein /
Jch muß ein Wort im Wort / ein GOtt in GOtte seyn.[1]

GOtt lebt nicht ohne mich.

Jch weiß daß ohne mich GOtt nicht ein Nun kan leben /
Werd' ich zu nicht Er muß von Noth den Geist auffgeben.

Jch habs von Gott / und Gott von mir.

Daß Gott so seelig ist und Lebet ohn Verlangen /
Hat Er so wol von mir / als ich von Jhm empfangen.

Jch bin wie Gott / und Gott wie ich.

Jch bin so groß als Gott / Er ist als ich so klein:
Er kan nicht über mich / ich unter Jhm nicht seyn.

Gott ist in mir / und ich in Jhm.

Gott ist in mir das Feur / und ich in Jhm der schein:
Sind wir einander nicht gantz jnniglich gemein?

Man muß sich überschwenken.

Mensch wo du deinen Geist schwingst über Ort und Zeit /
So kanstu jeden blik seyn in der Ewigkeit.

Der Mensch ist Ewigkeit.

Jch selbst bin Ewigkeit / wann ich die Zeit Verlasse /
Und mich in Gott / und Gott in mich zusammen fasse.

Ein Christ ist Gottes Sohn.

Jch auch bin Gottes Sohn / ich sitz an seiner Hand:
Sein Geist / sein Fleisch und Blut / ist Jhm an mir bekandt.

Jch thue es Gotte gleich.

Gott liebt mich über sich: Lieb ich Jhn über mich;
So geb ich Jhm sovil / als Er mir gibt auß sich.

Es ist kein Tod.

Jch glaube keinen Tod: Sterb ich gleich alle Stunden /
So hab ich jedesmahl ein besser Leben funden.

---

1 *Thaul. instit. spir. c. 39.*

Nichts lebet ohne Sterben.

Gott selber / wenn Er dir wil leben / muß er sterben:
Wie dänckstu ohne Tod sein Leben zuererben?

Der Tod ists beste Ding.

Jch sage / weil der Tod allein mich machet frey;
Daß er das beste Ding auß allen Dingen sey.

Kein Todt ist ohn ein Leben.

Jch sag es stirbet nichts; nur daß ein ander Leben /
Auch selbst das Peinliche / wird durch den Tod gegeben.

Die Unruh kombt von dir.

Nichts ist das dich bewegt / du selber bist das Rad /
Das auß sich selbsten laufft / und keine Ruhe hat.

GOtt ist das was Er wil.

GOtt ist ein Wunderding; Er ist das was Er wil /
Und wil das was Er ist ohn alle maß und Ziehl.

Der todte Wille herscht.

Dafern mein Will' ist todt / so muß GOtt waß ich wil:
Jch schreib Jhm selber für das Muster und das Zil.

Eins hält das ander.

Gott ist so vil an mir / als mir an Jhm gelegen /
Sein wesen helff ich Jhm / wie Er das meine hegen.

Das Bildnuß Gottes.

Jch trage Gottesbild: wenn Er sich wil besehn /
So kan es nur in mir / und wer mir gleicht / geschehn.

Die Rose.

Die Rose / welche hier dein äußres Auge siht /
Die hat von Ewigkeit in GOtt also geblüht.[1]

Gott ausser Creatur.

Geh hin / wo du nicht kanst: sih / wo du sihest nicht:
Hör wo nichts schallt und klingt / so bistu wo Gott spricht.

---

1 *idealiter.*

Die Goldheit und Gottheit.

Die Goldheit machet Gold / die Gottheit machet Gott:
Wirstu nicht eins mit jhr / so bleibstu Bley und Koth.

Die Dreyeinigkeit in der Natur.

Daß GOtt Dreyeinig ist / zeigt dir ein jedes Kraut /
Da Schwefel / Saltz / Mercur / in einem wird geschaut.

Ohne warumb.

Die Ros' ist ohn warumb / sie blühet weil sie blühet /
Sie achtt nicht jhrer selbst / fragt nicht ob man sie sihet.

Erheb dich über dich.

Der Mensch der seinen Geist nicht über sich erhebt /
Der ist nicht wehrt daß er im Menschenstande lebt.

Jm Mittelpunct sicht man alles.

Wer jhm den Mittelpunct zum wohnhauß hat erkiest /
Der siht mit einem Blik was in dem Umbschweif ist.

Zufall und Wesen.

Mensch werde wesentlich: denn wann die Welt vergeht /
So fällt der Zufall weg / das wesen das besteht.

Was Menschheit ist.

Fragstu was Menschheit sey? Jch sage dir bereit:
Es ist / mit einem Wort / die über Engelheit.

Die Geistliche Schiffart.

Die Welt ist meine See / der Schifmann Gottes Geist /
Das Schif mein Leib / die Seel ists die nach Hause reist.

Der wesentliche Mensch.

Ein wesentlicher Mensch ist wie die Ewigkeit /
Die unverändert bleibt von aller äusserheit.

Dein Kärker bistu selbst.

Die Welt die hält dich nicht / du selber bist die Welt /
Die dich in dir mit dir so stark gefangen hält.

An den Gelehrten.

Du grübelst in der Schrifft / und meinst mit Klügeley
Zu finden Gottes Sohn: Ach mache dich doch frey
Von diser Sucht / und komm inn Stall jhn selbst zu küssen:
So wirstu bald der Krafft deß wehrten Kinds geniessen.

Der Kreiß im Puncte.

Als GOtt verborgen lag in eines Mägdleins Schoß /
Da war es / da der Punct den Kreiß in sich beschloß.

Der einige Tag.

Drey Tage weiß ich nur; als gestern / heut / und morgen:
Wenn aber gestern wird ins heut und Nun verborgen /
Und morgen außgelöscht: so leb ich jenen Tag /
Den ich / noch eh ich ward / in GOtt zu leben pflag.

Die Seeligen.

Was thun die seeligen / so man es sagen kan?
Sie schaun ohn unterlaß die ewge Schönheit an.

Maria.

Maria wird genennt ein Thron und Gotts Gezelt /
Ein' Arche / Burg / Thurn / Hauß / ein Brunn / Baum / Garten / spiegel.
Ein Meer / ein Stern / der Mon / die Morgenröth / ein Hügel:
Wie kan sie alles seyn? sie ist ein' andre Welt.

Roth und Weiß.

Roth von deß Herren Blut wie Sammet Röselein /
Durch Unschuld weiß wie Schnee sol deine Seele seyn.

Das grosse ist im kleinen verborgen.

Der Umbkraiß ist im Punckt / im Saamen liegt die Frucht /
GOtt in der Welt: wie Klug ist der jhn drinne sucht!

Alles in einem.

Jn einem Senffkörnlein / so du's verstehen wilt /
Jst aller oberern und untrern dinge Bild.

Der steiffe Felsenstein.

Ein tugendthaffter Mensch ist wie ein Felsenstein:
Es stürme wie es wil / er fället doch nicht ein.

Die Zeit die ist nicht schnell.

Man sagt die Zeit ist schnell: wer hat sie sehen fliegen?
Sie bleibt ja unverruckt im Welt-begrieffe liegen!

Der Teuffel der ist gut.

Der Teuffel ist so gutt dem wesen nach als du.
Waß gehet jhm dann ab? Gestorbner will' und ruh.

Der eigne Wille stürtzt alles.

Auch Christus / wär' in jhm ein kleiner eigner Wille /
Wie seelig er auch ist / Mensch glaube mir er fielle.

Wie Gott das Hertz wil zubereitet haben.

Wie Kocht man Gott das Hertz? Es muß gestossen seyn /
Geprest / und stark verguldt: Sonst geht es jhm nicht ein.

Der glaub' allein ist ein hohles Faß.

Der glaub' / ohn lieb' / allein / (wie ich mich wol besinne)
Jst wie ein holes Faß: Eß klingt und hat nichts drinne.

Das jnnere bedarf Nicht deß äuseren.

Wer seine Sinnen hat ins jnnere gebracht /
Der hört was man nicht redt / und siehet in der Nacht.

Daß Alleradelichste.

Bin ich nicht adelich! die Engel dienen mir /
Der Schöpffer buhlt umb mich / und wart für meiner Thür.

Die Neue und alte Liebe.

Die Liebe wenn sie neu / praust wie ein junger Wein:
Je mehr sie alt und Klar / je stiller wird sie seyn.

Dreyerley Schlaff.

Der Schlaff ist dreyerley: Der Sünder schläfft im Tod /
Der müd' in der Natur / und der verliebt' in Gott.

Beschluß.

Freund es ist auch genug. Jm fall du mehr wilt lesen /
So geh und werde selbst die Schrifft und selbst das Wesen.

CHRISTIAN KNORR VON ROSENROTH

Die gröste Unglückseligkeit
bestehe in Herrschafft der Leidenschafften.

Aus deß *Boethii* 1. Buche.

Aria 17.

1.
WEnn der güldnen Sternen-Licht
    Schwartz mit Wolcken ist verhangen /
Können seine Strahlen nicht
    Den gewünschten Glantz erlangen.

2.
Wenn der trübe Süden-Wind
    Jn das Wasser bricht von oben;
Und der Sturm vermischt beginnt
    Jn der Wellen-Fluth zu toben /

3.
Wird das Glaß der klaren See /
    So der heitern Lufft zu gleichen:
Trüb und dick' auch auff der Höh /
    Daß kein Auge durch kan reichen.

4.
Ein gekrümmter Wasserbach /
    Der Berg-ab sich selten hemmet /
Wird doch offt mit Ungemach
    Durch ein stücke Fels getämmet.

5.
Soll auch deiner Augen-Licht
    Reine Warheit recht erkennen /
Sollen deine Füsse nicht
    Krumm auf falschen Steigen rennen.

6.
So vertreib die Freud und Lust /
    Treib die Furcht aus deinem Hertzen:
Stoß die Hoffnung aus der Brust /
    Und sag ab dem Leid und Schmertzen.

7.
Wo diß einen Geist regiert
    Jst er noch voll Finsternüssen:
Und geht als durchaus verführt
    Noch in Zäumen und Gebissen.

Morgen-Andacht.

Aria 61.

1.

MOrgen-Glantz der Ewigkeit
  Licht vom unerschöpften Lichte /
Schick uns diese Morgen-Zeit
  Deine Strahlen zu Gesichte:
Und vertreib durch deine Macht
           unsre Nacht.

2.

Die bewölckte Finsternis /
  Müsse deinem Glantz entfliegen /
Die durch Adams Apfel-Biß
  uns die kleine Welt bestiegen:
Daß wir / HErr / durch deinen Schein
         Selig seyn.

3.

Deiner Güte Morgen-Tau
  Fall' auf unser matt Gewissen;
Laß die dürre Lebens-Aw /
  Lauter süsser Trost geniessen;
Und erquick uns deine Schaar
         Jmmerdar.

4.

Gib daß deiner Liebe Glut /
  Unsre kalten Wercke tödte /
Und erweck' uns Hertz und Muth
  Bey entstandner Morgen-Röthe /
Daß wir eh wir gar vergehn /
         Recht aufstehn.

5.

Laß uns ja deß Sünden-Kleid
  Durch deß Bundes Blut vermeiden /
Daß uns die Gerechtigkeit
  Mög als wie ein Rock bekleiden:
Und wir so vor aller Pein
         Sicher seyn.

6.

Ach! du Aufgang aus der Höh /
  Gib / daß auch am Jüngsten Tage
Unser Leichnam aufersteh'
  Und entfernt von aller Plage
Sich auf jener Freuden-Bahn
         Freuen kan.

7.

Leucht uns selbst in jener Welt
  Du verklärte Gnaden-Sonne /

Führ uns durch das Thränen-Feld
Jn das Land der süssen Wonne /
Da die Lust die uns erhöht /
                         Nie vergeht.

QUIRIN KUHLMANN

Di Braut erwartet JEsum!
(Offenbarung 22,20.)

Auff! Seel-ewig! Auff! Auff! mag sich ein Mensch mehr plagen?
Sucht man di Tugend nicht gantz aus der Welt zujagen?
Was sol mir länger dann zubleiben hir behagen?
Solt ich vor jener Lust wol achten dises Klagen?

Es wird zwar / Seel-ewig! dein Glider-hauß zerschlagen!
Schau wi di Nattern hir / dort Basilisken nagen!
Wi hir verfaultes Fleisch / dort Würme hervor ragen!
Doch ist das Grab der Wall / davor di Feind erlagen!

Welch Schiffmann würde wol bei seinem Port verzagen?
Was wil dein Himmels-geist nach Welt und Erde fragen?
Auff! Auff! dein JEsus kömmt! di Engel sind di Pagen!
Auff! geh entgegen Ihm! der Himmel ist sein Wagen!

Er rufft! ich komme schon! O lust! ni auszusagen!
«Dein JEsus ist di Sonn! itzt fängt recht an zu tagen!

Di Geburts-Nacht des Herrn.

O Nacht! du grosse Nacht! di heller als der Tag!
O Nacht! ja Licht! und Licht / das Sonnen übersteiget!
O Nacht! dergleichen ni der Kreiß zu sehen pflag!
O Nacht! darinnen sich das gröste Wunder zeiget!

O Nacht! di schon dort priß der Patriarchen sag!
O Nacht! da alles spricht! da Berg und Felß nicht schweiget!
O Nacht! di den umschloß / den nichts umschlüssen mag!
O Nacht! vor dessen Kind di Welt sich zitternd neiget!

O Nacht! der Himmel bebt ob dem gantz-neuen Lauf!
O Nacht! daß der sein Mond / der Mond und Sonne blümet!
O Nacht! daß der dir scheint / den Mond und Sonne rühmet!
O Nacht! di gantz durchsternt der Cherubinenhauf!

Hir wil ich Tycho sein / und dis Gestirn erlernen /
Biß sich mein Geist gesellt zu solchen Himmels-sternen!

Uber den Thränen-würdigen Tod des Sohnes Gottes / JEsus.

ΑΛΙΘΩΣ · ΘΕΟΥ · ΥΙΟΣ · ΗΝ · ΟΥΤΟΣ ·

Reiß Erde! reiß entzwei! der Printzen printz erblaßt!
Der uns erschaffen hat / ist gantz zerritzt mit streichen!
GOtt / welcher ewig ist / wird nun zu einer Leichen!
    Es kleidet Purpur an des Leibes Alabast!
Den nichts umschlüssen mag / den hat ein Holtz umfaßt!
Der Berg und Hügel wigt / der wil am Kreutz erbleichen!
Dem Erd und Himmel weicht / der wil dem Kreiß entweichen!
    Des Vaters Lust / GOtt selbst wird Salem eine Last.
Di Sonne fleucht vor uns! der Erden-Marmor zittert!
Di Himmels-Burg erstart! die Felsen stehn zersplittert!
    Di Nacht verjagt den Tag! die Lufft zürnt ob der Welt!
Der Schwefel-gelbe Blitz entstekket si mit Flammen!
    Daß der am Kreutze hängt / der disen Rund erhält /
Zeigt Sonn / Erd / Himmel / Felß / Nacht / Lufft und Blitz zusammen!

Der 1. Gesang,

*Als er zum Davidisiren unter geistlicher Anfechtung getriben ward in Jehna, dahin er von Breslau den 20 Septemb. 1670 ausreisend, 15 Monden nach seinem Erleuchtungsmay 1669. über Lignitz, Buntzlaw, Gœrlitz, Leiptzig, Lützen, Naumburg im October ankommen.**

> 1. LIbhold ging unlængst spatziren
> Um zukleinern seinen schmertz,
> Trauren wolte ihn berühren,
> Hoch verwundet ward sein Hertz.
> Ach wær ich aus Sünd und Erden!
> Sang der seufftzervoller Mund:
> Mus ich dann verschlungen werden
> Von dem grausen Abgrundschlund?
>   2. Seit mein Jesus weggeschiden,
> Seit schid aller Segen hin.
> Unruh küsset mich vor Friden:
> Seelenschade stat Gewin.
> Lœse, Jesus, meine Banden,
> Drein ich selber mich vernetzt!

---

* Die folgenden Texte, einschl. Kühlpsalter, sind im Original antiqua gesetzt, die Vorbemerkungen und Hervorhebungen kursiv. Die in der vorl. Ausgabe sonst geltende Regel, daß antiqua gesetzte Wörter innerhalb des Fraktursatzes der Originale durch Kursivsatz wiedergegeben werden, tritt hier außer Kraft. [Hg.]

Wo nicht Hülfe mir verhanden,
Leb ich ewiglich verletzt.

3. Seelenlibster! las mich lodern,
Wi zuvor, in Himmels glutt!
Las mich deine Libe fodern!
Ach durchhitze Blutt und Mutt!
Nach dem Himmel geht mein schwingen,
Leihe Flügel, Jesus, doch!
Las mich Wolkenhœher dringen!
Ach entjoche mir mein Joch!

4. Komme Jesus mich zu stærken,
Weg, verdammtes Erdhyæn!
Weiche mit den Blendniswercken,
Angeschminkte Weltsyren!
Ehe wird di Sonn erblassen,
Und ihr Feuer bringen Eis,
Als ich werde Jesum lassen,
Um zu geben dir den Preis.

5. Dises ward kaum ausgesaget,
Als ihn Libewig begrüsst:
Libewig, di ihm behaget,
Durch di alles Leid versüsst!
Er begunte strakks zubrennen,
Wisi bot die Lilgenhand:
Seelig fing er sich zunennen,
Weil er seinen Trost erkand.

6. Libewig hilt ihn umpfangen,
Als si Libhold fest umschlos:
Jener küsste Mund und Wangen,
Si lis Libespfeile los.
So beflammten ihn di Flammen
Heiliglichter Jesus lib.
Was nur himmlich, must entstammen,
Seraphinisch ward sein trib.

7. Sein Gemütt Davidisirte:
Was er sagte, ward ein Reim.
Jesus war, der ihn regirte:
Gottes Lob ward Honigseim.
Wo das Gotteslob erklinget,
Lebet alles Gott verzükkt:
Wann di Verskunst Gott besinget,
Wird si gœttlich angeblikkt.

Der 97. Kühlpsalm,

Als Hœllgraf ihm seine sibenjaehrige verhinderung durch bœse Menschen von den Centrumseinvvohnern erœffnete, in ernst zu Gott geredet, um alle Noth über Gottes und seine Feinde zuführen, zu London den 24 Octob. 1683.

1. Erwache Gott! Ach sihe endlich drein!
Bedræu den wind und iden bœsen Geist!
Befessel A.L.L.S. was mir that widerstand!
Bestürme hart den aller stærksten sturm!
Besænfftige des wilden meeres stoltz!
Treib weg den sand! entfesle Satansklipp!
O führe mich mit freuden in den Port!

2. Es ist genug durch kreutzet dise See!
Steh Jesus auf! Bewese di Figur!
Der Hafen ward fast siben Jahr gesehn:
Ja um und um bekreutzt durch alle Welt,
Durch alle wind, durch aller wetter art,
Durch alle furcht, durch allen widerstand,
Mehr als ein Mensch von Adam an erfuhr.

3. Warhafftig ist dein wort an mir erfüllt,
Was du im fleisch von diesen zeiten sprachst!
Was unerhœhrt, ist A.L.L.E.S. mir geschehn!
Was unbeglaubt, lehrt mich erfahrung hoch!
Ich wære selbst in irrthum gantz gebracht,
VVanns mœglich wær in disem grœstem Ruf,
VVo nicht dein Geist mich hætte festgesætzt.

4. VVi offt sind mir Gesichter zugeschikkt?
Wi offt bin ich geprüfft in idem Land?
Wann heute man von deinem Ruf mir redt:
Von VVundern, di weit über alle zeit,
Ist morgen dis schon wider umgekehrt,
Und gegen mir von einer lipp gestellt,
Das überblib kein grund im hœchstem grund.

5. Di du, mein Gott, zu meiner hülf erkohrst,
Und rüstetest mit deinen gaben A.U.S.
Di worden mir zu einem fall und strikk:
Zur aller VVelt gemeiner ærgernis;
Zur hinderung in deinem grossen werk,
Das nur zum spott mein glauben war gemacht
Als ich auf dich weit über træhnen sah.

6. Di grœssesten in deinem heilgem licht
Verwandelten in lauter Freveler:
So bald si mir dein werk verkündiget,
So traten si zurükk in lauter neid.
Si gaben platz des Satans alter tükk,
Das Josephs stand nur ward mein eigner stand,
Bis ich verkaufft im Geiste nach Egypt.

7. I hœher ich in deinem wunder wuchs,
Und figurirt des Jesuelsche Reich:
Imehr verrith mich Pharaon mein Volk,
Und muste nur mit Mosen zu der flucht.
Mein leben lif in schande, spott, gefahr:
Es regten erst dieselben deinen grimm,
Vor welcher heil ich feil mein leben trug.

8. Ein ider war, zu was du mich gestellt:
Bei idem war der Adler rechtes Aas.
Ein ider ast, ward heut dein wunderbaum.
Mein einfallt ist mit deinem Recht zuschlecht.
Ein ide war die Mutter deines Kinds,
Nachdem verfil, di du darzu erwæhlt,
Als si zurükk nach ihren kindern sah.

9. Imehr mein hertz gelassner dirs heimgab,
Und offentlich dein Amt vor allen trug:
Imehr erschin di Torheit dieser Saul,
Von denen weit des Davids geist entfernt.
Di Ichheit stekkt in allem ihrem Nein;
Si strafften vil, wann mich dein Geist anzog
Zuschleuderen an Babels Goliath.

10. So bald das Volk von zehen tausend sung,
Und Gott dem Herrn vor Kühlmanns that gedenkt:
So ward di hœll in allen angezündt,
Das eigenheit dann his di Gottenskrafft.
Si gaben mir mit Saul den eignen helm:
Mit Jonathan des Kœnigreiches Rokk,
Und zankten dann, was doch von ihnen kam.

11. So strakks mich zog Eliens eifer an,
Mit welchem du di kæuffer vor austribst,
Und heilig feur auf meiner ernsten lipp,
Das ich verbrant verfluchten Satanstrug,
So laufft dis Volk in grœsserm hœllentrib,
Es ante nichts von meines Jesus vveh,
VVeil das Gesatz bis langste abgethan,

12. Als nun dein fluch so hæuffig aufgezehrt
Der vor mich macht zu deinen wundern raum;
Dann ist kein end der ærgsten læsterung:
Si schreiben mir dein Ernstgerichte zu.
Si wollen mich anklagen vilen Mords,
Und sündigen so unaussprechlich hoch,
Da feur und flamm auf sie dann erstlich reisst.

13. Dein eifer hat gefressen mich fast auf.
VVeil alles fleisch verdorben seinen weg.
Selbst der Prophet vergeht wi Bileam,
Das tausendfach gewachsen dein Gericht.
Es klimmt so hoch der Menschen missethat,
Das Noachs zeit vveicht dieser zehenfach,

Und wær es aus, wo nicht selbst Jesus kæm.

14. Das Saltz wird dumm, das zu dem würtzen stund:
Der Satan kommt in lauter Libsgestalt,
Im heilgem schein und unter Lichtesglantz,
Der weitzen ist mit hœllschem unkraut voll:
Er würde selbst des grœsten theils vertilgt,
Wo man ihn wolt heut scheiden vor der Erndt;
Daraus entspringt das hœchste Babelthum.

15. Dis alles hat vermehret meinen schmertz,
Und mich geprüfft am hafen bis zum Tod:
Dis alles wil neu überstrœmen mich,
Nun du mich ruffst aufs neu zu meinen Ruff.
Drum schrei ich ernst in Jesus um di hülf,
Nun ich aufs neu di vollen segel spann
Im stærksten wind zureissen zu dem Port.

16. Auf, Vater, auf! Verleihe deine stærk!
Auf, Jesus, auf! Sei du mein Steuermann!
Auf, heilger Geist! Dein Brausen komm herab!
Es überfüll um mich mein gantzes Schif!
Auf, GottGottGott! Mein einger Trost und Schutz!
Ich geh auf dich, voll glauben auf dein Wort!
Ich spotte nur der gantzen hœllenmacht!

17. So stos ich los in meines Gottes schirm!
Auf, Engel, auf! umschlüsset mich nun rings!
Auf, Heiligen, auf! Auf, jauchtzt in diser uhr!
Unendlich wird itz meines Hertzens mutt!
Unendlich wird mein vorsatz fest in Gott!
Es sinke weg, was mich verhindern wil!
Auf, kæmpff vor mich, du Himmel und du Erd!

18. Triumf! Wirr fahrn! Triumf! nun endlich sanfft!
Triumf! Es schaumt! Triumf! umsonst das Meer!
Triumf! Di Hœll! Triumf! ligt uns zum fus!
Triumf! Di Furcht! Triumf! fællt auf den Feind!
Triumf! Nun fleucht! Triumf! was uns gehemmt!
Triumf! Wir sehn! Triumf den gleichen weg!
Triumf! Triumf! Triumf! Wir fahren ein!

19. Triumf! Es schallt! Triumf! ein Freudgeschrei!
Triumf! Das uns! Triumf Willkommen heisst!
Triumf! Es naht! Triumf! ein heilig Volk!
Triumf! Sein hertz! Triumf! ist eins mit uns!
Triumf! Zum werk! Triumf! des grossen Gotts!
Triumf! Von dem! Triumf! gezeugt die Schrifft!
Triumf! Triumf! Triumf! Wir ankern an!

20. Triumf! Wir sind! Triumf! aufs neu beseelt!
Triumf! Di lust! Triumf! hat uns umhalst!
Triumf! Der Nord! Triumf! gibt seine frucht!
Triumf! zum Ost! Triumf! des Jesusreichs!
Triumf! Willkomm! Triumf! im Christwillkomm!

Triumf! Willkomm! Triumf! O Gottesvolk!
Triumf! Triumf! Triumf! Wir steigen aus!
   21. Triumf! Gottlob! Triumf! Gottdank! Gottpreis!
Triumf! Mein Christ! Triumf! hat doch gesigt!
Triumf! Sein bleibt! Triumf! doch kron und thron!
Triumf! Ich bin! Triumf! Sein knecht und kind!
Triumf! Gott thut! Triumf! Was ihm gefelt!
Triumf! Den kreis! Triumf! erschrekkt dis Neus!
Triumf! Triumf! Triumf! Es ist geschehn!

Des 117. Kühlpsalmes

I. HAUPTSCHLUS.

Als er seine 21 kleine Reisen aus dem Amsterdamschen gebite, im fünff-
tem mahle, inner 16 Monden mit den 31 Aug und 7 Septemb. 1685.
vollendet, nach 7 mahl 7 Monden 7 tagen des Fatalschlusses, und den
8 September der befehl zur 15 Reise nach Paris vorgefallen war; gesun-
gen zu Amsterdam den 10 Sept. 1685. gleich 16 Monden nach seinem ab-
fahren mit dem Passaieboot von Gravesand nach dem Bril.

   1. Herr Jesu Christ! Ich glaube an dein Wort,
Das du verhischst, eh du von Uns geschiden;
Ich glaub an dich und fodre deine Werke
Di du auf Erden thatst, das ich si gleichfals thu!
Ich glaube fest und bitte mehr,
Das ich nun thu di VVerke, di noch grœsser!
Dein Vater werde recht in seinem Sohn geehrt,
Darzu er dich gesand, das wir durch dich ihn kanten!
Drum bitte ich von dir das allergrœst,
Das du zubitten mir, eh ich war, anbefohlen.
   2. Ich libe dich, mein Heiland, unergründt,
Und wil dein wort nach deinem worte halten!
Dein Vater ward durch dich aufs neu mein Vater,
Das seine libe mich gantz unaussprechlich zeucht!
Weil ihr in mir zum VVunder kommt,
VVi solt ich nicht den Erdkreis überwinden?
Drum foder ich di macht, di du vom Vater hast,
Das ich di Heiden weid mit deiner eisern Rutte!
Drum bitte ich selbst um den *Morgenstern,*
Den Lucifer verlohr am *Jesuelschen Morgen!*
   3. *Es ist geschehn, was du geordnet hast,*
Du A und Z, du Anfang und du Ende!
Lass schœpffen mich auf ewig lebend VVasser
Aus deinem VVundenfünff mit *nichts* durch dein Verdinst!
Du überwandst und überwindst,
VVas du in mir auf ewig willt ererben!
Du bist mein Herr und Gott, und ich dein neuer Sohn,
Den du so wundertheur mit deinem blutt erlœset!

Mein Herr und Gott! Dein Knechtchen sinkt zu fus,
Und gibt dir seine Kron mit einem ewig geben.

Des Kühlpsalters

II. HAUPTSCHLUS DES HAUPTSCHLUSSES,

Nachdem 49 Monden alles an ihme selbsten erfüllet vom 31 Iul. 1681 bis an 31 Aug. 1685. in dem 49 monatlichem Kotlerischem Friderichswunder und er nun mit dem Sonnenengel den sententz über alle Kaiser, Kœnige und Fürsten der 70 Nationen aussprach zu Amsterdam den 11 Sept; 1685.

Kommt, *Sibzig*, kommt! Kommt auf *das Babel* zu!
Di grosse Stund zum Abendmahl ist kommen!
Fall, *Oesterreich*, mit deinen zehn Gestalten!
Gott gibet *meinem zehn* auf ewig *Cæsars Sonn*!
Fall, *Türkscher Mond*! Fall, *ider Stern*!
Gott gibt mir euch zum ewigem besitze!
Fresst, *Sibtzig Vœlker*, fresst nun *eure Kœnige*!
Gott gibt euch alle mir zum Jesu Kühlmannsthume!
Ost, VVest, Nord, Sud ist mein zwœlfeines Reich!
Auf, Kaiser, Kœnige! Gebt her Kron, hutt und Zepter!

KIRCHENLIED

FRIEDRICH SPEE VON LANGENFELD

Eingang zu diesem Büchlein /
Trutz Nachtigal genant.

1.

WAn morgenröth sich zieret
　　Mit zartem rosenglantz /
Vnd sitsam sich verlieret
　　Der nächtlich Sternentantz:
Gleich lüstet mich spatziren
　　Jn grünen Lorberwald:
Alda dan musiciren
　　Die pfeifflein mannigfalt.

2.

Die flügelreiche schaaren /
　　Daß Federbürschlein zart
Jn süssem Schlag erfahren /
　　Noch kunst noch athem spart:
Mit Schnäblein wolgeschliffen
　　Erklingens wunder fein /
Vnd frisch in Lüfften schiffen
　　Mit leichten rüderlein.

3.

Der hole Waldt ertönet
　　Ab jhrem kraussen sang:
Mit Stauden stoltz gekrönet
　　Die Krufften geben klang:
Die Bächlein krumb geflochten
　　Auch lieblich stimmen ein /
Von Steinlein angefochten
　　Gar süßlich sausen drein.

4.

Die sanffte Wind in Lufften
　　Auch jhre Flügel schwach
An Händen / Füß / vnd Hüfften
　　Erschüttlen mit gemach:
Da sausen gleich an Bäumen
　　Die lind gerührte Zweig /
Zur Music sich nit säumen;
　　O wol der süssen streich!

5.

Doch süsser noch erklinget
  Ein sonders Vögelein /
So seinen Sang vollbringet
  Bey Mon- vnd Sonnenschein.
Trutz-Nachtigal mit namen
  Eß nunmehr wird genant /
Vnd vielen Wildt- vnd Zahmen
  Obsieget vnbekandt.

6.

Trutz-Nachtigal mans nennet /
  Jst wund von süssem Pfeil:
Die lieb eß lieblich brennet /
  Wird nie der Wunden heil.
Gelt / Pomp / vnd Pracht auff Erden
  Lust / Frewden eß verspott /
Vnd achtets für beschwerden /
  Sucht nur den schönen Gott.

7.

Nur klinglets aller Orten
  Von Gott / vnd Gottes Sohn;
Vnd nur zun Himmelpforten
  Verweisets allen thon:
Von Bäum- zun Bäumen springet /
  Durchstreichet Berg / vnd Thal /
Jm Feldt vnd Wälden singet /
  Weiß keiner Noten zahl.

8.

Es thut gar manche Fahrten /
  Verwechßlet Ort / vnd Lufft:
Jetzt findet mans im Garten
  Betrübt an holer Klufft;
Bald frisch vnd frewdig singlet
  Zusampt der süssen Lerch /
Vnd loben Gott vmbzinglet
  Den Oel- vnd andren Berg.

9.

Auch schwebets auff den Waiden /
  Vnd wil beyn Hirten sein /
Da Cedron kombt entscheiden
  Die grüne Wisen rein;
Thut zierlich sammen raffen
  Die Verßlein in bezwang /
Vnd setzet sich zum schaffen /
  Pfeifft manchen Hirtensang.

10.

Auch wider da nit bleibet /
  Sichs hebt in Wind hinein /
Den lären Lufft zertreibet
  Mit schwancken Federlein:
Sich setzt an grober Eichen /
  Zur schnöden Schedelstatt;
Wil kaum von dannen weichen /
  Wird Creutz / noch peinen satt.

11.

Mit jhm wil mich erschwingen /
  Vnd manchem schwebend ob
Den Lorber-Crantz ersingen
  Jn deutschem Gottes lob.
Dem Leser nicht verdriesse
  Der zeit / vnd Stunden lang:
Hoff jhm es noch erspriesse
  Zu gleichem Cither-sang.

*Die gesponß Iesu lobet
jhren geliebten mit einem Liebgesang.*

1.

Die reine stirn der Morgenröth
  War nie so fast gezieret /
Der Frühling nach dem Winter öd
  War nie so schön muntiret /
Die weiche brust der Schwanen weiß
  War nie so wohl gebleichet /
Die gülden Pfeil der Sonnen heiß
  Nie so mit glantz bereichet:

2.

Alß Jesu Wangen / stirn / vnd mundt
  Mit gnad sein vbergossen;
Lieb hat auß seinen äuglein rundt
  Fast tausent Pfeil verschossen;
Hat mir mein Hertz verwundet sehr /
  O wee der süssen peine!
Für Lieb ich kaum kan rasten mehr /
  Ohn vnderlaß Jch weine.

3.

Wie Perlen klar auß Orient
  Mir Zähr von Augen schiessen:
Wie Rosenwässer wolgebrent
  Mir Thränen vberfliessen.
O keusche Lieb / Cupido rein /
  Alda dein hitz erkühle;
Da dunck dein heisse flüttig ein /
  Daß dich so starck nit fühle.

4.

Zu scharpff ist mir dein heisser brand /
 Zu schnell seind deine Flügel:
Drumb nur auß Zähren mit verstand
 Dir flechte Zaum vnd Zügel.
Kom nit so streng / mich nit verseng:
 Nit brenn mich gar zu Kohlen;
Halt zihl vnd maß / dich weisen laß /
 Dich brauch der linden stralen.

5.

O Arm vnd Hände JESV weiß /
 Jhr Schwesterlein der Schwanen /
Vmbfasset mich nit lind / noch leiß /
 Darff euch der griff ermahnen.
Starck hefftet mich an seine Brust /
 Vnd satt mich lasset weinen:
Jch jhn erweich / ist mir bewust /
 Vnd wär daß Hertz von steinen.

6.

O JEsu mein / du schöner Heldt
 Lang warten macht verdriessen:
Groß lieb mir nach dem leben stelt /
 Wan soll ich dein geniessen?
O süsse Brust! O Frewd vnd Lust!
 Hast endtlich mich gezogen:
O miltes Hertz!
  All pein vnd schmertz
Jst nun in Wind geflogen.

7.

Alhie wil ich nun rasten lind /
 Auff JESV brust gebunden:
Alhie mag mich Cupido blind
 Biß gar zu todt verwunden.
Am Hertzen JESV sterben hinn /
 Jst nur in lüsten leben;
Jst nur verlieren mit gewinn /
 Jst todt im leben schweben.

Die gesponß Iesu klaget jhren hertzenbrand.

I.

Gleich früh wan sich entzündet
 Der silber weiße tag;
Vnd vns die Sonn verkündet /
 Waß nachts verborgen lag:
Die lieb in meinem hertzen
 Ein flämlein stecket an;

Daß brint gleich einer kertzen /
So niemand leschen kan.

II.

Wan schon Jchs schlag in Winde /
Gen Ost- vnd Norden brauß;
Doch ruh / noch rast ich finde /
Last nie sich blasen auß.
O wee der qual / vnd peine!
Wo soll mich wenden hin?
Den gantzen tag ich weine /
Weil stäts in schmertzen bin.

III.

Wann wider dann entflogen
Der Tag zur Nacht hinein /
Vnd sich gar tieff gebogen
Die Sonn / vnd Sonnenschein;
Daß Flämlein so mich queelet
Noch bleibt in voller glut;
All stundt / so viel man zehlet /
Michs je noch brennen thut.

IV.

Daß Flämlein daß ich meine /
Jst JESV süsser nam;
Eß zehret Marck vnd Beine /
Frißt ein gar wundersam.
O süssigkeit in schmertzen!
O schmertz in süssigkeit!
Ach bleibe doch im Hertzen /
Bleib doch in Ewigkeit.

V.

Ob schon in pein / vnd qualen
Mein Leben schwindet hinn /
Wan JEsu Pfeil vnd Stralen
Durchstreichet Muth vnd Sinn;
Doch nie so gar mich zehret
Die Liebe JESV mein /
Alß gleich sie wider nehret /
Vnd schenckt auch frewden ein.

VI.

O Flämlein süß ohn massen!
O bitter auch ohn ziel!
Du machest mich verlassen
All ander Frewd / vnd Spiel;
Du zündest mein gemüthe /
Bringst mir groß Hertzen leidt /
Du kühlest mein Geblüthe /
Bringst auch ergetzligkeit.

VII.

Ade zu tausent Jahren /
 O Welt zu guter nacht:
Ade laß mich nun fahren /
 Jch längst hab dich veracht.
Jn JESV lieb Jch lebe /
 Sag dir von Hertzen grund;
Jn lauter Frewd Jch schwebe /
 Wie sehr ich bin verwund.

Conterfey des menschlichen lebens.

I.

Jch newlich früh zu morgen /
 Zur edlen sommer zeit /
Hett abgespannt all sorgen /
 Vnd war geschefften queit.
Alß nun spatzirt im garten /
 Stund auff ein blümlein zart /
Da wolt ich je noch warten /
 Biß es vollkommen ward.

II.

Die morgenröth verschwunde /
 Weil jhren purpurschein
Der helle tag vmbwunde
 Mit klarheit noch so rein.
Die Sonn mit sanfften stralen
 Daß blümlein vbergoß /
All blättlein thet sie mahlen /
 Sampt blüets in jhrem schoß.

III.

Da gund es lieblich blicken /
 Gab auch so süssen ruch /
Ein krancken möchts erquicken
 So läg im letzten zug.
Ein lüfftlein lind von Athem
 Rührt an daß Blümelein.
Da schwebts / alß an ein Fadem
 Gebundnes vögelein.

IV.

Auff seinem stiel so mütig
 Sich wand es hin / vnd her /
So säfftig / vnd so blütig /
 Alß wär der Todt noch fehr.
O blümlein schön ohn massen /
 Weil bist in deiner zier /
Von dir wil nu nit lassen
 Biß zu dem abend schier.

V.

Ey wer mag auß-dan-sprechen
 Dein schön- vnd lieblichkeit?
An dir weiß kein gebrechen /
 Bist voller zierlichkeit.
Ja Salomon der mächtig /
 War nie so schön bekleid /
Wan schon er leuchtet prächtig
 Jn pomp / vnd herrligkeit.

VI.

Vmb dich die Bienlein brummen /
 Vnd hönig samblen ein /
Zu saugen sie da kommen
 Die weiche wänglein dein.
Die menschenkind im gleichen
 Mit lust dich schawen an /
All schönheit muß dir weichen /
 Spricht warlich jederman.

VII.

Wolan / magst nun stoltziren
 Du garten Sternelein /
Must endlich doch verlieren
 All dein gefärbten schein.
Dich bald nur wirst entferben /
 Gestalt wirst reisen ab /
Noch heut wjrst müssen sterben
 Denck zeitlich nur zum Grab.

VIII.

Jch zwar will dich nit brechen /
 Will dich wol bleiben lan:
Die sonn dich wird erstechen /
 Wirst nicht so lang mehr stahn.
Halt / halt / wird schon bald werden /
 Schon dopplets jhre pfeil /
Vnd richts gerad zur erden /
 Wie lauter fewrig keil.

IX.

Starck hats gespannt den bogen
 Schießt ab den besten schein /
Groß hitz da kompt geflogen /
 Vnd dringt mit machten ein.
Ey waß will nun beginnen
 So zartes garten-blut?
Die blätlein gar erbrinnen /
 Von heisser sonnen-glut.

X.

Da neigt es sich zur stunde
  Verwelckt / vnd sincket hin /
Daß jetzt noch auffrecht stunde
  Mit also stoltzem sinn /
Daß blümlein / jung von tagen
  Sein hälßlein nidersenckt;
Ach / ach / nun muß ich klagen
  Schon gar es ist erkrenckt.

XI.

Die seel hats auff der zungen
  Alweil wirds blasen auß:
Nun muß es sein gerungen
  Mit todt / vnd letztem strauß.
O wee der kurtzen stunden!
  O wee! da schläfft es ein;
Jetzt / jetzt ist schon verschwunden
  Mein zartes blümelein.

XII.

O mensch hab dir gemahlet
  So gar ob augen dein /
Recht wie der todt vns holet /
  Wan wir in wolstand seyn.
O nie / nit traw der schöne
  Dem fleisch vnd blut nicht traw /
Dich nur mit Gott versöhne /
  Auff jhn alleinig baw.

XIII.

Wan schon all man dich preisen /
  Vnd stehst in voller blut /
Die blätlein doch bald reisen /
  Noch eh mans träumen thut.
Ein fieberlein kompt stechen
  Mit seinen stralen spitz /
Da muß all krafft zerbrechen /
  O wee der gschwinden hitz?

XIV.

Ey waß dan will brauiren
  Ein schwaches pfläntzelein?
Der Todt wird bald citiren /
  Fort / fort / dan muß es seyn.
Wan schon bist jung von jahren /
  Wan schon bist hüpsch / vnd fein /
Doch must von hinnen fahren /
  Fort / fort / muß dennoch seyn.

Eine Ecloga oder Hirtengesang,

von Christo dem Herren im Garten, vnder der persohn des hirten Daphnis, vvelchen der Himmlisch Sternen-Hirt, das ist der Mon, allvveil er seine Sternen hütet, kläglich betravvret. Seind aber Trochaische oder Springverss, so nach jhrem sprung vvollen gelesen sein also: vvie oben

Eingang.

I.

Mon des Himmels treib zur weiden
    Deine Schäfflein gülden-gelb /
Auff geründter blawen heiden
    Laß die Sternen walten selb /
Jch noch newlich so thät reden /
    Da zu nacht ein schwacher hirt /
Aller wegen / steeg / vnd pfäden
    Sucht ein Schäfflein mit begirdt.

II.

Gleich der Mon jhm ließ gesagen /
    Nam ein lind gestimtes rohr:
That es blasend zärtlich nagen /
    Spielet seinen Sternen vor.
Auff jhr Schäfflein / auff zur Heyden /
    Weidet reines himmel-blaw:
Dannenhero wan wir scheyden /
    Schwitzt jhr ab den morgen-taw.

III.

Ach! wer aber dort im garten
    Ligt mit seinem hirtenstab?
Wer wil seiner dorten warten?
    Schawt jhr sternlein / schawt hinab.
Haltet / haltet / ich nit fehle:
    Jst der *Daphnis* wolbekandt:
Eia / *Daphnis* / mir erzehle /
    Daphnis / waß wil dieser standt.

IV.

Weidet / meine Schäfflein / weidet /
    Jch mit jhm noch reden muß.
Weidet / meine Sternen / weidet /
    Daphnis ligt in harter Buß.
Daphnis / thu die Lefftzen rühren /
    Eia / nit verbleibe stumm:
Daphnis / laß dich dannen führen /
    Eia nit verbleibe tumm.

V.

Weidet / meine Schäfflein / weidet /
    Daphnis ligt in ängsten groß:
Daphnis pein / vnd marter leidet /

Wölt / er läg in mutter-schoß!
Er dem felsen ligt in armen /
   Ligt auff harten steinen bloß:
Ach wer dorten jhn wil warmen?
   Förcht / er da das haupt zerstoß.

VI.

Weidet / meine Schäfflein / weidet /
   Daphnis spaltet mir das hertz!
Wer mag haben jhn beleidet?
   Weinen möchten stein vnd ertz:
Kalte wind halt ein die flügel /
   Rühret nicht daß krancke blut:
Meidet jenen berg / vnd hügel /
   Daphnis ligt ohn schuch vnd hut.

VII.

Weidet / meine Schäfflein / weidet /
   Daphnis leidet angst vnd noth:
Daphnis dopple thränen leidet /
   Weisse perl / corallen roth.
Perlen jhm von augen schiessen /
   Schiessen hin ins grüne gras:
Von dem leib corallen fliessen
   Fliessen in den boden bas.

VIII.

Weidet / meine Schäfflein / weidet /
   Niemand hats gezehlet gar /
Niemand hat es auß gekreidet /
   Ob auch zahl der tropffen war.
Nur der boden wol genetzet /
   Für den weiß- vnd rothen schweiß /
Jhm zu danck heraußer setzet

IX.

   Rosen roth / vnd lilgen weiß.
Weidet / meine Schäfflein / weidet /
   Daphnis voller ängsten ligt:
Ruch / noch farben vnderscheidet /
   Achtet keiner blümlein nicht.
O was marter dir begegnet?
   Hör zu schwitzen einmahl auff:
Gnug es einmahl hat geregnet /
   Nit in rothem bad ersauff.

X.

Weidet / meine Schäfflein / weidet /
   Wer doch hat es jhm gethan?
Niemand meine frag bescheidet:
   Du mir *Daphnis* zeig es an.
Daphnis kan für leyd nit sprechen /
   Seufftzet manchen saufftzer tieff /

Jhm das hertz wil gar zerbrechen:
   Ach daß jemand helffen lieff.

XI.
Weidet / meine Schäfflein / weidet /
   Schon ein Englisch Edel-knab
Starck in Lüfft- vñ Wolckē schneidet /
   Eylet hin in vollem trab.
Er jhm singlet süsse Reymen /
   Mit gar süssem stiṁlein schwanck /
Auch den Kelch nit thut versäumen /
   Zeiget einen kräuter-tranck.

XII.
Weidet / meine Schäfflein / weidet /
   Alles / alles ist vmbsonst:
Er doch allen trost vermeidet /
   Achtets wie den blawen dunst.
O du frommer Knab von oben /
   Du nur mehrest jhm die pein:
Doch ich deine trew muß loben.
   Gott! dirs muß geklaget sein;

XIII.
Weidet / meine Schäfflein / weidet /
   O wie schlecht / vnd frommer Hirt!
Er den Becher jetzet meidet /
   Morgen jhms gerewen wirdt.
Er sich jetzet gar wil freyen /
   Weigert was man trincket zu;
Dörfft villeichten morgen schreyen /
   Ach wie sehr mich dürstet nu!

XIV.
Weidet / meine Schäfflein / weidet /
   Daphnis bleibet schmertzen voll:
Euch befehl ich / euch entkleidet /
   Reisset auß die gülden Woll.
Nur euch kleidet pur in kohlen
   Pur in lauter schwartzes wand /
Von der scheitel auff die sohlen
   Euch gebühret solcher standt.

XV.
Weidet / meine Schäfflein / weidet /
   Daphnis führet starckes leyd:
Jst vom Vatter hoch veraydet /
   Hoch mit wolbedachtem ayd /
Er doch wolte widerbringen /
   Ein verlohren Schäfflein sein;
Ach wan solte das mißlingen /
   Er ja stürb für lauter pein.

XVI.

Weidet / meine Schäfflein / weidet /
   Daphnis wird verfolget starck:
Böß gesindlein jhn beneydet /
   Trachtet jhm nach blut / vnd marck.
O waß dorten! waß von stangen /
   Wehr / vnd waffen nehm ich war?
O villeicht man jhn kompt fangen!
   Warlich / warlich / ist gefahr.

XVII.

Weidet / meine Schäfflein / weidet /
   Sprechen wolte bleicher Mon:
Ja nit weidet / sonder scheidet /
   Er da sprach / vnd wolte gohn.
Scheidet / scheidet / meine schaaren /
   Kan für leyd nit schawen zu:
Dich nun wolle Gott bewahren /
   Daphnis / wer kan bleiben nu?

XVIII.

Drauff adé der Mon wolt spielen /
   Da zersprang das matte rohr:
Augen tropffen jhm entfielen /
   Wurde wie der schwartze Mohr.
Vnd weil eben dazumahlen
   Er tratt an in vollen schein /
Gleich vertauschet er die stralen /
   Vollen schein gen *volle pein.*

XIX.

Auch die sternen weinen kamen /
   Flötzten ab all jhren schein /
Schein / vnd thränen flossen samen /
   Recht zum blawen feld hinein;
Machten eine weisse gassen /
   So noch heut man spüren mag:
Dan der milch-weg hinderlassen /
   Jst wol halb von solcher bach.

*

1.

Xaverius der mütig Held
   Hatt eyffer dergestalten /
Wan er gedacht der newen Welt /
   Sein hertz wolt sich zerspalten /
Vnnd rieff dann laut gantz vnverhält /.
   O Gott kan mich nicht halten.

2.

Hör auff / hör auff / felt mir zu schwehr /
   Die gnad ist mir zu mächtig /
Der Seelen eyffer wütet sehr /
   Vnnd brennet mich so kräfftig /
Daß kaum für hitz kan bleiben mehr:
   O Gott / die brunst ist hefftig.

3.

Drumb wird noch bleich- noch purpur-Tod
   Zur forcht bey mir erklecken:
Ja wan mit dieß- vnd jener noth
   Man dächte mich zu schrecken /
Da würd sich erst in wangen roth
   All blut vnd muth erwecken.

4.

Wan ich so gar auch vber Meer /
   Ein Seel wüst abzulangen /
Wolt gern durch lauter spieß vnd speer /
   Durch pfeil vnd spitzig stangen
Durchlauffen / wie der wilde bär /
   Daß nur die Seel möcht fangen.

5.

Ach / ach / wie bringt mirs große pein /
   Wie springt mir mein geblüte /
Daß nit all Heyden Christen seyn!
   Drumb Gott mich noch behüte /
Laß mich zur newen welt hinein /
   Darnach steht mein gemüthe.

6.

Zu lang ist mir die zeit vnnd stund /
   Mein hertz wil mir zerbrechen:
Begierd vnnd eiffer mich verwund /
   Mit warheit ich mag sprechen.
O GOTT werd ich nit bald gesund /
   So magst mich gar erstechen.

7.

O Lieb nimm hin all jngeweyd
   Auß meinem leib zur stunde:
Werffs vber meer / auff jene seit /
   Es dient zum newen funde;
Mein hertz doch käm in Jappon weit /
   Wan ich schon gieng zu grunde.

JOHANN MARTIN LAURENTIUS VON SCHNIFIS

**Die in Sünden Sorgloß
schlaffende Seel Clorinda
wird von dem Himlischen *Daphnis*
zu der Buß aufferweckt.**

*Nunquid, qui dormit, non adjiciet,
ut resurgat? Psal. 40. v. 9.*

**Soll dann / der da schlafft / nicht
widerumb auffstehen?**

1.
AUff / träge Seel / auff auff /
Dem Undergang entlauff /
   Dein Schlaffen ist Sterben /
   Dein Ruhen verderben /
   Dein Leben ist träumen /
   Dein Warten versäumen /
Du hast sehr hoche Zeit /
Auff auff von hinnen weit.

2.
Die Schlaff-Sucht ist fürwahr
Ein Ubel voll Gefahr /
   Verstopffet der Sinnen
   Vernünfftigs Beginnen /
   Entkräfftet die Glider /
   Schlägt Helden darnider /
Sie macht die Weise tumb /
Und stoßt die Risen umb.

3.
Der Schlaff / und Tode seind
Die aller nächste Freund:
   Vil haben ihr Leben
   Jm Schlaffen auffgeben /
   Seind tödtes verfahren
   Jn blühenden Jahren:
Schandtlich wurd' *Isboseth*
Jn süssem Schlaff getödt. (a)

4.
Was hatte *Holofern*
Jm Schlaff nicht für Unstern? (b)
   Er wurde geschoren
   So / daß er verlohren

(a) 2. *Sam.* 4.
(b) *Iudih.* 13.

Den Sieg / und darneben
Den Kopff / und das Leben:
Der Schlaff hat ihn verkürtzt /
Und in die Höll gestürtzt.

5.

Als dorten müd / und schwach (a)
Elias schlieffe: sprach'
Der Engel deß HEren:
Wie lang soll es wehren /
Was soll das Besinnen?
Auff / eilends von hinnen /
Auff auff / da ist kein Orth
Zu schlaffen / du must fort.

6.

Ein Reyßmann / der nur schlafft /
Sehr wenig Nutzen schafft /
Versaumet sein Glücke /
Bleibt immer zurücke /
Wird gähling benachtet /
Von Mördern geschlachtet:
Das Schlaffen endlich war
Der *Troja* Todtenbar.

7.

Das Schiff / als ich dort schlieff' / (b)
Schon sinckte nach der Tieff' /
Es fiengen die Wällen
An grausamb zu bellen /
Der *Ocolus* saußte / (c)
Neptunus sehr braußte: (d)
So bald ich nur erwacht /
Wurd gleich der Frid gemacht.

8.

*Morpheûs,** der falsche Dieb /
Ein Kuppler geiler Lieb /
Bezaubert mit Schertzen
Die schlaffende Hertzen /
Macht stattliche Beuthen
Bey müssigen Leuthen:
Schickt sie nach langer Ruh'
Der Höllen endtlich zu.

(a) 1. *Reg.* 19.
(b) *Mar.* 4.
(c) Gott der Winden.
(d) Gott des Meers.
* Gott deß Schlaffs *Poët.*

9.

Als Gott dem *Adam* dort (*a*)
Eingab' den schönen Orth /
  Da heißt' Er ihn schaffen /
  Nicht ruhen / und schlaffen /
  Vor allen Gefahren
  Den Garten verwahren /
Deß Müssigganges Schlaff
Bracht' ihn in grosse Straff.

10.

Wie lang / O Seel / wie lang
Wilst in dem Müssiggang /
  Jm Bethe der Sünden
  Dich schlaffend befinden?
  Das Leben hinschleichet /
  Die Gnaden-Zeit weichet /
Du bist schon allbereit
Am Thor der Ewigkeit.

11.

Du weist / daß dorten ist
Kein Orth der Gnaden-Frist:
  Wer dise verschertzet /
  Vergebens behertzet
  Nachmahlen den Schaden /
  Kombt nimmer zu Gnaden:
Auß disem vesten Hauß
Kan niemand reissen auß.

12.

Die Rew / und guter Rath
Seynd leyder dann zu spath:
  Noch Bitten / noch Weynen /
  Noch Klagen / noch Greynen /
  Noch Fluchen / noch Schweren /
  Noch Augen-verkehren
Wird auß der Höllen Schoß
Dich können würcken loß.

13.

Wie wird nicht in dem Fewr
Das Schlaffen werden thewr /
  Wann Wollust in Plagen /
  Wann Jauchtzen in Klagen /
  Das Schimpffen / und Schertzen
  Jn Trawren / und Schmertzen
Dort wird verkehren sich /
Und währen ewiglich.

(*a*) *Gen. 2 ut operatur & custodiret illum. v.* 15.

14.

Dir wird *Machiavell*,*
Die aller Boßheits-Quell /
    Die Quahlen der Höllen
    Nicht können abstellen /
    Sein Freyheit-erdichten /
    Und Tugend-vernichten
Man in der andern Welt
Für gar ungültig hält.

15.

Die Höll (nach seiner Lehr
Ein' Fabel) brennt nun sehr /
    Hat leyder erfahren
    Nach Länge der Jahren /
    Wie grausamb die Flammen
    Dort schlagen zusammen:
Auß disem nur Gedicht
Jst worden ein Geschicht.

16.

Glaub' nicht / daß dein Unglaub
Die Höll der Hitz beraub'.
    Die Sonne nicht minder /
    Ob gleichwol ein blinder
    Dieselbe verneinet /
    Ohn' Underlaß scheinet:
Deß Blinden Boßheit macht
Das Liecht zu keiner Nacht.

17.

Ach baw' / *Clorinda* / nicht
Auff blosse Zuversicht!
    Das Hoffen betrieget /
    Die Zuversicht lieget /
    Jhr thewres Versprechen
    Pflegt *Clotho* ** zu brechen /
Der Todt betrieget offt /
Kombt still / und unverhofft.

18.

Als König Balthasar
Jn besten Frewden war' / (a)
    Und ihne das glücke
    Durch göldene Blicke
    Der Gnaden verbürget /
    Da wurd' Er erwürget /

---

* Ein Atheist.
** Die Todt-Göttin.
(a) *Dan.* 5.

Und warm fein an der Stell
Geschickt hinab zur Höll.

19.

Aman nichts minder / als
Sorgsamb für seinen Hals /
  Sich frölich erzeygte /
  Vor keinem sich neygte /
  War' herrlich / und prächtig /
  Glückseelig / und mächtig:
Jn einem Augenblick (a)
Müßt' er fort an den Strick.

20.

So mache dich dann auff /
Clorinda, renn' / vnd lauff' /
  Wirst länger da schlaffen /
  So warte der Straffen /
  Jch werde dich hassen /
  Und ewig verlassen:
Schaw' daß alsdann von mir
Nicht schmertzlich traume dir

Clorinda bejamert die abschewliche
Finsternuß Jhres Hertzens /
in welcher sie / dern Gnaden Gottes beraubt /
so lange Zeit gesteckt.

Deus meus illumina tenebras meas.
Psal. 17. v. 29.

O GOtt / erleuchte meine Finsternuß!

1.

FEindliche / trutzige /
Russige / schmutzige /
  Häßliche Nacht /
Welche den Raisenden /
Weit herumb kraisenden
  Herren / und Knechten /
  Edlen / und schlechten
    Grosse Forcht macht /
Ja unversehens gar
Stürtzt in deß Todts Gefahr.

2.

Falsche / verdächtliche /
Schwartze / verächtliche /
  Schelmische Nacht /

(a) *Esth.* 7.

Welche die fallende /
Kath-herumb wallende /
 Gäntzlich entweegte /
 Gfährlich versteegte
  Menschen außlacht:
Die an Mitleydens-Statt
Nur Frewd an Unglück hat.

    3.

Grausame / grewliche /
Förchtlich-abschewliche /
 Diebische Nacht /
Welche den Muthigen /
Menschen-mord-bluthigen
 Mörder- und Raubern /
 Hexen / und Zaubern
  Sicherheit macht /
Und gibt zu böser That
Selbst Jhnen Hilff / und Rath.

    4.

Reinigkeit-hassende /
Unschuld verlassende /
 Schandliche Nacht /
Welche den stinckenden /
Tugend-versinckenden
 Venus-Gesellen /
 Wo sie nur wöllen /
  Underschlauff macht:
Verhüllt die gaile Böck'
Mit ihrer schwartzen Deck.

    5.

Neidige / hässige /
Henckers-Hand-mässige /
 Bubische Nacht /
Welche der Wälderen /
Wisen / und Felderen /
 Gärten / und Awen
 Schönes Anschawen
  Frewdenloß macht:
So gar das schönste Gold
Entfärbt die Liechts-Unhold.

    6.

Grimmige / leydige /
Freche / meineidige /
 Gifftige Nacht /
Welche die ruchtbare /
Sonsten gar fruchtbare /
 Aecker / und Matten
 Under dem Schatten

Früchtenloß macht:
Dahero Jhr dann seynd
Vil Länder Spinnen-feind.

7.

Tägliche / schmertzliche /
Mündliche / hertzliche
   Klagen man hört /
Wie sie die prächtige /
Weite / großmächtige
   *Nilische** Haiden /
   Saaten / und Waiden
     Grausamb verstört /
Das Land so schwartz bedeckt /
Daß Leuth und Vich verreckt.

8.

Sehet die nächtige /
Jmmer Schattächtige
   Finnen doch an /
Wie sie mit dünsteren /
Dicken / und finsteren
   Nebel / und Düfften /
   Schatten / und Lüfften
     Seynd eingethan:
Die Sonne sehen sie
Auch etlich Monat nie.

9.

Trewloß-unärtige /
Böse leichtfertige
   Schröckliche Nacht /
Welche die brennende
Feld-herumb-rennende
   Schwürmische Geister
   Völlige Meister
     Jhres Reichs macht /
Und reitzt / so vil sie kan
Sie zu der Boßheit an.

10.

Under der Feindlichen /
Dürmisch-unfreundlichen
   Nächtlichen Schaar /
Aerger / gefährlicher /
Böser / beschwerlicher /
   Schädlicher / Schlimmer /
   Schwärtzer / und timmer
     Keine doch war /

---

* Aegyptische.

Als die / so ich stock-blind
An meiner Seel empfind'.

11.

Alle Mæotische /
Wendisch- und Gottische (a)
   Nächte seynd nur
Eine noch gläntzende /
Morgen-angräntzende /
   Lieblich-bemahlte /
   Sonnen-bestrahlte
      Schatten-Figur / (b)
Gegen der schwartzen Nacht /
So mir die Sünd gebracht.

12.

Dise verhinderet /
Schwächet / und minderet
   Allen den Schein /
Welcher / zum anderen
Leben zu wanderen
   Wider die Fälle
   Solte ein' helle
      Fackel mir seyn:
Macht / daß in Finsternuß
Jch immer leben muß.

13.

Alle Gott-zeigende /
Tugend-zuneigende
   Strahlen seynd hin /
Weil ich in allerhand /
(Leyder nicht ohne Schand!)
   Bubische Thaten
   Willig gerathen
      Jederzeit bin
So / daß der Tugend-Glantz
Jn mir verfinstert gantz.

14.

Dise Heil-flüchtige
Eitelkeit-süchtige /
   Schädliche Nacht /
Haben die sinnliche /
Eilens-zerrinnliche /
   Eitele / schnöde /
   Himmels-Trost öde
      Frewden gemacht:

_____

(a) Mittnächtige Länder.
(b) Ob schon der Schatten nicht kan bestrahlt seyn / so ist doch zwischen
Tag und Nacht kein so tunckler Schattē / als zu Mitternacht.

Der schnöde Frewd-Genuß
Bringt nichts / als Finsternuß.

15.

Dise betriegende
Frewden-vorliegende
  Schmeichlende Nacht /
Eh' ich ihr Thun erkennt /
Hatte mich so verblendt /
  Daß ich nachmahlen
  Alle Liecht-Strahlen
    Völlig veracht /
Und mit dem Welt-Gesind
Zu Guttem worden blind.

16.

Dise Nacht schwächet mich /
Dise Nacht macht / daß ich
  Vollens verderb' /
Massen der Gnaden-Schein
Nimmer kan tringen ein
  So / daß ich endlich
  Flammen-erkändtlich
    Tugendloß sterb':
Wo keine Sonn auffgeht /
Der Baum unfruchtbar steht.

17.

Dise verteufflete /
Gnaden-verzweyfflete /
  Höllische Nacht /
Dannoch den Sünderen
Bösen Welt-Kinderen
  Wegen deß Sterbens /
  Seelen-verderbens
    Wenig Forcht macht:
Sie förchten nur das Licht /
Die Finsternuß gar nicht.

18.

Leider diß Eulen-blind
Schwürmische Nacht-gesind
  Bildet sich ein /
Under den lebenden
Welt-herumb-schwebenden
  Erden-Geschöpffen /
  Sehenden Köpffen
    Kluegste zu sein:
Vermeinen allezeit
Zu seyn von Blindheit weit.

19.

Dises seynd aber die
Schlimste Nächt' / welche nie
    Werden erkännt /
Können vom Gnaden-Licht
Werden vertriben nicht /
    Sonder nur immer
        Aerger / und schlimmer
            Leyder verblendt!
Sie fliehen allen Schein /
Drumb geht das Liecht nicht ein.

20.

Eya dann gläntzendes /
Glori-bekräntzendes /
    Göttliches Licht /
Laß' mich in nächtlichen /
Also verächtlichen /
    Schatten der Sünden /
        Ohne Gnad-finden
            Sterben doch nicht:
Vertreibe mir die Nacht /
Die mich stock-blind gemacht.

Clorinda / nunmehr in dem
Stand der Liebe Gottes /
erzehlet unter einem verblümbten Verstand /
wie sie von dem Wein der Liebe Gottes
wunderlicher Weiß truncken worden.

Introduxit me in Cellam vinariam,
ordinavit in me charitatem. Cant. 2. v. 4.

Er hat mich in den Wein-Keller geführt /
und die Liebe hat Er in mir geordnet.

1.

JSt niemand allhier
Verlassenen mir
Hilffreiche Hand zuraichen?
    Ach lasset euch doch /
    Jhr Wanders-Leuth / noch
Durch mein Geschrey erwaichen!
    Secht: wie ich so blöd /
    Ohnmächtig / und öd /
Mich selbst nicht mehr mag tragen:
    Jch watte daher
    So langsamb / und schwer /
Wie deß *Bootes* Wagen. (a)

(a) Ein langsambes Gestirn am Himmel.

2.

Vergessen der Zeit /
Von Hause so weit /
Muß ich mich hier benachten:
Darff heute nicht mehr /
Verspäthet so sehr /
Nach meiner Herberg trachten;
Zu disem hab' ich
Zu förchten auch mich
Vor streiffenden Gewilden
So / daß ich mir muß /
Gantz übel zu Fuß /
Ein strenge Nacht einbilden.

3.

Besonders weil auch
Jch wider den Brauch
Darzu noch bin gantz truncken /
Zur Erden offt hin /
Wie leicht ich auch bin /
Vor Blödigkeit gesuncken:
Deß süessen Weins voll
Bin worden so toll /
So sinn-loß / und verwirret /
Daß ohne Hilff ich /
Muß lägern da mich /
Nach dem ich weit verirret.

4.

Jch gienge heut früh' /
Voll sorglicher Müh' /
Jn Wald hinauß spatzieren /
An heimblichen Orth
Vertrewlich alldort
Die Seufftzer außzuführen;
Bin kommen in Streitt
Mit *Echo* so weit /
Daß ich mich gantz verlohren /
Jn dem ich bethört
Jhr Klagen gehört
Mit unverwendten Ohren.

5.

Und als sich der Tag
Auff sinckender Wag
Nun allbereit befunden /
Da wurde ich / satt
Deß Klagens / gantz matt /
Verletzt mit newen Wunden;

Wolt' also mich auß
Der *Dryaden* Hauß / *
Zu mir selbst kommend / würcken;
Hab' aber mich sehr /
Je länger je mehr /
Vertieffet in die Bürcken.

6.

Jch sahe mich umb /
Vor Unmuth schier thumb /
Gleich den entweegten Botten;
Und kame gar bald /
Noch mitten im Wald /
Zu einer Wasser-Grotten;
Zu welcher ich schnell /
Von silberner Quell
Gereitzet / hingegangen /
Mein durstiges Hertz /
So glüend / wie Aertz /
Zu kühlen nach Verlangen.

7.

Und als ich nun mir
Mit Adams Geschier
Zu trincken wolte schöpffen /
Da zoge zum Glück
Mich sachte (*a*) zurück
Ein Hirt bey meinen Zöpffen /
Und sagte; A c h   n e i n :
C l o r i n d a / h a l t' e i n /
D i ß i s t e i n s c h ä d l i c h s W a s s e r / (*b*)
S o   e b e n   j e t z t   h a t
M i t   s e i n e m   U n r a t h
V e r g i f f t d e r M e n s c h e n - H a s s e r.

8.

Bey solchem Zustand
Mich häfftig befand'
Entrüstet / und bestürtzet;
Jn meinem Entschluß
Wie *Procrys* im Schuß
Deß *Cephalus*, verkürtzet; (*c*)
Jch ware gar nach /
Als dises ich sach' /
Jn grosser Angst ersticket /

---

* Auß dem Wald: dann die *Dryades* seynd Wald-Göttinnen.
(*a*) Gelind.
(*b*) Bronn der Wollüst.
(*c*) *Cephalus* hat sein Weib *Procrys* unwissend erschossen.

Wann *Daphnis* mich nicht
Mit seinem Gesicht /
So ich erkennt' / erquicket.

9.

Jch seufftzte / und sprach' /
Ach *Daphnis* ach! ach!
Mein Hoffnung / und mein Leben.
Vor Schröcken / und Frewd
Jn disem Gestäud
Muß ich den Geist auffgeben:
Er sprache / C l o r i n d' /
D i c h r ü h i g b e f i n d' /
B e y m i r w i r s t d u n i c h t s t e r b e n;
Das Leben vilmehr /
Und sondere Ehr
Von *Daphnis* heut erwerben.

10.

Da führte mich Er
Von dannen nicht fehr
Jn einen schönen Keller /
Und reichte dort mir
Ein göldins Geschier
Mit rothen Muscateller /
Mit sprechen: nehm' hin /
Lieb-durstige Binn /
Ein wenig dich zu laben /
Von disem Getranck /
Wie sehr du auch kranck /
Wirst du Erquickung haben.

11.

Jch nahme es zart /
Nach höfflicher Art /
An meinen Mund zu setzen /
Die Lippen nur kaum
An jäsendem Schaum
Deß rothen Saffts zu nätzen:
Er sagte: d e r W e i n /
C l o r i n d a / i s t d e i n /
D u m u s t i h n n i c h t v e r s c h m ä h e n /
Du kanst dich gar nicht /
Wie etwan geschicht /
Der Hitze halb vergähen.

12.

Jch setzte ihn an /
Hab' eben gethan
Wie er es mir befohlen /
Und trinckte nach Lust
Der hitzigen Brust

(Bekenn' es unverholen)
Es schleichte der Wein
So lieblich mir ein /
Daß ich nicht könnt' ablassen /
Biß nichtes schier gar
Darinnen mehr war'
Von dem sattlosen Nassen.

13.

Es hatte der Safft
So treffliche Krafft /
Daß ich gantz wurd' erfrischet:
So lieblich war' er /
Als wann er gantz wer'
Mit *Hyblen*-Safft vermischet: (*a*)
Vor disem Getranck
Muß under den Banck
Der edle Bacharacher /
Den jedermann nennt /
Der ihne nur kennt /
Den Lust- und Frewden-Macher.

14.

Deßgleichen am Rhein /
Etsch /* Mosel / und Meyn /
Niemahlen ist zu finden;
Deß Neckers Geschmack /
Verkrochen in Sack /
Muß bleiben weit dahinden:
Es weicht ihm auch weit /
Der sonsten die Leuth
Bald singen macht / und pfeiffen /
Den man erst einführt /
Wann alles gefrührt /
Und gut wird von dem Reiffen. (*b*)

15.

Vernatscher / Väldtlin-
Leutacher / Tromin-
Veldkirch- und Luethenberger /
Die sonsten nicht schlim /
Seynd Wasser vor ihm /
Zu schätzen / ja noch ärger:
Der Frantz-Wein so gar /
Und Spannische Wahr

(*a*) Honig. *Hybla* ist ein Berg / auff welchem der beste Honig gesamblet wird.
(*b*) Reiffwein.
* Ein Wasser / fließt im Etschland.

Jhm nicht seynd zu vergleichen:
  Was gutes *Engadd,*
  Und *Candia* hat /
Vor disem müssen weichen.

16.

  Der Malvasier auch
  Jst saiger / und rauch /
Safft-loß der von Lagotten / *
  So sinnlichen Wein
  Hat *Bachus* nicht ein-
Geführt auß seinen Trotten: (a)
  Auch *Ganimed,* satt
  Deß Götter-Weins / hat
Deßgleichen nicht verkostet /
  Auß Perlen auch nie
  So köstliche Brühe
Cleopatra gemostet.

17.

  Er ware so gut
  Zu machen den Muth /
Daß ich stracks räuschig wurde
  So / daß mir nunmehr
  Jst worden zuschwer
Mein' träge Leibes-Burde:
  Worauff ich dann bin
  Gesuncken dahin
Krafft-loß vor Liebs-Ohnmachten:
  Auffschreyend offt laut
  Mit Himmlischer Braut:
Jch muß vor Lieb verschmachten. **

18.

  Als gegen der Nacht
  Jch endlich erwacht /
Und mich allein befunden /
  Da ware mein Hertz /
  (O lieblicher Schmertz!)
Verletzt mit Liebes-Wunden:
  Jch machte mich auff
  Mit Hirschischem Lauff /
Dem *Daphnis* nachzujagen:
  Ach aber kein Haar
  Zu sehen mehr war' /
Die Lufft hat ihn vertragen.

---

* Lagotter-Wein.
** *Quia amore langueo. Cant. 2. v. 5.*
(a) Torcklen.

19.

Was solt' / ich da nun
Verlassene thun?
Wohin mich arme wenden?
  All' Hoffnung / und Rath
  Verlassen mich hat
An so Hilff-losen Enden;
  Jch nahme die Reyß
  Durch manchen Umbkreyß /
Biß ich hieher gehuncken:
  Nun lig' ich allhier
  Ohn' alle Sinn schier
Von Liebe Gottes truncken.

20.

Jst niemand zu Land
Mir armen die Hand
Und trewe Hilff zu raichen?
  Ach lasset euch doch /
  Jhr Wanders-Leuth / noch
Erbetten / und erwaichen!
  Ach lasset mich nicht /
  Wie öffter geschicht
Auff offner Straß verderben!
  Jch werde euch schon
  Von *Daphnis* den Lohn
Der trewen Hilff erwerben.

JOHANNES HEERMANN

Am fünfften Sontage
nach der H. drey Könige Tag /
Evangelium Matth. 13. Cap.

Jm Thon:
Nun höret zu jhr ChristenLeut.

1.

DAs Himmelreich / wie Christus meldt /
Jst gleich dem Menschen in der Welt /
Der guten Samen auff sein Feld
  Zu rechter Zeit außstrewet:
  Daß sich sein Hertz erfrewet.

2.

Diß bringt dem Feinde Schmertz vnd Pein:
Drumb als die Leute schlaffen ein /
Vnachtsam vnd gantz sicher seyn:

Jn dessen ist er wacker /
Vnd schleicht auff diesen Acker.

3.

Er wirfft darunter bey der Nacht
Sein Vnkraut / das er mit sich bracht:
Geht wiederumb davon / vnd lacht;
   Das wächst hoch in die länge /
   Bringt Frucht in grosser menge.

4.

Vnd dempfft den Weitzen hin vnd her.
Die Knechte kommen ohngefehr /
Vnd schawen solches mit Beschwer.
   Von stund an sie mit hauffen
   Zu jhrem Herren lauffen.

5.

Ach / sagen sie / du hast dein Land
Besäet recht mit eigner Hand:
Kein Vnkraut sich im Samen fand.
   Jetzt stehets da mit prangen /
   Wie ist es zugegangen?

6.

Er sprach: Das hat der Feind gethan /
Der seinen Haß nicht bergen kan.
Ey sagen sie zu jhm / Wolan:
   So muß es hier nicht bleiben:
   Wir wollens bald vertreiben.

7.

Nein / sprach der HErr: jhr möchtet mir
Den edlen Weitzen auch allhier /
Der bey dem Vnkraut wächst herfür /
   Zugleich mit ewrem Gethen
   Außreissen / vnd zutreten.

8.

Er trägt viel Frucht / vnd ist sehr schön /
Sie mögen noch beysammen stehn /
Biß daß die Erndte wird angehn.
   Alsdenn wil ich mit Beyden
   Anstellen erst das Scheiden.

9.

Die Schnitter solln zur Erndte-Zeit
Das Vnkraut mit Bescheidenheit
Jn Bündlein fassen weit vnd breit:
   Vnd von dem Weitzen trennen /
   Das Vnkraut muß verbrennen.

10.

Den Weitzen / meine Frewd vnd Lust /
Der außgestanden Hitz vnd Frost /
Vnd mich viel Müh vnd Sorge kost:

Solln sie für allen Dingen
Jn meine Schewren bringen.

11.

O trewer Heyland / JEsu Christ /
Sehr groß ist noch des Teuffels List:
Der sein Vnkraut zu ieder frist /
   Jn diesen letzten Zeiten /
   Wil mit Gewalt außbreiten.

12.

Gib deinem reinen Weitzen Safft:
Daß er auffwachs in deiner Krafft:
Biß das Vnkraut werd abgeschafft:
   Das vberhand genommen.
   Ach laß die Erndte kommen!

13.

Vnd nimb den Weitzen auff zu dir:
Laß die Gerechten für vnd für
Jn deinem Reich / an Schmuck vnd Zier /
   Mit höchster Frewd vnd Wonne
   Stets leuchten / als die Sonne.

Vrsache des bittern Leidens JEsu Christi /

vnd Trost aus seiner Lieb vnd Gnade: Aus Augustino.

Jm Thon: Geliebten Freund / was thut jhr so verzagen? etc.

HErtzliebster Jesu / was hastu verbrochen /
Daß man ein solch scharff Vrtheil hat gesprochen?
Was ist die Schuld? Jn was für Missethaten
             Bistu gerathen?
Du wirst gegeisselt / vnd mit Dorn gekrönet /
Jns Angesicht geschlagen vnd verhönet:
Du wirst mit Essig vnd mit Gall getrencket:
             Ans Creutz gehencket.
Was ist doch wol die Vrsach solcher Plagen?
Ach meine Sünden haben dich geschlagen.
Ach / HERR JESV / ich hab diß wol verschuldet /
             Was du erduldet.
Wie wunderbarlich ist doch diese Straffe!
Der gute Hirte leidet für die Schafe.
Die Schuld bezahlt der HERRE / der Gerechte /
             Für seine Knechte.
Der Fromme stirbt / der recht vnd richtig wandelt.
Der Böse lebt / der wider Gott mißhandelt.
Der Mensch verwirckt den Tod / vnd ist entgangen:
             Gott wird gefangen.
Jch war von Fuß auff voller Schand vnd Sünden:
Biß zu der Scheitel war nichts guts zu finden.

Dafür hett ich dort in der Helle müssen
                    Ewiglich büssen.
O grosse Lieb! O Lieb ohn alle masse /
Die dich gebracht auff diese Marterstrasse!
Jch lebte mit der Welt in Lust vnd Frewden:
                    Vnd du must leiden!
Ach grosser König / gros zu allen Zeiten:
Wie kan ich gnugsam solche Trew außbreiten?
Keins Menschen Hertz vermag es außzudencken /
                    Was dir zu schencken.
Jch kans mit meinen Sinnen nicht erreichen /
Womit doch dein Erbarmung zu vergleichen.
Wie kan ich dir denn deine Liebesthaten
                    Jm Werck erstatten?
Doch ist noch etwas / das dir angenehme:
Wañ ich des Fleisches Lüsten dempff vnd zehme:
Daß sie auffs·new mein Hertze nicht entzünden /
                    Mit alten Sünden.
Weils aber nicht besteht in eignen Kräfften /
Fest die Begierden an das Creutz zu hefften:
So gib mir deinen Geist / der mich regiere /
                    Zum guten führe.
Alsdann so werd ich deine Huld betrachten:
Aus Lieb an dich / die Welt für nichtes achten.
Bemühen werd ich mich / HERR / deinen Willen
                    Stets zu erfüllen.
Jch werde dir zu Ehren alles wagen:
Kein Creutz nicht achten / keine Schmach vnd Plagen /
Nichts von Verfolgung / nichts von Todes-Schmertzen /
                    Nehmen zu Hertzen.
Diß alles / obs zwar für schlecht ist zu schetzen:
Wirstu es doch nicht gar bey seite setzen:
Zu Gnaden wirstu diß von mir annehmen /
                    Mich nicht beschämen.
Wann / HErre JESV / dort für deinem Throne
Wird stehn auff meinem Häupt die Ehren-krone:
Da wil ich dir / wann alles wird wol klingen /
                    Lob vnd Danck singen.

Vnter den Kriegs-Trangsalen.

O HErr Zebaoth / du grosser Kriegesmann:
Du starcker Held / der auch die Starcken fällen kan.
Der Schwerdter / Büchsen / Spieß' und Bogen kan zerbrechen /
Und aller Feinde Macht / auch durch ein Wörtlein schwächen:
Schau' an die Angst und Noht / die uns dein Volck bedrengt:
Wie Hauß / Hoff / Dorff und Stadt der Feind im Grim̄ absengt.

Wie er der Kirchen zier / wie er den Preiß der Schulen
Zerstöret jämmerlich: und zwingen wil zu Buhlen
　　Mit seiner geilen Brunst / die eines andern sind:
　　　Er raubt uns Geld und Gut / und alles / was er find.
Kein Laster ist so groß / es wird durch ihn begangen.
Und die die ärgsten sind / die mögen sicher prangen /
　　Und Fürstlich tretten auf. Mord / Diebstal / Raub und Pein /
　　Die Henckermessig ist / muß lauter Tugend seyn.
Steh' auf / gerechter GOtt: Du kanst kein Unrecht leiden /
Das uns wird angelegt. Ach laß dein Rach-Schwerd schneiden.
　　Dein eisern Scepter schlag' auf unsre Feinde zu:
　　So kriegt der Krieg ein Loch / und dein Volck Fried und Ruh.
Wann du dich sehen lässt / so muß ihr Hertz verzagen.
Du kanst sie durch ein Wort von unsern Grentzen jagen.
　　Das thu / O frommer GOtt: und führ' uns endlich hin /
　　Wo uns mit Kriegs-Gewalt kein Feind wird überziehn.

Valet an seine Kinder.

Seyd gesegnet meine Kinder!
　　Jch laß euch nun in der Welt.
Wäysen seyd ihr: doch nichts minder
　　Liebt euch der / der Glauben hält.
Gott wil euch nicht Wäyse lassen /
　　Werdet ihr die Sünde hassen.
Meine Zeit ist da zu sterben /
　　Wer kan ändern Gottes Rath?
Von mir werdet ihr noch erben /
　　Was mir Gott bescheret hat.
Undanck hats jetzt zwar bedecket /
　　Den der Teuffel ausgehecket.
Doch dürfft ihr noch nicht verzagen:
　　Gott ist ein gerechter Gott.
Wird euch jemand diß versagen
　　Zu erstatten in der Noth:
Womit ich aus Treu gezwungen /
　　Jhm in Noth bin beygesprungen /
So wird Gott den Undanck rächen /
　　Den Er gar nicht leiden kan.
Und wird euch den Segen sprechen /
　　Daß sich wunder' jederman /
Wer Gott hat zur Rechten stehen /
　　Kan in Noth nicht untergehen.

Sterbe-Gebetlein

JEsu / wann mein Stündlein kömpt /
Daß du mir selbst hast bestimmt /
Reiß mich aus deß Todes Stricken:
Nimb die Seel auff deinen Rücken:
Trag sie zu der grossen Schaar /
Die für dir / frey von Gefahr
Stehet / deinen Ruhm verkündet /
Und in dir Erquickung findet.
Lege meinen Leib ins Grab /
Daß er seine Ruhe hab'.
Und wann du dein Volck wirst ruffen /
Worauff wir jetzt stündlich hoffen /
Aus den Gräbern: laß ihn auch
Aus der Erden Schlund und Bauch'
Alsdannn frölich aufferstehen /
Und zu deiner Freud eingehen.
Für die Gnade wil ich dir /
JEsu / dancken für und für.

Creutz-Probe.

DJe Christen prüfet Noth / gleich wie der Ofen Gold.
Wer hier die Probe hält / behält deß Höchsten Huld.

Der Welt Gefährlichkeit.

DJe Welt ist wie ein Schiff / daß auff dem wilden Meer /
Ohn seinen Steuermann muß schwimmen hin und her.
Jn diß Schiff trett ich nicht: ich möchte da ertrincken /
Und in den tieffen Schlund mit Seel und Leib versincken.
Ade du schöne Welt: ich scheide mich von dir:
Und wende mich zu GOtt / so kan nichts schaden mir.

Aus Bernhardo.

DAß du GOtt liebst / zwingt dich GOtt selbst und seine Huld.
Die Maß ist ohne maß / wie hoch du lieben solt.

PAUL GERHARDT

Morgen-Lied

1.
WAch auf mein Hertz / und singe
Dem Schöpfer aller Dinge:
Dem Gäber aller Güter:
Dem frommen Menschenhüter.

2.
Heint als die dunckeln Schatten
Mich gantz umbgeben hatten /
Hat Satan mein begehret:
GOTT aber hats gewehret.

3.
Ja Vater / als er suchte
Daß er mich fressen muchte /
War ich in deinem Schosse /
Dein Flügel mich beschlosse.

4.
Du sprachst: Mein Kind nun liege:
Trotz dem / der dich betriege:
Schlaf wol / laß dir nicht grauen /
Du solst die Sonne schauen.

5.
Dein Wort das ist geschehen /
Jch kan das Liecht noch sehen:
Von Noth bin ich befreyet
Dein Schutz hat mich verneuet.

6.
Du wilst ein Opfer haben:
Hier bring ich meine Gaben:
Mein Weyrauch / Farr und Wieder
Sind mein Gebet und Lieder.

7.
Die wirst du nicht verschmähen:
Du kanst ins Hertze sehen /
Und weissest das zur Gabe
Jch ja nicht bessers habe.

8.
So wolst du nun vollenden
Dein Werck an mir / und senden
Der mich an diesem Tage
Auf seinen Händen trage.

9.
Sprich ja zu meinen Thaten:
Hilf selbst das beste rathen /
Den Anfang / Mit'l und Ende /
Ach HERR zum besten wende!

10.
Mit Segen mich beschütte:
Mein Hertz sey deine Hütte /
Dein Wort sey meine Speise
Biß ich gen Himmel reise.

Abend-Lied.

1.
NUn ruhen alle Wälder /
Vieh / Menschē / Städt vn̄ Felder:
  Es schläft die gantze Welt.
Jhr aber meine Sinnen
Auf / auf / ihr solt beginnen
  Was eurem Schöpfer wolgefällt.

2. Wo bist du Sonne blieben?
Die Nacht hat dich vertrieben /
  Die Nacht des Tages Feind:
Fahr hin / ein andre Sonne
Mein JEsus / meine Wonne /
  Gar hell in meinem Hertzen scheint.

3. Der Tag ist nun vergangen:
Die güldnen Sternlein prangen
  Am blauen Himmels-Saal:
So / so werd ich auch stehen /
Wann mich wird heissen gehen
  Mein Gott aus diesem Jam̄er-thal.

4. Der Leib der eilt zur Ruhe /
Legt ab das Kleid und Schuhe
  Das Bild der Sterbligkeit:
Die zieh ich auß / dargegen
Wird Christus mir anlegen
  Den Rock der Ehr und Herrligkeit.

5. Das Häupt / die Füß und Hände /
Sind froh / daß nun zum Ende
  Die Arbeit kommen sey:
Hertz freu dich: du solt werden
Vom Elend dieser Erden
  Vnd von der Sünden-Arbeit frey.

6. Nun geht ihr matten Glieder /
Geht / geht / und legt euch nieder /
  Der Betten ihr begehrt:

Es kommen Stund und Zeiten /
Da man euch wird bereiten
   Zur Ruh ein Bettlein in der Erd.
7. Mein Augen stehn verdrossen
Jm huy sind sie geschlossen /
   Wo bleibt denn Leib und Seel?
Nim sie zu deinen Gnaden /
Sey gut für allen Schaden /
   Du Aug und Wächter Jsrael.
8. Breit aus die Flügel beyde
O JEsu / meine Freude /
   Vnd nim dein Küchlein ein:
Wil Satan mich verschlingen /
So laß die Englein singen
   Diß Kind sol unverletzet seyn.
9. Auch Euch ihr meine Lieben
Sol heute nicht betrüben
   Kein Unfall noch Gefahr /
GOTT laß Euch ruhig schlaffen
Stell Euch die güldnen Waffen
   Ums Bett / vñ seiner Helden-Schaar.

Am dritten Christ-Tage.

1. JCh erhebe HERR zu dir
   Meiner beyden Augenlicht:
Mein Gesicht ist für und für
   Zu den Bergen aufgericht /
Zu den Bergen / da herab
Jch mein Heyl und Hülffe hab.
2. Meine Hülffe kommt allein
   Von des Schöpfers Händen her /
Der so künstlich / hübsch und fein
   Himmel / Erden / Luft und Meer
Vnd was in den allen ist
Uns zum besten außgerüst.
3. Er nimmt deiner Füsse Tritt
   O mein Hertze / wol in acht:
Wenn du gehest / geht Er mit
   Und bewahrt dich Tag und Nacht:
Sey getrost / das Höllen-Heer
Wird dir schaden nimmermehr.
4. Siehe wie sein Auge wacht
   Wenn du liegest in der Ruh:
Wenn du schläffest / kömmt mit Macht
   Auf dein Bett geflohen zu
Seiner Engel güldne Schaar
Daß sie deiner nehme wahr.

5. Alles was du bist und hast
   Jst umbringt mit seiner Hut:
Deiner Sorgen schwere Last
   Nimt er weg: macht alles gut:
Leib und Seel hält Er verdeckt
Weñ dich Sturm und Wetter schreckt.

6. Wenn der Sonnen Hitze brennt
   Und des Leibes Kräfte bricht:
Wenn dich Stern und Monde blend
   Mit dem klaren Angesicht /
Hat Er seine starcke Hand
Dir zum Schatten vorgewand.

7. Nun Er fahre immer fort
   Der getreue fromme Hirt /
Bleibe stets dein.Schild und Hort:
   Wenn dein Hertz geängstet wird /
Wann die Noth wird viel und groß
Schließ Er dich in seinen Schooß.

8. Wenn du sitzest / wenn du stehst /
   Wenn du redest / wenn du hörst:
Wenn du aus dem Hause gehst
   Und zu rücke wieder kehrst /
Wenn du tritst aus oder ein.
Wol Er dein Gefehrte seyn.

Am Char-Freytage.

1.

EJn Lämlein geht / vñ trägt die schuld
   Der Welt und ihrer Kinder /
Es geht und träget in Gedult
   Die Sünden aller Sünder:
Es geht dahin / wird matt und kranck /
Ergiebt sich auf die Würgebanck:
   Verzeiht sich aller Freuden:
Es nimet an Schmach / Hohn vñ Spot /
Angst / Wunden / Striemen / Creutz und Tod /
   Vnd spricht: Jch wils gern leyden.

2. Das Lämmlein ist der grosse Freund
   Vnd Heyland meiner Seelen:
Den / den hat Gott zum Sünden Feind
   Vnd Söhner wollen wählen.
Geh hin / mein Kind / und nim dich an
Der Kinder / die ich außgethan
   Zur Straf und Zornes Ruten:
Die Straf ist schwer / der Zorn ist groß:
Du kanst und solst sie machen loß
   Durch sterben und durch bluten.

3. Ja Vater / ja von Hertzengrund /
   Leg auf / ich wil dirs tragen:
Mein Wollen hengt an deinem Mund
   Mein Würcken ist dein Sagen.
O Wunder-Lieb! O Liebes-Macht!
Du kanst / was nie kein M̄esch gedacht /
   GOtt seinen Sohn abzwingen:
O Liebe / Liebe / du bist starck:
Du streckest den ins Grab und Sarg /
   Vor dem die Felsen springen.

4. Du marterst ihn am Creutzes-Stam̄
   Mit Nägeln und mit Spiessen:
Du schlachtest ihn als wie ein Lamm /
   Machst Hertz und Adern fliessen:
Das Hertze mit der Seuftzer-Kraft /
Die Adern mit dem edlen Saft
   Des Purpur-rohten Blutes.
O süsses Lamm / was sol ich dir
Erweisen dafür / daß du mir
   Erzeigest so viel gutes?

5. Mein Lebetage wil ich dich
   Aus meinem Sinn nicht lassen:
Dich wil ich stets / gleich wie du mich
   Mit Liebes-Armen fassen.
Du solt seyn meines Hertzens Licht /
Vnd wañ mein Hertz in stücken bricht /
   Solt du mein Hertze bleiben.
Jch wil mich dir / mein höchster Ruhm /
Hiermit zu deinem Eigenthum
   Beständiglich verschreiben.

6. Jch wil von deiner Lieblichkeit
   Bey Nacht und Tage singen:
Mich selbst auch dir zu aller Zeit
   Zum Freuden-Opfer bringen.
Mein Bach des Lebens sol sich dir
Vnd deinem Namen für und für
   Jn Danckbarkeit ergiessen:
Vnd was du mir zu gut gethan /
Das wil ich stets / so tief ich kan /
   Jn mein Gedächtniß schliessen.

7. Erweitre dich mein Hertzē-Schrein /
   Du solt ein SchatzHauß werden /
Der Schätze / die viel grösser seyn
   Als Himmel / Meer und Erden.
Weg mit dem Gold Arabia:
Weg Calmus / Myrrhen / Casia:

Jch hab ein bessers funden.
Mein grosser Schatz HErr JEsu Christ /
Jst dieses / was geflossen ist
   Aus deines Leibes Wunden.

8. Das sol und wil ich mir zu Nutz
   Zu allen Zeiten machen.
Jm Streite sol es seyn mein Schutz /
   Jn Traurigkeit mein Lachen:
Jn Frölichkeit mein Seitenspiel;
Vnd wann mir nichts mehr schmecken wil /
   Sol mich diß Manna speisen /
Jm Durst sols seyn mein Wasserqvell /
Jn Einsamkeit mein SprachGesell /
   Zu Hauß und auch auf Reisen.

9. Was schadet mir des Todes Gift?
   Dein Blut das ist mein Leben.
Wann mich der Sonnen Hitze trift /
   So kan mirs Schatten geben:
Setzt mir des Wehmuths Schmertzen zu /
So find ich bey dir meine Ruh /
   Als auf dem Bett ein Krancker.
Vnd wann des Creutzes Ungestüm
Mein Schiflein treibet ümb und ümb /
   So bist du dann mein Ancker.

10. Wann endlich ich sol treten ein
   Jn deines Reiches Freuden /
So sol diß Blut mein Purpur seyn /
   Jch wil mich darin kleiden:
Es sol seyn meines Häuptes Kron /
Jn welcher ich wil vor den Trohn
   Des höchsten Vaters gehen:
Vnd dir / dem Er mich anvertraut /
Als eine wolgeschmückte Braut /
   An deiner Seiten stehen.

Am Char-Freytage.

1.

O Haupt vol Blut und Wunden
   Voll Schmertz und voller Hohn:
O Haupt zum Spott gebunden
   Mit einer Dornen Krohn:
O Haupt sonst schön gezieret
   Mit höchster Ehr und Zier /
Jetzt aber höchst schimphiret:
   Gegrüsset seystu mir.

2.

Du edles Angesichte
  Davor sonst schrickt und scheut /
Das grosse Weltgewichte /
  Wie bist du so bespeyt?
Wie bist du so erbleichet?
  Wer hat dein Augenlicht /
Dem sonst kein Licht nicht gleichet /
  So schändlich zugericht?

3.

Die Farbe deiner Wangen /
  Der rothen Lippen Pracht
Jst hin / und gantz vergangen:
  Des blassen Todes Macht
Hat alles hingenommen /
  Hat alles hingerafft /
Vnd daher bist du kommen
  Von deines Leibes Krafft.

4.

Nun / was du HErr erduldet /
  Jst alles meine Last /
Jch hab es selbst verschuldet
  Was du getragen hast.
Schau her / hier steh ich Armer /
  Der Zorn verdienet hat /
Gib mir / O mein Erbarmer /
  Den Anblick deiner Gnad.

5.

Erkenne mich / mein Hüter /
  Mein Hirte nim mich an /
Von dir / Qvell aller Güter /
  Jst mir viel guts gethan:
Dein Mund hat mich gelabet
  Mit Milch und süsser Kost /
Dein Geist hat mich begabet
  Mit mancher Himmels-Lust.

6.

Jch wil hier bey dir stehen /
  Verachte mich doch nicht:
Von dir wil ich nicht gehen /
  Wenn dir dein Hertze bricht /
Wenn dein Haupt wird erblassen
  Jm letzten Todes-stoß
Alsdenn wil ich dich fassen
  Jn meinen Arm und Schooß.

7.

Es dient zu meinen Freuden;
  Vnd kömpt mir hertzlich wol /
Wenn ich in deinem Leyden
  Mein Heyl / mich finden sol!
Ach möcht ich / O mein Leben
  An deinem Creutze hier
Mein Leben von mir geben!
  Wiewol geschehe mir!

8.

Jch dancke dir von Hertzen
  O JEsu / liebster Freund /
Vor deines Todes Schmertzen /
  Da dus so gut gemeint:
Ach gib / daß ich mich halte
  Zu dir und deiner Trew /
Vnd wenn ich nun erkalte /
  Jn dir mein Ende sey.

9.

Wenn ich einmahl sol scheiden /
  So scheide nicht von mir;
Wenn ich den Tod sol leyden /
  So tritt du denn herfür:
Wenn mir am allerbängsten
  Wird umb das Hertze seyn:
So reiß mich auß den Aengsten /
  Kraft deiner Angst und Pein.

10.

Erscheine mir zum Schilde /
  Zum Trost in meinem Tod:
Vnd laß mich sehn dein Bilde
  Jn deiner Creutzes Noth.
Da wil ich nach dir blicken /
  Da wil ich Glaubens voll
Dich fest an mein Hertz drücken
  Wer so stirbt / der stirbt wol.

HANS JACOB CHRISTOFFEL VON GRIMMELSHAUSEN

KOmm Trost der Nacht / O Nachtigal /
Laß deine Stimm mit Freudenschall /
Auffs lieblichste erklingen:/:
Komm / komm / und lob den Schöpfer dein /
Weil andre Vöglein schlaffen seyn /

Und nicht mehr mögen singen:
    Laß dein / Stimmlein /
        Laut erschallen / dann vor allen
            Kanstu loben
Gott im Himmel hoch dort oben.

Ob schon ist hin der Sonnenschein /
Und wir im Finstern müssen seyn /
So können wir doch singen:/:
Von Gottes Güt und seiner Macht /
Weil uns kan hindern keine Macht /
Sein Lob zu vollenbringen.
    Drumb dein / Stimmlein /
        Laß erschallen / dann vor allen
            Kanstu loben /
Gott im Himmel hoch dort oben.

Echo, der wilde Widerhall /
Will seyn bey diesem Freudenschall /
Und lässet sich auch hören:/:
Verweist uns alle Müdigkeit /
Der wir ergeben allezeit /
Lehrt uns den Schlaff bethören.
    Drumb dein / Stimmlein /
        Laß erschallen / dann vor allen
            Kanstu loben /
Gott im Himmel hoch dort oben.

Die Sterne / so am Himmel stehn /
Lassen sich zum Lob Gottes sehn /
Und thun ihm Ehr beweisen:
Auch die Eul die nicht singen kan /
Zeigt doch mit ihrem heulen an /
Daß sie Gott auch thu preisen.
    Drumb dein / Stimmlein /
        Laß erschallen / dann vor allen
            Kanstu loben /
Gott im Himmel hoch dort oben.

Nur her mein liebstes Vögelein /
Wir wollen nicht die fäulste seyn /
Und schlaffend ligen bleiben:/:
Sondern biß daß die Morgenröt /
Erfreuet diese Wälder öd /
Jm Lob Gottes vertreiben.
    Laß dein / Stimmlein /
        Laut erschallen / dann vor allen
            Kanstu loben /
GOtt im Himmel hoch dort oben.

TEXTGESTALTUNG UND TEXTVORLAGEN

Diese Barocklyrik-Auswahl bringt deutschsprachige Gedichte des 17. Jahrhunderts mit Ausnahme der Emblemata und Rätsel, der Figurengedichte und Volkslieder. Der Herausgeber ist der Ansicht, daß sie in andere Zusammenhänge gehören und daher mit entsprechenden Gedichten der vorhergehenden Epoche in besonderen Veröffentlichungen gesammelt werden sollten. Dasselbe gilt für die neulateinische Lyrik. Die Aufnahme nur weniger Beispiele von Volksliedern, Figurengedichten usw. aus dem 17. Jahrhundert würde ein einseitiges Bild dieser Gattungen ergeben; deshalb wurde darauf verzichtet.

Die Anordnung der Gedichte in XV Gruppen berücksichtigt u. a. die Zeit des Auftretens einzelner Poeten, Dichterkreise und geographische Zusammenhänge. (Diese Anordnung entspricht in allgemeinen Zügen der Reihenfolge, in der die Dichter in dem Band ‹Die deutsche Literatur des Barock›, rowohlts deutsche enzyklopädie 300/301, behandelt werden.) Die Sammlung eröffnen Gedichte von HOCK, WECKHERLIN und OPITZ. Am Ende stehen Verse von WEISE und CHRISTIAN GRYPHIUS. Anschließend folgen noch Gedichte der Mystiker sowie katholische und protestantische Kirchenlieder.

Über die jeweils als Vorlage benutzten Originale (Drucke) informiert die alphabetisch nach Verfassern geordnete Titelzusammenstellung. Sie verweist auch auf die entsprechenden Seiten bzw. Nummern des Originals und des vorliegenden Bandes. Falls zu Lebzeiten des Dichters mehrere Gedichtausgaben im Druck erschienen sind, wurde nach Möglichkeit die letzte durch den Dichter vorbereitete Ausgabe als Druckvorlage gewählt. In einigen Fällen mußte auf Neudrucke zurückgegriffen werden. Es wurden dabei die Kommata durch die kräftigeren Virgeln, die man im 17. Jahrhundert bei Frakturtexten immer verwendet hat, ersetzt.

Der Text der Originaldrucke ist buchstaben- und zeichengetreu wiedergegeben. Allerdings waren Anpassungen an den Antiquadruck des Taschenbuches nicht zu umgehen: Innerhalb der Frakturdrucks der Vorlagen in Antiqua gesetzte Wörter sind kursiv wiedergegeben; durch Fettdruck und Schriftgrad in den Texten ausgezeichnete Wörter sind durch Sperrungen hervorgehoben. Das Fraktursigel für usw. wird durch etc. wiedergegeben; wo jedoch in der Vorlage &c. steht, wird dies beibehalten. Offensichtliche Druckfehler und Fehler nach Errata-Listen wurden stillschweigend verbessert.

Textvorlagen

ABSCHATZ, HANS ASSMANN FREIHERR VON, 1646 (Würbitz/Schlesien) – 1699 (Liegnitz):
Herrn | Hannß Aßmanns | Freyherrn | von Abschatz / Weyl. gewesenen Landes-Bestellten im | Fürstenthum Lignitz/ | und bey den Publ.Con- | ventibus in Breßlau Hochansehnl. Deputirten// | Poetische | Übersetzungen | und Gedichte. | – | Mit Königl. Poln. und Chur-Sächs. Privilegio. | Leipzig und Breßlau/ | bey Christian Bauch / Buchhändl. | Anno M DCC IV.
Darin u. a.
[I.] Himmel-Schlüssel / oder / Geistliche Gedichte.
[II.] ANEMONS | und | ADONIS | Blumen.
[III.] Leichen- | und | Ehren-Gedichte (Schertz-Grabschrifften).
[IV.]. Vermischte Gedichte.
S. I 8 ff, 11 f, 13, 34 f; II 264, 270 f, 271; III 61 (2); IV 88, 88 f, 118, 130 f, 131 (2), 170 (3), 171 (2), 177; *abgedruckt: II, 80–90.*

ALBERT, HEINRICH, 1604 (Lobenstein/Vogtland) – 1651 (Königsberg):
Simon Dach Gedichte ... [*s. u. Dach*]
S. II 333; *abgedruckt: I, 116 f.*

ANGELUS SILESIUS (Johannes Scheffler), 1624 (Breslau) – 1677 (Breslau):
Heilige Seelen-Lust/ | Oder | Geistliche | Hirten-Lieder/ | Der in jhren JESUM |
verliebten Psyche. | Gesungen | Von JOHANN ANGELO SILESIO, | Und von |
Herren GEORGIO JOSEPHO | mit außbundig schönen Melodeyen | geziert/ | Allen
liebhabenden Seelen zur Ergetzligkeit | und Vermehrung jhrer heiligen Liebe /
zu Lob | und Ehren Gottes an Tag gegeben. | – | Breßlaw/ | Jn der Baumanni-
schen Drukkerey | drukts Gottfried Gründer. | [1657]
S. 36 ff, 118 ff, 166 ff, 262 ff; *abgedruckt: II, 148–151.*
Heilige Seelen-Lust/ | Oder | Geistliche | Hirten-Lieder/ | Der in jhren
JESUM | verliebten Psyche/ | Gesungen | von | JOHANN ANGELO SILESIO, |
Und von | Herren GEORGIO JOSEPHO | mit außbündig schönen Melodeyen | ge-
ziert. |'Anjetzo auffs neue übersehn / und mit dem | Fünfften Theil vermehrt. |
Allen denen die nicht singen können | statt eines andächtigen Gebet-Buchs | zu
gebrauchen. | – | Breßlaw/ | Jn der Baumannischen Erben Druckerey | druckts
Joh. Christoph Jacob / Factor, | Jm Jahr Christi 1668.
S. 580 ff; *abgedruckt: II, 151 f.*
Johannis Angeli Silesij | Cherubinischer | Wandersmann | oder | Geist-Reiche
Sinn- und | Schluß-Reime zur Göttlichen | beschauligkeit anleitende | Von dem
Urheber aufs neue übersehn/ | und mit dem Sechsten Buche vermehrt/ | den
Liebhabern der geheimen Theologie und | beschaulichen Lebens zur Geistlichen
Er- | götzligkeit zum andernmahl her- | auß gegeben. | – | Glatz / auß Neu auff-
gerichter | Buchdrukkerey Jgnatij Schu- | barthi Anno 1675.
I, Nr. 5, 6, 8, 9, 10, 11, 12, 13, 17, 18, 30, 33, 35, 36, 37, 40, 98, 100, 105, 108,
199, 249, 257, 289; II, Nr. 22, 24, 30, 44, 69, 71, 85; III, Nr. 5, 28, 48; IV,
Nr. 27, 42, 44, 158, 161; V, Nr. 20, 23, 30, 32, 100, 108, 129, 139, 210, 248;
VI, Nr. 263; *abgedruckt: II, 152–157.*

ANTON ULRICH, HERZOG VON BRAUNSCHWEIG-WOLFENBÜTTEL, 1633 (Hitzacker)
– 1714 (Salzdahlum):
ChristFürstliches | Davids- | Harpfen-Spiel: | zum Spiegel und Fürbild | Him-
melflammender | Andacht/ | mit ihren Arien oder Singweisen/ | hervorgegeben.
| – | Nürnberg/ | Gedruckt bey Christoph Gerhard. | – | M DC LXVII.
S. 132 ff; *abgedruckt: I, 203 f.*

ASSIG, HANS VON, 1650 (Breslau) – 1694 (Schwiebus):
H. von Hoffmannswaldau und anderer Deutschen ... Gedichte anderer Theil ...
[*S. u. Hofmannswaldau*]
S. 240 f; *abgedruckt: II, 97 f.*

BESSER, JOHANN VON, 1654 (Frauenburg in Kurland) – 1729 (Dresden):
H. von Hoffmannswaldau und andrer Deutschen ... Gedichte ... 1695. [*S. u.
Hofmannswaldau*]
S. 34 f; *abgedruckt: II, 99.*

BIRKEN, SIGMUND VON [Betulius], 1626 (Wildenstein bei Eger) – 1681 (Nürnberg):
Geistlicher | Weihrauchkörner | Oder | Andachtslieder | I. Dutzet; | Samt einer
Zugabe | XII Dutzet | Kurzer Tagseufzer. | – | Nürnberg/ | Bey Jeremia Düm-
lern / im | 1652. Heiljahr.
S. 21 ff; *abgedruckt: I, 200–203.*

Czepko von Reigersfeld, Daniel, 1605 (Koischwitz bei Liegnitz) – 1660 (Wohlau):
Daniel von Czepko Geistliche Schriften. Herausgegeben von Werner Milch. 1930.
S. 4, 5, 12, 16 f, 17, 19, 226 (3), 227 (4), 236 (3), 237, 238 (2), 253 (2), 259 (3), 346 ff, 398; *abgedruckt: II, 131–138.*
Daniel von Czepko Weltliche Dichtungen. Herausgegeben von Werner Milch. 1932.
S. 107 ff, 342 f, 343, 382, 383, 385, 402 f, 408, 409, 435; *abgedruckt: II, 138 bis 146.*

Dach, Simon, 1605 (Memel) – 1659 (Königsberg):
Simon Dach Gedichte. Herausgegeben von Walther Ziesemer. Bd. I–IV 1936–38.
Bd. I 11, 66 f, 90 f, 91, 139 f, 230, 244 f, 274; II 154 f, 262; III 15 f; IV 475 f; *abgedruckt: I, 101–115.*

Eltester, C., nach 1732:
H. von Hoffmannswaldau und andrer Deutschen ... Gedichte ... 1695. [*S. u. Hofmannswaldau*]
S. 16, 17; *abgedruckt: II, 100.*

Finckelthaus, Gottfried, 1614 (Leipzig) – 1648 (Bautzen):
Gottfriedt Finckelthausens | Deutsche Gesänge. | – | Hamburg. | Beÿ Tobias Gunderman. [Etwa 1640]
S. D7b f; *abgedruckt: I, 120 f.*

Fleming, Paul, 1609 (Hartenstein/Vogtland) – 1640 (Hamburg):
D. Paul | Flemings | Teütsche | Poemeta | Lübeck | Jn Verlegung | Laurentz | Jauchen Buchhl. [1642]
S. 60 ff, 109 ff, 111 f, 177, 183 f, 229 f, 283, 297 ff, 370 ff, 438 f, 465 f, 492 f, 493 f, 495 f, 496 f, 532 f, 535 f, 536 f, 552, 558, 573, 573 f, 574, 576, 581, 589 f, 604, 616 f, 624, 626, 631, 645, 659, 666 f, 670; *abgedruckt: I, 125–148.*

Gerhardt, Paul, 1607 (Gräfenheinichen) – 1676 (Lübben):
Pauli Gerhardi | Geistliche | Andachten | ... verlegt | Von | Johann Georg Ebeljng. | AltenStettin | gedr. bey Daniel | Starcken ... [1670] S. 12 f, 28 f, 96 f, 278 ff, 310 ff; *abgedruckt: II, 202–209.*

Gläser, Enoch, 1628 (Landeshut/Schlesien) – 1668 (Helmstedt):
Schäffer-Belustigung | oder | Zur Lehr und Ergetzligkeit angestimmter | Hirthen-Lieder | Erstes und Andres Buch | Nebenst zugehörigen Melodeyen | ausgefärtiget von | Enoch Gläsern / aus Schlesien. | – | Altorf bey Georg Hagen / der Vniversität Buch – | drukkern daselbst. [1653]
S. S5b ff, S7a ff, T3b ff, T6b ff; *abgedruckt: I, 67–71.*

Greflinger, Georg, um 1620 (bei Regensburg) – etwa 1677 (Hamburg):
Seladons | Weltliche | LJeder. | Nechst einem Anhang | Schimpff- vnd Ernsthaffter | Gedichte. | – | Franckfurt am Mayn/ | Jn Verlegung/ | Caspar Wächtlern/ |. Gedruckt / bey Mathaeo Kämpffern/ | Jm Jahr Christi / | – | M. DC. LI.
S. 20 ff, 22 ff, 44, 45, 52 ff, 60 f, 120 f; *abgedruckt: I, 151–157.*

Greiffenberg, Catharina Regina von, 1633 (Schloß Seyssenegg/Niederösterr.– – 1694 (Nürnberg):
Geistliche | Sonnette / Lieder und | Gedichte/ | zu | Gottseeligem Zeitvertreib/ |

erfunden und gesetzet | durch | Fräulein Catharina Regina/ | Fräulein von Greiffenberg / geb. | Freyherrin von Seyßenegg: | Nunmehr | Ihr zu Ehren und Gedächtniß/ | zwar ohne ihr Wissen | zum | Druck gefördert/ | durch | ihren Vettern | Hanns Rudolf von Greiffenberg/ | Freyherrn zu Seyßenegg. | Nürnberg / In Verlegung Michael Endters. | Gedruckt zu Bayreuth bey Johann Gebhard. | Im M. DC. LXII. Jahr.
S. 170, 171, 211, 230, 231, 295 f, 300 ff, 324 ff, 326, 327 ff, 338, 359 f; *abgedruckt: II, 7–15.*

GRIMMELSHAUSEN, HANS JACOB CHRISTOFFEL VON, 1621/22 (Gelnhausen) – 1676 (Renchen):
Der Abentheurliche | SIMPLICISSIMUS | Teutsch/ | Das ist: Die Beschreibung deß Lebens eines | seltzamen Vaganten / genant Melchior | Sternfels von Fuchshaim / wo und welcher | gestalt Er nemlich in diese Welt kommen / was | er darinn gesehen / gelernet / erfahren und auß- | gestanden / auch warumb er solche wieder | freywillig quittirt. | Überauß lustig / und männiglich | nutzlich zu lesen. | An Tag geben | Von | GERMAN SCHLEIFHEIM | von Sulsfort. | – | Monpelgart / | Gedruckt bey Johann Fillion/ | Jm Jahr M DC LXIX.
S. 26 f; *abgedruckt: II, 209 f.*

GROB, JOHANN, 1643 (Oberglatt im Toggenburg/Schweiz) – 1697 (Herisau):
Dichterische | Versuchsgabe | Bestehend | Jn Teutschen und Lateinischen | Aufschriften/ | Wie auch etlichen | Stimmgedichten oder Liederen. | Den | Liebhaberen Poetischer Früchte | aufgetragen | Von | Johann Groben. | – | Gedruckt zu Basel/ | Bei Johann Brandmüller/ | Jm Jahr 1678.
S. 22 (2), 23 (4), 28, 29, 104 f, 105 ff, 140 ff; *abgedruckt: I, 177–182.*

GRYPHIUS, ANDREAS, 1616 (Glogau) – 1664 (Glogau):
ANDREÆ GRYPHII | Freuden | und | Trauer-Spiele | auch | Oden | und | Sonnette. | Jn Breßlau zu finden | Bey | Veit Jacob Treschern / Buchhändl. | – | Leipzig/ | Gedruckt bey Johann Erich Hahn. | Jm Jahr 1663.
S. 482 ff, 519 f, 520 f, 522 f, 527 ff, 532 ff, 547 f, 549 ff, 551 f, 585 ff, 666 f, 667, 676 f, 692, 692 f, 716 f, 734, 734 f, 735, 735 f, 776, 776 f; *abgedruckt: II, 21–48.*
ANDREÆ GRYPHII | EPIGRAMMATA | Oder | Bey-Schrifften. | – | Jehna / verlegt | Von Veit Jacob Dreschern / Buchh. zu Breßlau. | Jm Jahr M. DC. LXJJJ.
S. 19, 19 f, 21 (3), 25 (2), 25 f, 26 (6), 27 (5), 35; *abgedruckt: II, 48–51.*

GRYPHIUS, CHRISTIAN, 1649 (Fraustadt) – 1706 (Breslau):
Christiani Gryphii | Poetische | Wälder. | – | Die andere Aufflage. | Mit Königl. Polnischem und Chur-Sächs- | sischem PRIVILEGIO. | – | Franckfurt und Leipzig/ | Verlegts Christian Bauch/ | Anno 1707.
S. 795, 826 (2); *abgedruckt: II, 128 f.*
Christiani Gryphii | Poetischer | Wälder | Anderer Theil/ | Nebst einem doppelten ungebundenen | Anhange. | – | Mit Königl. Pohln. und Chur-Sächs. PRIVILEGIO. | – | Breßlau und Leipzig, | Verlegts Joh. Georg Bleßing / 1718.
S. 415 f, 419, 448; *abgedruckt: II, 129 f.*

HARSDÖRFFER, GEORG PHILIPP, 1607 (Nürnberg) – 1658 (Nürnberg):
PEGNESISCHES | SCHAEFERGEDJCHT/ | in den | BERJNORGJSCHEN | GEFJLDEN/ | angestimmet | von | STREFON und CLAJVS. | – | Nürnberg / in Verlegung Wolfgang Endter. | M. DC. XXXXIV.
S. 13 ff; *abgedruckt: I, 183–186.*
NATHAN | und JOTHAM: | Das ist | Geistliche und Weltliche | Lehrgedichte/ | Zu sinnreicher Ausbildung der waa- | ren Gottseligkeit / wie auch aller löb- | li-

chen Sitten und Tugenden | vorgestellet: | Samt einer Zugabe / genennet | Sjmson/ | Begreiffend hundert vierzeilige | Rähtsel/ | Durch ein Mitglied der Hochlöbli- | chen Fruchtbringenden Ge- | sellschafft. | – | Gedruckt zu Nürnberg / in Verlegung | Michael Endters. | – | Jm Jahr 1650.
S. T6ᵃ, Aa5ᵇ (2), Aa6ᵃ, Aa7ᵇ, Aa8ᵃ (2), Bb2ᵇ (2), Bb3ᵃ (3), Bb4ᵇ (2), Bb5ᵃ (2); *abgedruckt: I, 186–189.*

NATHAN | und | JOTHAM: | Das ist | Geistliche und Weltliche | Lehrgedichte/ | Zu sinnreicher Ausbildung der waa- | ren Gottseligkeit / wie auch aller löb- | lichen Sitten und Tugenden/ | vorgestellet: | Samt einer Zugabe benamt | Sjmson, | Begreiffend hundert vierzeilige | Räthsel. | Zweyter Theil/ | Durch ein Mitgiied der Hochlöbli- | chen Fruchtbringenden Ge- | sellschaft. | – | Gedruckt zu Nürnberg / in Verlegung | Michael Endters. | – | Jm Jahr 1651.
S. D7ᵃ f, F8ᵃ f, N3ᵇ f; *abgedruckt: I, 189–192.*

HEERMANN, JOHANNES, 1585 (Raudten/Niederschlesien) – 1647 (Lissa):
Sontags- vnd | Fest- | Evangelia/ | durchs gantze Jahr/ |Auff bekandte Weisen gesetzt/ | Von | Johann. Heerman/ | Pfarrn zu Köben. | – | Leipzig/ | Jn Verlegung David Müllers/ | Buchhändlers in Breßlaw. | – | ANNO M DC XXXVI.
S. 44 ff; *abgedruckt: II, 196–198.*

DEVOTI MUSICA | CORDIS. | Hauß- vnd Hertz- | Musica. | Das ist: | Allerley geistliche Lieder / aus | den H. Kirchenlehrern vnd selbst | eigner Andacht/ | Auff bekandte / vnd in vnsern Kir- |chen vbliche Weisen verfasset | Durch | Johann. Heermannum / | Pfarrn zu Köben. | – | Jn Verlegung David Müllers | Buchhändlers zu Breßlaw/ | Gedruckt zu Leipzig durch Johann | Albrecht Mintzeln/ | Jm Jahr | – | M DC XXX.
S. 63 ff; *abgedruckt: II, 198 f.*

Poetische | Erquickstunden/ | Darinnen allerhand schöne und trostreiche | Gebet/ nutzliche Erinnerungen / und nohtwen- | dige Anmahnungen / für Angefochtene / Krancke | und Sterbende zu finden | seyn. Auff neue Poetische Art zugerichtet. | Von | Johann Heermann / weiland wohl- | verdienten Pfarrern zu Köben und Poët. | Laur. Cæsar. | – | Nürnberg/ | Jn Verlegung Wolffgang deß Jüngern / und | Johann Andreas Endtern / 1656.
S. 44, 88 f; *abgedruckt: II, 199 f.*

Geistlicher | Poetischer Erquickstunden | Fernere Fortsetzung/ | Darinnen allerhand schöne und trostreiche Ge- | bet und Hertzensseuffzer / in allerley fürfallenden Nö- | then und Anliegen nützlich zugebrauchen / zu fin- | den seyn. | Auff neue Poetische Art zugerichtet. | Wie auch | Allerley Fest-Evangelia | Gesangsweis auff bekannte Melodeyen/ | auffgesetzet | von | Johann Heermann / Poët Laur. Cæsar., und | weyland wolverdienten Pfarrern zu Köben. | – | Nürnberg/ | – | Jn Verlegung Wolffgang deß Jüngern und Jo- | hann Andreæ Endtern / 1656.
S. 34 (3), 35; *abgedruckt: II, 201.*

HOCK, THEOBALD, 1573 – nach 1618:
Schönes Blumenfeldt/ | Auff jetzigen All- | gemeinen gantz betrübten | Standt / fürnemblich aber den Hoff- | Practicanten vnd sonsten menigklichen in sei- | nem Beruff vnd Wesen zu guttem | vnd besten gestellet: | Durch | Othebladen Öckhen von | Jchamp Elt zapffern Berme- | orgisschen Secretarien. | Recht bleibt Recht / krump | ist nicht schlecht. | – | Jm Jahr/ | M. D CI. *Letzte Seite:* Gedruckt zur Lignitz im Elsas / durch | Nickel Schöpssen / 1601.
S. 19ᵇ–20ᵇ; *abgedruckt: I, 7 f.*

HOFMANNSWALDAU, CHRISTIAN HOFMANN VON, 1617 (Breslau) – 1679 (Breslau):

C. H. V. H. | Deutsche | Ubersetzungen | Und | Gedichte. | Mit bewilligung deß Autoris. | – | Jn Breßlau/ | Verlegts | Esaias Fellgibel Buchhändl. daselbst/ | 1679.
S. 50 ff [Begräbnüß Gedichte], 3 ff [Vermischte Gedichte], Grabschrifften: Nr. 53, 54, 55, 57, 58, 71, 73, 75, 88, 89, 90; *abgedruckt: II, 52–56.*

Herrn | von Hoffmannswaldau | und andrer Deutschen | auserlesene | und | bißher ungedruckte | Gedichte/ | nebenst | einer Vorrede | von der deutschen Poesie. | – | Mit Churfl. Sächs. Gn. PRIVILEGIO. | – | LEJPZJG/ | Bey J. Thomas Fritsch 1695.
S. 12, 13, 35 f, 38, 49, 99 ff, 327, 328 f, 354 f, 364 f; *abgedruckt: II, 56–69.*

Herrn | von Hoffmannswaldau | und anderer Deutschen | auserlesener | und | bißher ungedruckter |Gedichte | anderer Theil. | – | Mit Churfürstl. Sächs. Gn. PRIVILEGIO. | – | LEJPZJG/ | bey Thomas Fritsch. | 1697.
S. 1 ff, 10 f, 296 f; *abgedruckt: II, 69–72.*

Herrn | von Hoffmannswaldau | und anderer Deutschen | auserlesener | und | bißher ungedruckter | Gedichte | dritter Theil. | – | Mit Churfürstl. Sächs. Gn. PRIVILEGIO | – | LEJPZJG/ | bey Thomas Fritschen. | 1703.
Siehe Mühlpfort.

HOMBURG, ERNST CHRISTOPH, 1605 (Mihla b. Eisenach) – 1681 (Naumburg):
Erasmi Chrysophili | Homburgensis. | Schimpff- vnd | Ernsthaffte | CLIO. | Erster Theil. | – | Gedruckt Anno 1638. | Jn verlegung Zachariae | Hertels / Buchhändl.
Bl. D3–D6b; *abgedruckt: I, 121–124.*

HOYERS, ANNA OWENA, 1584 (Coldenbüttel/Schleswig) – 1655 (Gut Sittwick in Laagard/Schweden):
ANNAE OVENAE | Hoijers | Geistliche und Weltliche | POEMATA. | – | Amsteldam, | Beij Ludwig Elzevieren. A°. 1650.
S. 144 (2), 145, 146 (2), 294 ff, 298 (2); *abgedruckt: II, 15–20.*

KIRCHNER, CASPAR, 1592 (Liegnitz) – 1627 (Liegnitz):
MARTINI OPICII. | Teutsche Pöemata | vnd | ARISTARCHVS | Wieder die verachtung Teutscher Sprach, | Item | Verteutschung Danielis Heinsij Lobgesangs | Iesu Christi, | vnd | Hymni in Bachum | Sampt einem anhang | Mehr auserleßener geticht anderer | Teutscher Pöeten. | Der gleichen in dieser Sprach | Hiebeuor nicht auß kommen. | Straßburg | In verlegung Eberhard Zetzners. | Anno. 1624.
S. 182, 183, 183 f, 184, 184 f, 186, 186 ff; *abgedruckt: I, 51–55.*

KLAJ, JOHANN, 1616 (Meißen) – 1656 (Kitzingen):
Johann Klaj | WeihnachtGe- | dichte. [1648]
Nr. 8; *abgedruckt: I, 192 f.*
Johann Klaj / der Hochheil. | GottesLehre Ergebenens und ge- | krönten Poetens | FReudengedichte | Der seligmachenden Geburt Jesu | Christi/ | Zu Ehren gesungen. | Nürnberg/ | Gedruckt vnd verlegt durch Jeremiam Dümler. [1650]
S. E2a; *abgedruckt: I, 193 f.*
Höllen- und Himelfahrt | JESV CHRJSTJ/ | nebenst darauf erfolgter | Sichtbarer Außgiessung GOTTES deß | Heiligen Geistes. | Jn jetzo Kunstübliche Hochteutsche Reim- | arten verfasset/ | und in Nürnberg | Bey Hochansehnlichster Volkreichster | Versamlung abgehandelt | durch | Johann Clajen / der H. Schrifft Befliessenen. | Nürnberg bey Wolffgang Endter. | – | Anno M.DC.XLIV.
S. 13 ff; *abgedruckt: I, 194 f.*
HERODES | der | Kindermörder/ | – | Nach Art eines Trauerspiels | ausgebildet |

und | Jn Nürnberg | Einer Teutschliebenden Gemeine | vorgestellet | durch | Johan Klaj. | Nürnberg/ | Jn Verlegung Wolffgang Endters. | – | Jm Jahr M.DC.XXXXV.
S. 22 ff; *abgedruckt: I, 196–199.*
Geburtstag | Deß Friedens/ | Oder | rein Reimteutsche Vorbildung/ | Wie der großmächtigste Kriegs- und Siegs-Fürst | MARS | auß dem längstbedrängten und höchstbezwängten | Teutschland/ | seinen Abzug genommen / mit Trummeln / Pfeiffen/ | Trompeten / Heerpaucken / Musqueten- und Stü- | cken-Salven begleitet/ | hingegen | die mit vielmalhunderttausend feurigen Seuftzen | gewünschte und nunmehr-erbetene goldgüldene | JRENE | mit Zincken / Posaunen / Flöten / Geigen / Dulcinen / Or- | geln / Anziehungen der Glokken / Feyertägen / Freudenmalen/ | Feuerwercken / Geldaußtheilungen und andern Danckschuldigkei- | ten begierigst eingeholet und angenommen | worden: | entworffen | von | Johann Klaj / der Hochh. GottesLehr. ergeben. | und Gekr. Käiserl. Poeten. | Nürnberg/ | Jn Verlegung Wolffgang Endters / 1650.
S. 7 f; *abgedruckt: I, 199.*

KNORR VON ROSENROTH, CHRISTIAN, 1636 (Alt-Rauden/Schlesien) – 1689 (Sulzbach):
Neuer Helicon | mit seinen Neun Musen | Das ist: | Geistliche | Sitten-Lieder/ | Von Erkäntniß der wah- | ren Glückseligkeit / und der Un- | glückseligkeit falscher Güter; dann | von den Mitteln zur wahren Glück- | seligkeit zu gelangen / und sich in | derselben zu erhalten. | . . . | – | Nürnberg/ | Verlegts Joh. Jonathan Felßecker / 1684.
S. 30 f, 159 f; *abgedruckt: II, 158–160.*

KÖLER, CHRISTOPH, 1602 (Bunzlau) – 1658 (Breslau): Christoph Köler, ein schlesischer Dichter des 17. Jhs. Sein Leben und eine Auswahl seiner deutschen Gedichte. Von Max Hippe (Mitteilungen aus dem Stadtarchiv u. der Stadtbibliothek zu Breslau, 5. Heft, 1902).
S. 93, 120, 155 f; *abgedruckt: I, 58–60.*

KUHLMANN, QUIRIN, 1651 (Breslau) – 1669 (Moskau):
A. Z! | Qvirin Kuhlmanns | Breßlauers | Himmlische | Libes-küsse/ | über di fürnemsten Oerter | Der Hochgeheiligten Schrifft/ | vornemlich | des Salomonischen Hohenlides | wi auch | Anderer dergleichen Himmel- | schmekkende Theologische | Bücher | Poetisch abgefasset. | – | Zu JEHNA | Drukkt Samuel Adolph Müller | Im Jahr 1671.
Nr. 21, 23, 35; *abgedruckt: II, 160 f.*
A. Z. | Der | KÜHLPSALTER | Oder | Di Funffzehngesaenge. | – | AMSTERDAM, | Im Jahre Jesu Christi, 1684. | im October. [= 1.–4. Buch]
S. 5 f; *abgedruckt: II, 161 f.*
A. Z! | QUIRIN KUHLMANNS | Wesentlicher | KÜHLPSALTER | Das Wunder der Welt. | – | AMSTERDAM, | Im Jahre Jesu Christi 1686. [= 6.–7. Buch]
S. 77 ff; *abgedruckt: II, 163–166.*
A. Z! | Des | KÜHLPSALTER | DRITTER THEIL. | – | AMSTERDAM, | Im Jahre Jesu Christi, 1686.
S. 43, 44; *abgedruckt: II, 166 f.*

LAURENTIUS VON SCHNIFIS [Johann Martin], 1633 (Schnifis/Vorarlbg.) – 1702 (Constanz):
Mirantisches | Flötlein. | Oder | Geistliche Schäfferey/ | Jn welcher Christus / under dem | Namen Daphnis / die in dem Sünden- | Schlaff vertieffte Seel

Clorinda zu einem | bessern Leben aufferweckt / und durch wunderliche | Weis / und Weeg zu grosser Heiligkeit | führet. | Durch | P. F. LAURENTIUM | Von Schnüffis Vorder-Oesterrei- | chischer Provintz Capucinern/ | und Predigern. | Mit Erlaubnuß der Obern: auch sonder- | barer Freyheit Jhro Röm. Käyserl. Maje-stät/ | nicht nachzudrucken. | Gedruckt zu Constantz/ | Jn der Fürstl. Bischöffl. Druckerey/ | Bey David Hautt / Anno 1682. | Jn Verlegung Johann Jacob Man-telin Burgern/ | und Handelsmann zu Lauffenburg.
S. 3 ff, 54 ff, 213 ff; *abgedruckt: II, 181–196.*

LOGAU, FRIEDRICH VON, 1604 (Brockut) – 1655 (Liegnitz):
Salomons von Golaw | Deutscher | Sinn-Getichte | Drey Tausend. | Cum Gra-tiâ & Privilegio | Sac. Caes. Majestatis. | – | Breßlaw/ | – | Jn Verlegung Caspar Kloßmanns/ | Gedruckt in der Baumannischen Druckerey durch | Gottfried Gründern. [1654]
S. I 25 (2), 154, 155 f, 156, 156 f, 157 (2), 210, 210 f, 211 (3), 214, 215 (2), 218, 218 f, 219 (3), 224 (3), 224 f, 225; II 26 (2), 49 (2), 84, 85 (2), 86, 86 f, 87, 188, 189, 214 (2), 215 (3), 218, 219 (2), 224 (2), 225; III 131 (3), 174 (3), 175, 198 (3), 206 (3), 207 (2), 212 f; *abgedruckt: I, 82–93.*

LOHENSTEIN, DANIEL CASPER VON, 1635 (Nimptsch) – 1683 (Breslau):
Daniel Caspers | von | Lohenstein | Blumen. | – | Breßlau/ | Auf Unkosten JEsaiae Fellgibels/ | Buchhändlers alldar. | 1689. S. 64 f [Hyacinthen], 137 ff [Thränen], 151 [Rosen]; *abgedruckt: II, 72–74.*
H. von Hoffmannswaldau u. anderer Deutschen... Gedichte anderer Theil...
[S. u. Hofmannswaldau]
S. 23 f, 24 f, 109, 112 (3), 113 (2); *abgedruckt: II, 74–76.*

MORHOF, DANIEL GEORG, 1639 (Wismar) – 1691 (Kiel):
Daniel Georg Morhofens | Unterricht | von der | Teutschen Sprache und Poesie/ | Deren Ursprung / Fortgang und | Lehrsätzen/ | Sampt dessen | Teutschen Gedichten/ | Jetzo von neuem vermehret und | verbessert / nach deß Seel. Au- | toris eigenem Exemplare übersehen/ | zum andern mahle/ | Von den Erben/ | herauß gegeben. | – | Lübeck und Franckfurt/ | Jn Verlegung Johann Wiedemeyers/ | – | M. DCC.
Anhang (mit neuer Seitenzählung): Daniel George Morhofens | Teutsche | Gedichte. Daraus S. 146 f, 326 f, 328 ff, 330, 382 ff, 384 ff, 388 ff, 447, 447 f, 449, 449 f, 456, 494, 501 f; abgedruckt: I, 247–256.

MÜHLPFORT, HEINRICH, 1639 (Breslau) – 1681 (Breslau):
H. von Hoffmannswaldau u. anderer Deutschen... Gedichte anderer Theil...
[S. u. Hofmannswaldau]
S. 281 ff; *abgedruckt: II, 76 f.*
H. v. Hoffmannswaldau u. anderer Deutschen ...Gedichte dritter Theil...
[S. u. Hofmannswaldau]
S. 329 f, 330 ff, 332 f; *abgedruckt: II, 77–80.*

NEUKIRCH, BENJAMIN, 1665 (Reinke/Schlesien) – 1729 (Ansbach):
H. von Hoffmannswaldau u. andrer Deutschen... Gedichte... 1695. [S. u. Hofmannswaldau]
S. 54 ff, 89, 90, 113 ff; *abgedruckt: II, 90–97.*

NEUMARK, GEORG, 1621 (Langensalza) – 1681 (Weimar):
Des | Sprossenden | unterschiedliche/ | So wol zu gottseliger An- | dacht;

als auch zu Christlichen Tu- | genden aufmuntern- | de | Lieder. | – | Weinmar/ | Drukkts in Verlegung des Authors/ | Johann-Andreas Müller. | – | Jm Jahr 1675.
S. 34 ff; *abgedruckt: I, 98 f.*
G. Neumarcks | Fürstl. Sächs. Weimar. Secr. | Poetisch-Historischer | Lustgarten. | Dessen sonderbare Ge- | schichte / hiebevor an unterschie- | denen Ohrten / eyntzeln heraus kom̄en/ | nunmehro aber fleissig übersehen / in vielen/ | sonderlich mit Anmerkungen vermehret/ | und mit schönen Kupferstükken außgezieh- | ret / dem Kunst- und Teutschliebenden / zu | weiterem Nachsinnen / wolmey- | nender massen vorge- | stellet. | – | Jn Verlegung Thom. Matthiæ Götzens/ | Buchhändlers in Frankfurt. | – | M DC LXVI.
S. 316 f; *abgedruckt: I, 99 f.*

OPITZ, MARTIN, 1597 (Bunzlau) – 1639 (Danzig):
MARTINI | OPITII | Geistliche Poëmata, | Von jhm selbst anjetzo | zusammen gelesen / verbes- | sert vnd absonderlich her- | auß gegeben. | – | Jn Verlegung David Mül- | lers Buchhändlers S. | Erben. | – | M.DC.XXXVIII.
S. 211 ff; *abgedruckt: I, 25 f.*
Martini Opitij | Weltliche Poemata | Zum Viertēmal ver- | mehret vnd vbersehen | herraus geben | Franckfurt am mayn | bey | Thomas Matthias | Götzen. | – | (1644).
S. 540 f, 11 ff, 239 ff, 123 f; *abgedruckt: I, 26–37.*
MARTINI | OPITII | Weltliche | Poëmata. | Der Ander Theil. | Zum vierdten mal vermehret | vnd vbersehen herauß ge- | geben. | – | Franckfurt/ | Jn Verlegung THOMAE MAT- | THIAE Götzen / Jm Jahr | – | M. DC. XXXXIV.
S. 104 ff, 279 f, 299 ff, 329 ff, 331 ff, 333, 333 f, 349, 349 ff, 361 f, 362, 378, 378 f, 379 (2), 386 (2), 387 (3), 392 (2), 392 f, 393, 455 f, 456; *abgedruckt: I, 37–50.*

PLAVIUS, JOHANNES (aus dem Vogtland, lebte in der 1. Hälfte des 17. Jhs. in Danzig):
Trawr- und Treu-Gedichte. [Danzig 1630] *Abdruck folgt dem Neudruck Danziger Barockdichtung. Hg. Heinz Kindermann, Leipzig 1930 (DLE, Reihe Barock. Ergänzungsbd.).*
S. 45 f, 46 f, 58 f, 60 ff, 62, 72 f, 73 f, 117 f, 163; *abgedruckt: I, 216–225.*

RIST, JOHANN, 1607 (Ottensen/Holstein) – 1667 (Wedel):
Neüer Teütscher | Parnass/ | Auff welchem befindlich | Ehr und Lehr | Schertz- und Schmertz | Leid und Freuden- | Gewächse/ | Welche zu unterschiedlichen | Zeiten gepflantzet / nunmehr aber Allen | der Teutschen Helden-Sprache und dero- | selben edlen Dichtkunst vernünftigen Liebhabe- | ren / zu sonderbarem Gefallen zu hauffe gesamlet / und | in die offenbahre Welt außgestreuet/ | von | Johann Risten. | – | Copenhagen/ | Bey Peter Haubold / Buchhändlern. | – | Jm Jahr Christi 1668.
S. 819 ff, 843 ff; *abgedruckt: I, 205–214.*
Des DAPHNJS | aus Cimbrien | GALATHEE | HAMBURG. Bey Jacob Rebenlein. [1642]
S. B1b ff; *abgedruckt: I, 214 f.*

ROBERTHIN, ROBERT, 1600 (Saalfeld) – 1648 (Königsberg):
Erster Theil | der | ARJEN | oder | MELODEYEN | Etlicher theils Geistlicher/ | theils Weltlicher / zu gutten Sitten vnd | Lust dienender | Lieder. | Jn ein Positiv / Clavicimbel / Theorbe oder anders | vollstimmiges Instrument zu singen gesetzt. |

Von Heinrich Alberten. | Gedruckt zu Königsberg | bey Segebaden Erben/ | Jn Verlegung des Autoris. | Jm Jahr 1638.
Nr. 18; *abgedruckt: I, 117.*

ROMPLER VON LÖWENHALT, JESAIAS (aus Österreich):
Des | Jesaias Romplers von | Löwenhalt | erstes gebüsch | seiner | Reimgetichte. | – | Getruckt zu Strasburg / bej Joh. Phil. Mülben/ | in dem 1647.ten jar Chrl.er z.
S. 42 f, 43 f, 185 ff, 188 f, 197 f, 199 f, 208, 211, 220 f, 222; *abgedruckt: I, 240–247.*

ROTTH, ALBRECHT CHRISTIAN, 1651 (Ottenhausen/Thüringen) – 1701 (Leipzig):
Vorbereitung | Zur | Deutschen | Poesie/ | Jn welcher /| Was bey unterschiedlichen be- | rühmten Leuthen weitläufftig ent- | halten ist / kürtzlich zusammen gezogen | dargestellet wird / zu dem Ende / daß die | studirende Jugend / wenn sie hieraus den | Grund der Poesie / nemlich die deutsche | Prosodie / vernommen / zu einer weitern | Anleitung / eine feine Materie auszu- | arbeiten / sich nicht ungeschickt | befinde. | Auffgesetzt | Von | M:.Albr. Christian Rotthen/ | des Gymnasii zu Halle in Sachsen | ConRectore. | – | Verlegt von Lanckischen Erben in Leipzig. | Halle/ | Gedruckt bey Christoph. Salfelden / Chur-Fürstl. | Brand. Hoff-Buchdr. im Hertzogthume Magdeb. 1687.
S. D1b, D3a, D6b; *abgedruckt: I, 256 f.*
Kunstmäßige und deutliche | Anleitung | zu | Allerhand Materien/ | welche sowohl sonst in der Rede-Kunst / als in- | sonderheit in der Poesie nützlich | zu gebrauchen seyn | wird. | Und wird hierinne gewiesen: | I. Was die Materie in dieser Bedeutung ei- | gentlich sey/ | II. Woher dieselbe zu nehmen sey/ | III. Wie dieselbe künstlich könne ausgearbei- | tet und dem Leser vorgestellet werden. | Welches letztere denn allemal mit sol- | chen Exempeln erläutert worden / daß es verhof- | fentlich jungen Leuthen an statt eines andern feinen | Poeten zugleich dienen kan. Und zwar vielleicht mit | grösserm Nutz als andere / weil der Kunst-Griff der | Ausarbeitung allemal theils vorher / theils | an dem Rande ist gewiesen | worden. | Der studirenden Jugend | so in diesem Stück | Hülffe bedarff / zum besten auffgesetzet | von | M. Albrecht Christian Rotthen / des | Gymnasii zu Hall in Sachsen ConR. | – | Leipzig / in Verlegung Friedrich Lanckischens | Erben. Ann. 1688.
S. 110 f, 126 f, 422 f, 548 f, 571 ff, 575 f; *abgedruckt: I, 257–262.*

SCHEIN, JOHANN-HERMANN, 1586 (Grünhain) – 1630 (Leipzig):
Dritter Theil | Der | Musica boscareccia, | Oder | Wald-Liederlein/ | Auff Italian-Villanellische In- | vention. | Beydes für sich allein / mit lebendiger Stimm / oder | in ein Clavicimbel / Spinet / Tiorba / Lauten / Wie auch | auff Musicalischen Instrumenten anmutig vnd lieblich | zu spielen. | – | Fingirt | Vnd | Componirt | Von | Johan-Hermano Schein / Grünhain. | der Music Direktorn in Leipzig/ | Mit Churfürstlich. Sächs. Befreyung/ | Jn Verlegung des Autoris, vnd bey demselben zu finden. | Anno 1628.
Bl. A 4/5 f; *abgedruckt: I, 118 f.*
Studenten-Schmausz/ | à 5. | Einer löblichen Compagni | de la Vino-biera, | Praesentirt | Von | Johan-Herman Schein Grünhain/ | Directore Mus. Chori in Leipzig. | Mit Churf. Sächs. Freyheit. | – | Jn Verlegung des Autoris, vnd bey | demselben zufinden. | ANNO | – | M. DC. XXVI.
Bl. o; *abgedruckt: I, 119 f.*

SCHERFFER VON SCHERFFENSTEIN, WENCEL, 1603 (Leobschütz/Oberschlesien) – 1674 (Brieg):

Wencel Scherffers | Geist- und Weltlicher | Gedichte | Erster Teil/ | in sich | begreiffend | Eilf Bücher/ | deren inhalt nach der Zuschrifft | zufinden. | Nebst einem kurtzen Register/ | zu Ende beygefügt. | Zum Briege | gedrukkt von Christoff Tschorn. | M.DC.LII.
S. 483 ff, 512 ff, 516 f, 676 (4), 677, 678 (2); *abgedruckt: I, 71–81.*

SCHIRMER, DAVID, um 1623 (Pappendorf bei Freiberg) – nach 1682 (Dresden?):
David Schirmers | Poetische | ROsen-GE- | püsche. | Von Jhm selbsten aufs fleißig- | ste übersehen / mit einem gantz neuen | Buche vermehret und in allem ver- | besserter heraus gegeben. | – | DRESDEN/ | Jn Verlegung Andreas Löflers Buchführers. | Gedruckt bey Melchior Bergen/ | Chur-F. Sächs. Hof-Buchdr. | M. DC. LVJJ.
S. 67·ff, 77 f, 167, 462 f, 478 f; *abgedruckt: I, 170–173.*

SCHOCH, JOHANN-GEORG, 1627 (Leipzig) – 1690 (?):
Johann-Georg Schochs | Neu-erbaueter | Poetischer | Lust- u. Blumen-Garten/ | Von | Hundert | Schäffer- Hirten- | Liebes- und Tugend- | Liedern/ | Wie auch | Zwey Hundert | Lieb-Lob- und Ehren-Son- | netten auf unterschiedliche Damen/ | Standes-Personen / Sachen / u. d. g. | Nebenst | Vier Hundert | Denck-Sprüchen / Sprüch-Wörtern/ | Retzeln / Grab- und Uberschrifften / Ge- | sprächen und Schertz-Reden/ | Zusammen gesetzet/ | Auch zur Belustigung der Lieb-grünenden | Teutschen Jugend angeleget und | herausgegeben. | – | LEJPZJG/ | Jn Verlegung Christian Kirchners/ | Jm Jahr 1660.
S. 51; *abgedruckt: I, 149 f.*

SCHOTTEL, JUSTUS-GEORG, 1612 (Einbeck) – 1676 (Wolfenbüttel):
Fruchtbringender | Lustgarte | Jn sich haltend | Die ersten fünf | Abtheilungen/ | Zu ergetzlichem Nutze | Ausgefertiget/ | Und gedrukt | Jn der Fürstlichen Haupt-Vestung | Wulffenbüttel/ | Durch Johañ Bißmark / Jn verlegung | Michael Cubachs / Buchhändlers in | Lüneburg. | – | Jm Jahr / 1647.
S. 258 f, 259 f, 262, 338 ff; *abgedruckt: I, 95–97.*

SIBER, JUSTUS, 1628 (Einbeck) – 1695 (Schandau):
Justus Sibers | Seelen-Küsse | oder | Geistliche Liebs-Gedankken | aus | Des Hebreischen Königs Salomons | Hohem Liede/ | Welche jtzo verbessert und in gewisse Ord- | nung versetzet worden. | – | LEJPZJG/ | Gedruckt bey Johann Bauern/ | Jm M DC LIIIsten Jahr.
S. E1ª ff, E2ᵇ, E3ª; *abgedruckt: II, 146–148.*

SIMLER, JOHANN WILHELM, vor 1612 (Zürich) – 1672 (Zürich):
Johann Wilhelm Simlers | Teutsche | Gedichte: | darinnen | I. Vierverse / oder suñbegriffenliche Jn- | hälte der Psalmen Davids: | II. Vnderscheidenliche / auf zeiten und | anlässe gerichtete Gesänge: | III. Allerhand Vberschrifften. | – | Getrukt zu Zürich/ | Bey Johann Jakob Bodmer. | M DC XXXXVIII.
S. 155, 162 f, 166 f, 214 f; *abgedruckt: I, 173–177.*

SPEE VON LANGENFELD, FRIEDRICH, 1591 (Kaiserswerth) – 1635 (Trier):
TRVTZ | NACHTIGAL, | Oder | Geistlichs-Poetisch | LVST-VVALDLEIN, | Deßgleichen noch nie zuvor in Teut- | scher sprach gesehen. | Durch | Den Ehrw: P. FRIDERICVM SPEE, | Priestern der Gesellschafft | JESV. | Jetzo / nach vieler wunsch langem | anhalten / zum erstenmahl in Truck | verfertiget. | Cum Facultate & approbatione superiorum. | – | Cöllen/ | Jn verlag Wilhelmi Friessems Buch- | händlers /

in der Tranckgaß im Ertz-En- / gel Gabriel. Jm Jahr 1649. | Cum gratia & Privilegio Sac. Caes. Maj.
S. 1 ff, 5 ff, 7 ff, 75 ff, 228 ff; *abgedruckt: II, 168–179.*
Güldenes | Tvgend-Bvch, | das ist/ | VVerck vnnd übung der | dreyen Göttlichen Tugenden. | deß | Glaubens, Hoffnung, vnd / Liebe. | Allen Gottliebenden / andächtigen / from- | men Seelen: vnd sonderlich den Kloster- | vnd anderen Geistlichen personen | sehr nützlich zu ge- | brauchen. | durch | Den Ehrw. P. Fridericvm Spee, | Priestern der Gesellschaft | Jesv. | Cum Facultate & approbatione superiorum. | – | Cöllen/ | Jn verlag Wilhelmi Fiessems Buch | händlers / in der Tranckgaß im Ertz-En- | gel Gabriel. Jm Jahr 1649. | Cum gratia & Privilegio Sac. Coes. Maj.
S. 498 ff; *abgedruckt: II, 179 f.*

Stieler, Kaspar, 1632 (Erfurt) – 1707 (Erfurt):
Die | Geharnschte Venus | oder | Liebes-Lieder im Kriege gedich- | tet mit neuen Gesang-Weisen zu | singen und zu spielen gesezzet | nebenst | ettlichen Sinnreden der | Liebe | Verfertiget | und | Lustigen Gemühtern zu Gefallen | heraus gegeben | von | Filidor dem Dorfferer. | – | Hamburg/ | Gedrukkt bey Michael Pfeiffern. | Jn Verlegung Christian Guth/Buchhän- | lers im Thum/Jm Jahr 1660.
S. 12 ff; *abgedruckt: I, 168 f.*

Titz, Johann Peter, 1619 (Liegnitz) – 1689 (Danzig):
Sechster Theil | der | Arien . . . 1645 . . . Von | Heinrich Alberten. | . . . | – | Gedruckt zu Königsberg in Preussen bey Paschen Mense/ | Jn Verlegung des Autoris.
Nr. 20; *abgedruckt: I, 60 f.*

Tscherning, Andreas, 1611 (Bunzlau) – 1659 (Rostock):
Andreas Tschernings | Deutscher Getichte | Früling | Auffs neue übersehen und verbessert. | Nachgedruckt | Jn Rostock durch Johann Richeln/ | Jn verlegung Joachim Wilden. | [nach 1642]
S. 100 f, 254 f, 255 f, 285 (3), 286 (2), 290 (4), 291 (2), 356 (2), 403 ff; *abgedruckt: I, 62–66.*

Voigtländer, Gabriel, – etwa 1643 (Lübeck):
Erster Theil | Allerhand Oden vnnd Lieder/ | welche auff allerley / als Jtalianische / Frantzösische / Englische/ | vnd anderer Teutschen guten Componisten / Melodien vnd Arien gerichtet / Hohen | vnd Nieder Stands Persohnen zu sonderlicher Ergetzligkeit / in vornehmen Con- | viviis vnd Zusammenkunfften / bey Clavi Cimbalen / Lauten / Tiorben/ | Pandorn / Violen di Gamba gantz bequemlich zu ge- | brauchen / vnd zu singen/ | Gestellet vnd in Truck gegeben/ | Durch | Gabrieln Voigtländer / Jhrer Hoch-Printzlicher Durchleuch- | tigkeit zu Dennemarck vnd Norwegen / etc. wolbestelten Hoff- | Feld Trommetern vnd Musico. | – | Sohra/ | Gedruckt auff der Königl: Adeli- | chen Academy/ | Von | Henrich Krusen / bestalten Buchdrucker / daselbst. | Jm Jahr | M. DC. XLII.
S. 4 f, 10 f, 80 f, 92, 93, 108 f; *abgedruckt: I, 158–168.*

Weckherlin, Georg-Rodolf, 1584 (Stuttgart) – 1653 (London):
Georg-Rodolf | Weckherlins | Gaistliche vnd Weltliche | Gedichte. | – | Amsterdam/ | Bey Jan Jansson. | 1648.
S. 404, 405 ff, 410 f, 450 f, 506 ff, 508 ff, 511 f, 522 ff, 525 ff, 802 (2), 803, 820 f, 821 (3), 827 (2), 830 (2), 830 f, 831; *abgedruckt: I, 8–24.*

Weise, Christian, 1642 (Zittau) – 1708 (Zittau):
Christian Weisens | überflüßige | Gedancken | Der | grünenden jugend. | – |
Leipzig/ | bey Thomas Fritsch/ | 1701.
S. 3 f, 4 ff, 62 ff, 64 f, 72, 73 ff, 141 ff, 143 f, 175 ff, 190 f, 191 ff; *abgedruckt:*
II, 115–128.

Werder, Diederich von dem, 1584 (Werdershausen) – 1657 (Rheinsdorf):
Krieg vnd Sieg | Christi | Gesungen | Jn 100. Sonnetten | Da in jedem vnd jeg-
lichem Verse die bey- | den wörter / Krjeg vnd Sjeg auffs | wenigste einmahl |
befindlich seyn. | Zum andern mahl Gedruckt/ | Zu Hall in Sachsen / Bey
Melchior Oelschle- | geln / Buchführern daselbst/ | – | Jm Jahr 1633.
S. G2ᵇ, G3ᵃ, J2ᵃ; *abgedruckt: I, 94 f.*

Zesen, Filip von, 1619 (Priorau bei Dessau) – 1689 (Hamburg):
Philippi Caesii | Deutsches Helicons | Ander Theil/ | Darinnen begriffen |
Allerley Arten und Muster der | Deutschen Getichte/ | Bey welchem zu bässerm
fortgang un- | serer Poesie/ | Ein Richtiger Anzeiger | Der Deutschen gleichlau-
tenden und | einstimmigen Männlichen Wörter (nach dem | abc. Reimweise ge-
setzt / und aufs neue | vermehret) zu finden. | – | Wittenberg/ | Gedruckt bey
Johann Röhnern/ | Jm Jahr 1641.
Darin S. 97–142: Salomons | Des Hebräischen Königs | Geistliche Wollust/ |
oder | Hohes Lied/ | Jn Dactylische und Anapästi- | sche Verse gebracht/ | von
Phil. Cös.
S. 132 ff; *abgedruckt: I, 225–227.*
Filip Zesens | Deutsches Helikons/ | anderer teil/ | darinnen allerlei ahrten und
gattun- | gen deutscher gedichte/ | samt einem | Richtigen Anzeiger | deutscher
gleichlautenden und einstim- | migen weiblichen oder abfallenden wörter | (nach
dem a b c reim-weise gesetzt / und | zum letzten mahle vermehret) | zu finden. |
– | Berlin/ | Auff unkosten Daniel Reicheln Buchhl. | trukts Georg Sengen-
wald/ | im 1656 jahre.
S. 34, 35, 80 ff, 86 ff, 102 f, 128 f, 129 ff, 131 ff; *abgedruckt: I, 227–235.*
Filip Zesens | Deutsches Helikons | dritter teil/ | darinnen die gattungen derer
nuhr | aus lauter vermischten so wohl / als aus aller- | hand andern reim-bän-
den / zusammen ver- | fasseten lieder und gedichte; | wie auch | Ein richtiger
Reim-zeiger | der deutschen gleich-lautenden / und in dreien | wort-gliedern
überein-stimmigen rollenden/ | nach dem a b c reim-weise gesetzten/ | reim-
wörter / zu finden. | – | Zu Jena/ | Auf kosten Daniel Reicheln / Buch- |
händlers in Berlin / truckts Georg Sen- | genwaldt / im 1656. Jahre.
S. 47 f, 181 f; *abgedruckt: I, 235 f.*
Filips von Zesen | Dichterisches | Rosen- und Liljen- | tahl/ | mit mancherlei |
Lob-lust-schertz-schmertz-leid- | und | freuden-liedern | gezieret. | – | zu Ham-
burg | – | bei Georg Rebenlein/ | im 1670 jahre.
S. 156 ff, 300 f, 430 ff; *abgedruckt: I, 236–240.*

Zincgref, Julius Wilhelm, 1591 (Heidelberg) – 1635 (St. Goar):
M. Opicii. | Teutsche Pöemata ... 1624. [*S. u. Kirchner*]
S. 189 (2), 214 f; *abgedruckt: I, 56 f.*

Unbekannte Verfasser der Sammlung ‹Herrn von Hoffmannswaldau Gedichte›.
H. von Hoffmannswaldau und andrer Deutschen ... Gedichte ... 1695. [*S. u.
Hofmannswaldau*]
S. 72 ff; *abgedruckt: II, 101–109.*
H. von Hoffmannswaldau und anderer Deutschen ... Gedichte anderer Theil
... [*S. u. Hofmannswaldau*]
S. 65 ff, 132, 133, 134, 135 (2), 278, 278 f, 279 ff; *abgedruckt: II, 109–114.*

LITERATURHINWEISE

Anthologien

UNUS, W. (Hg.), Die deutsche Lyrik des Barock. Berlin 1922

SOMMERFELD, M. (Hg.), Deutsche Barocklyrik nach Motiven ausgewählt und geordnet. Berlin 1929.

CYSARZ, H. (Hg.), Barocklyrik, 3 Bde. Leipzig 1937 (Dt. Lit. in Entwicklungsreihen), ²1964

–, Deutsche Barock-Lyrik. Stuttgart ²1962 (UB 7804/5)

HEDERER, E. (Hg.), Deutsche Dichtung des Barock. München 31961

WEBER, A. (Hg.), Deutsche Barockgedichte. Frankfurt/M. ²1963

BECHER, J. R. (Hg.), Tränen des Vaterlandes. Deutsche Dichtung aus dem 16. und 17. Jahrhundert. Berlin ²1963

GINSBERG, E. (Hg.), Komm güldner Friede. Lyrik des Barock. München 1964 (dtv 250)

GRÜTZMACHER, C. (Hg.), Liebeslyrik des deutschen Barock. München 1965 (Fundgrube 9)

WEHRLI, M. (Hg.), Deutsche Barocklyrik. Basel 41967 (Sammlung Klosterberg N. F.)

HENKEL, A. / SCHÖNE, A. (Hg.), Emblemata. Handbuch zur Sinnbildkunst des 16. und 17. Jahrhunderts. Stuttgart 1967

SCHÖNE, A. (Hg.), Das Zeitalter des Barock. München ²1968 (Die dt. Lit. Texte und Zeugnisse 3)

WAGENKNECHT, Ch. (Hg.), Gedichte 1600–1700. Nach den Erstdrucken in zeitlicher Folge (Epochen der deutschen Lyrik, Bd. 4). München 1969

NEVEUX, J.-B., Anthologie du XVIIᵉ siècle germanique. Paris 1970

Allgemeine Darstellungen

CYSARZ, H., Deutsche Barockdichtung. Renaissance, Barock, Rokoko. Leipzig 1924

–, Deutsches Barock in der Lyrik. Leipzig 1936

MÜLLER, G., Deutsche Dichtung von der Renaissance bis zum Ausgang des Barock. Darmstadt 1927, ²1957

HANKAMER, P., Deutsche Gegenreformation und deutsches Barock. Stuttgart 31964

NEWALD, R., Die deutsche Literatur vom Späthumanismus zur Empfindsamkeit, 1570–1750. München 41963 (H. De Boor / R. Newald, Geschichte der deutschen Literatur von den Anfängen bis zur Gegenwart, Bd. 5)

FLEMMING, W., Das Jahrhundert des Barock. 1600–1700. In: Annalen d. dt. Literatur, Stuttgart ²1962

BOECKH, J. G., u. a., Geschichte der deutschen Literatur 1600–1700. Berlin 1962 (Gesch. d. dt. Lit. von d. Anfängen bis zur Gegenwart, Bd. 5)

KOHLSCHMIDT, W., Geschichte der deutschen Literatur vom Barock bis zur Klassik. Stuttgart 1966 (Gesch. d. dt. Lit. von den Anfängen bis zur Gegenwart, Bd. 2)

SZYROCKI, M., Die deutsche Literatur des Barock. Eine Einführung. Reinbek 1968 (rde 300/301)

Poetik und Rhetorik

BORINSKI, K., Die Poetik der Renaissance. Berlin 1886.

MARKWARDT, B., Geschichte der deutschen Poetik, Bd. I. Berlin ²1958

BACHEM, R., Dichtung als verborgene Theologie. Diss. Bonn 1955

BARNER, W., Barockrhetorik. Untersuchungen zu ihren geschichtlichen Grundlagen. Tübingen 1970

BEHRENS, IRENE, Die Lehre von der Einteilung der Dichtkunst vornehmlich vom 16.–19. Jahrhundert. Halle 1940 (Beihefte zur rom. Phil. 92)

BÖCKMANN, P., Formgeschichte der deutschen Dichtung, Bd. I, Hamburg 1949

BORINSKI, K., Die Antike in Poetik und Kunsttheorie. Leipzig 1914

CURTIUS, E. R., Europäische Literatur und lateinisches Mittelalter. Bern ⁶1967

DYCK, J., Ticht-Kunst. Deutsche Barockpoetik und rhetorische Tradition. Bad Homburg 1966 (Ars Poetica 1)

HERRMANN, H. P., Naturnachahmung und Einbildungskraft. Zur Entwicklung der deutschen Poetik von 1670 bis 1740. Bad Homburg 1970 (Ars poetica 8)

HILDEBRANDT-GÜNTHER, RENATE, Antike Rhetorik und deutsche literarische Tradition im 17. Jh. Marburg 1966 (Marburger Beiträge zur Germ. 13)

FISCHER, L., Gebundene Rede. Dichtung und Rhetorik in der literarischen Theorie des Barock in Deutschland. Tübingen 1968 (Studien z. dt. Lit. 10)

WYCHGRAM, MARIANNE, Quintilian in der deutschen und französischen Literatur des Barock und der Aufklärung. Langensalza 1921 (Mann's Päd. Magazin H. 803)

Einzeluntersuchungen

ALEWYN, R. (Hg.), Deutsche Barockforschung. Dokumentation einer Epoche. Köln/Berlin 1965 (Neue wiss. Bibl. 7). Der Band bringt wichtige Arbeiten bzw. Auszüge zur dt. Literatur des 17. Jhs., vornehmlich aus den zwanziger und dem Anfang der dreißiger Jahre.

ALEWYN, R., u. a., Aus der Welt des Barock. Stuttgart 1957

BARTH, H., u. a., Die Kunstformen des Barockzeitalters. 14 Vorträge. 1956 (Slg. Dalp 82)

BECKMANN, ADELHEID, Motive und Formen der deutschen Lyrik des 17. Jhs. und ihre Entsprechungen in der französischen Lyrik seit Ronsard. Tübingen 1960 (Hermaea. N. F. 5)

BEISSNER, F., Deutsche Barocklyrik. In: Formkräfte d. dt. Dichtg. vom Barock bis zur Gegenwart, Göttingen 1963

BERGER, K., Barock und Aufklärung im geistlichen Lied. Marburg 1951

BÜDEL, O., Francesco Petrarka und der Literaturbarock. Krefeld 1963 (Schriften und Vorträge des Petrarka-Instituts, Köln 17)

CLOSS, A., Die neuere deutsche Lyrik vom Barock bis zur Gegenwart. In: Dt. Philol. im Aufriß, Bd. 2, Berlin ²1960

CONRADY, K. O., Lateinische Dichtungstradition und deutsche Lyrik des 17. Jhs. Bonn 1962 (Bonner Arb. z. dt. Lit. 4)

FECHNER, J.-U., Der Antipetrarkismus. Studien zur Liebessatire in barocker Lyrik. Heidelberg 1966 (Beiträge zur neuen Literaturgeschichte)

FRICKE, G., Die Bildlichkeit in der Dichtung des A. Gryphius. Materialien und Studien zum Formproblem des dt. Literaturbarock. Berlin 1933 (Neue Forschungen 17)

GERLING, RENATE, Schriftwort und lyrisches Wort. Meisenheim/Glan 1969

HOSSFELD, R., Die deutsche horazische Ode von Opitz bis Klopstock. Diss. Köln 1962

INGEN, FERDINAND, Vanitas und memento mori in der deutschen Barocklyrik. Groningen 1966

JÖNS, D. W., Das ‹Sinnen-Bild›. Studien zur allegorischen Bildlichkeit bei A. Gryphius. Stuttgart 1966 (Germanist. Abh. 13)

JOSEPH, A., Sprachformen der deutschen Barocklyrik. Rottach a. Tegernsee 1930 (Diss. München)

JUNKER, CH., Das Weltraumbild in der deutschen Lyrik von Opitz bis Klopstock. Berlin 1932

KAYSER, W., Die Klangmalerei bei Hardörffer. Ein Beitrag zur Geschichte der Literatur, Poetik und Sprachtheorie der Barockzeit. 1932, ²1962 (Palaestra 179)

MÜLLER, G., Geschichte des deutschen Liedes vom Zeitalter des Barock bis zur Gegenwart. München 1925, ²1959

PYRITZ, H., Paul Flemings Liebeslyrik. Zur Geschichte des Petrarkismus. Göttingen ²1963 (Palaestra 234)

STRICH, F., Der lyrische Stil des 17. Jhs. In: Abhandlungen zur dt. Literaturgesch. F. Muncker zum 60. Geburtstag dargebr. München 1916

VIETOR, K., Geschichte der deutschen Ode. München 1923, ²1961

WENTZLAFF-EGGEBERT, F.-W., Das Problem des Todes in der deutschen Lyrik des 17. Jahrhunderts. 1931 (Palaestra 171)

WIESE, B. v., Die Antithetik in den Alexandrinern des Angelus Silesius. Euphorion XXIX, 1928, S. 503 ff

WINDFUHR, M., Die barocke Bildlichkeit und ihre Kritiker. Stuttgart 1966 (Germanist. Abh. 15)

ZIEMENDORFF, I., Die Metapher bei den weltlichen Lyrikern des deutschen Barock. Berlin 1933

INHALT

X

XI

XII

klassiker rororo

Texte deutscher Literatur 1500-1800

Herausgegeben von Karl Otto Conrady

Schäferromane des Barock

Johann Christoph Gottsched Schriften zu Theorie und Praxis aufklärender Literatur

Christoph Martin Wieland Aufsätze zu Literatur und Politik

Der Edition sind nach Möglichkeit Drucke der Zeit zugrunde gelegt, die kritisch durchgesehen worden sind. Über die Textgestaltung wird in jedem Band Rechenschaft gegeben. Wenn aus einem umfangreichen Werk nur eine Auswahl geboten wird, sind Auslassungen gekennzeichnet, und die Lesbarkeit ist durch eingefügte Erläuterungen des Herausgebers gewährleistet. Jedem Band ist ein Anhang beigegeben, der auch über die wichtigste Sekundärliteratur informiert.

Es liegen bereits vor:

Johann Gottfried Herder, Schriften [502/03]
W. H. Wackenroder, Schriften [506/07]
Deutsche Volksbücher [510/11]
Klopstock, Messias, Gedichte, Abhandlungen
    Hg.: Uwe-K. Ketelsen [512/13]
D. C. von Lohenstein, Cleopatra, Sophonisbe
    Hg.: Wilhelm Voßkamp [514/15]
Jung-Stilling, Lebensgeschichte [516/17]
Athenaeum, Eine Zeitschrift I u. II: 1798–1800
    Hg.: Curt Grützmacher [518/19 u. 520/21]
Johann Gottfried Schnabel, Insel Felsenburg
    Hg.: Wilhelm Voßkamp [522/23]
Komödien des Barock. Hg.: Uwe-K. Ketelsen
    [524/25]
Flugschriften des Bauernkrieges
    Hg.: Klaus Kaczerowsky [526/27]
Jakob Michael Reinhold Lenz, Werke und
    Schriften. Hg.: Richard Daunicht [528/29]
Schäferromane des Barock. Hg.: Klaus
    Kaczerowsky [530/31]
Johann Christoph Gottsched, Schriften zu
    Theorie und Praxis aufklärender Literatur.
    Hg.: Uwe-K. Ketelsen [532–34]
Christoph Martin Wieland, Aufsätze zu
    Literatur und Politik. Hg.: Dieter Lohmeier
    [535–37]
Lyrik des Barock I. u. II. Hg.: Marian
    Szyrocki [538 u. 539]
Georg Forster, Schriften zu Natur, Kunst und
    Politik. Hg.: Karl Otto Conrady [540]

rowohlts deutsche enzyklopädie

**Das Wissen des 20. Jhs. im Taschenbuch
mit enzyklopädischem Stichwort**

Herausgegeben von Ernesto Grassi
● **Diese Bände erschienen in den letzten 6 Monaten**

Philosophie

Karl Vorländer, Geschichte der Philosophie / Mit Quellentexten. Band I: Philosophie des Altertums [183/84] – Band II: Philosophie des Mittelalters [193/94] – Band III: Philosophie der Renaissance [242/43] – Band IV: Philosophie der Neuzeit: Descartes – Hobbes – Spinoza – Leibniz [261/62] – Band V: Philosophie der Neuzeit: Die Aufklärung [281/82]
● **Johann Eduard Erdmann,** Philosophie der Neuzeit / Der deutsche Idealismus. Geschichte der Philosophie VI / Mit Quellentexten [364]
● – Philosophie der Neuzeit / Der deutsche Idealismus. Geschichte der Philosophie VII. Mit Quellentexten [365]
Romano Guardini, Der Tod des Sokrates / Eine Interpretation der platonischen Schriften: Euthyphron, Apologie, Kriton und Phaidon [27]
Walter F. Otto, Die Wirklichkeit der Götter / Von der Unzerstörbarkeit griechischer Weltsicht [170]
William S. Haas, Östliches und westliches Denken / Eine Kulturmorphologie [246/47]
Daisetz Teitaro Suzuki, Zen und die Kultur Japans [66]
Ludwig Marcuse, Amerikanisches Philosophieren / Pragmatisten – Polytheisten – Tragiker [86]
Edgar Salin, Vom deutschen Verhängnis / Gespräch an der Zeitenwende: Burckhardt – Nietzsche [80]
Jean-Paul Sartre, Marxismus und Existentialismus / Versuch einer Methodik [196]
Ernst Bloch, Karl Marx und die Menschlichkeit / Utopische Phantasie und Weltveränderung [317] – Freiheit und Ordnung / Abriß der Sozialutopien. Mit Quellentexten [318/19] – Atheismus und Christentum. Zur Religion des Exodus und des Reichs [347–49]
Adam Schaff, Marxismus und das menschliche Individuum [332]
● **Gajo Petrović,** Philosophie und Revolution / Modelle für eine Marx-Interpretation. Mit Quellentexten [363]
● **Joachim Israel,** Der Begriff Entfremdung / Makrosoziologische Untersuchung von Marx bis zur Soziologie der Gegenwart [359]
Günther Schiwy, Der französische Strukturalismus. Mode – Methode – Ideologie. Mit einem Textanhang [310/11]
Max Bense, Einführung in die informationstheoretische Ästhetik / Grundlegung und Anwendung in der Texttheorie [320]
Albert Camus, Der Mythos von Sisyphos / Ein Versuch über das Absurde [90]

Religionswissenschaft und Religionsgeschichte

Robert von Ranke-Graves, Griechische Mythologie / Quellen und Deutung I [113/14]
Vilhelm Grønbech, Götter und Menschen / Griechische Geistesgeschichte II [274/75]
Franz Altheim, Der unbesiegte Gott / Heidentum und Christentum [35]
Johannes Haller, Das Papsttum / Idee und Wirklichkeit Bd. I: Die Grund-

● **Gabor Kiss,** Marxismus als Soziologie / Theorie und Empirie in den Sozialwissenschaften der DDR, UdSSR, Polens, der CSSR, Ungarns, Bulgariens und Rumäniens [329]

Zvi Rudy, Soziologie des jüdischen Volkes [217/18]

David Riesman / Reuel Denney / Nathan Glazer, Die einsame Masse / Eine Untersuchung der Wandlungen des amerikanischen Charakters [72/73]

José Ortega y Gasset, Der Aufstand der Massen [10]

Arnold Gehlen, Die Seele im technischen Zeitalter / Sozialpsychologische Probleme in der industriellen Gesellschaft [53]

Eric Hoffer, Die Angst vor dem Neuen / Freiheit als Herausforderung und Aufgabe [288]

Helmut Schelsky, Soziologie der Sexualität [2]

Eugen Lemberg, Nationalismus I: Psychologie und Geschichte [197/98] – Nationalismus II: Soziologie und politische Pädagogik [199]

Oskar Klug, Katholizismus und Protestantismus zur Eigentumsfrage / Eine gesellschaftliche Analyse [153/54]

Renate Mayntz, Soziologie der Organisation [166]

Elisabeth Noelle, Umfragen in der Massengesellschaft / Einführung in die Methoden der Demoskopie [177/78]

Günter Hillmann, Die Befreiung der Arbeit. Die Entwicklung kooperativer Selbstorganisation und die Auflösung bürokratisch-hierarchischer Herrschaft [342/43]

Philippe Muller, Berufswahl in der rationalisierten Arbeitswelt [133]

Staats- und Wirtschaftswissenschaften

Hans Apel, Der deutsche Parlamentarismus / Unreflektierte Bejahung der Demokratie? [298/99]

Walter Eucken, Grundsätze der Wirtschaftspolitik [81]

J. R. Hicks, Einführung in die Volkswirtschaftslehre [155/56]

Günter Schmölders, Konjunkturen und Krisen [3] – Finanz- und Steuerpsychologie. Erweiterte Neuauflage von Das Irrationale in der öffentlichen Finanzwirtschaft [100/01] – Geschichte der Volkswirtschaftslehre [163/64]

Börje Kragh, Konjunkturforschung in der Praxis / Prognosen und ihre Anwendung in der Konjunkturpolitik [321]

Hans Raupach, Geschichte der Sowjetwirtschaft [203/04] – System der Sowjetwirtschaft / Theorie und Praxis [296/97]

Andreas Predöhl, Das Ende der Weltwirtschaftskrise / Eine Einführung in die Probleme der Weltwirtschaft [161]

Erich Kosiol, Die Unternehmung als wirtschaftliches Aktionszentrum / Einführung in die Betriebswirtschaftslehre [256/57]

Ralf-Bodo Schmidt unter Mitwirkung von **Jürgen Berthel,** Unternehmungsinvestitionen / Strukturen – Entscheidungen – Kalküle [338]

Hans Kellerer, Statistik im modernen Wirtschafts- u. Sozialleben [103/04]

Elisabeth Noelle, Umfragen in der Massengesellschaft / Einführung in die Methoden der Demoskopie [177/78]

Clemens A. Andreae, Ökonomie der Freizeit / Zur Wirtschaftstheorie der modernen Arbeitswelt [330/31]

Oskar Klug, Katholizismus und Protestantismus zur Eigentumsfrage / Eine gesellschaftspolitische Analyse [153/54]

Anthropologie

Arnold Gehlen, Anthropologische Forschung / Zur Selbstbegegnung und Selbstentdeckung des Menschen [138]

Bronislaw Malinowski, Geschlecht und Verdrängung in primitiven Gesellschaften [139/40]

Margaret Mead, Mann und Weib / Das Verhältnis der Geschlechter in einer sich wandelnden Welt [69/70]

Geschichte, Kulturgeschichte und Zeitgeschichte

Johan Huizinga, Homo Ludens / Vom Ursprung der Kultur im Spiel [21]
T. S. Eliot, Zum Begriff der Kultur [136]
Vilhelm Grønbech, Hellas / Griechische Geistesgeschichte I: Die Adelszeit [215/16] — Griechische Geistesgeschichte II: Götter und Menschen [274/75]
Franz Altheim, Entwicklungshilfe im Altertum / Die großen Reiche und ihre Nachbarn [162]
Basil Davidson, Vom Sklavenhandel zur Kolonialisierung / Afrikanisch-europäische Beziehungen zwischen 1500 und 1900 [266/67]
Erwin Hölzle, Geschichte der zweigeteilten Welt: Amerika und Rußland [135] — Die Revolution der zweigeteilten Welt — Eine Geschichte der Mächte 1905–1929 [169]
Joel Carmichael, Die russische Revolution / Von der Volkserhebung zum bolschewistischen Sieg. Februar–Oktober 1917 [283/84]
Günter Hillmann, Selbstkritik des Kommunismus / Texte der Opposition [272/73]
Pietro Gerbore, Formen und Stile der Diplomatie [211/12]
Eugen Lemberg, Nationalismus I: Psychologie und Geschichte [197/98] — Nationalismus II: Soziologie und politische Pädagogik [199]
Margret Boveri, Der Verrat im 20. Jahrhundert. IV: Verrat als Epidemie: Amerika / Fazit [105/06]
Hildegard Brenner, Die Kunstpolitik des Nationalsozialismus [167/68]
Ingeborg Y. Wendt, Geht Japan nach links? [202]
Edvard Kardelj, Vermeidbarkeit oder Unvermeidbarkeit des Krieges / Die jugoslawische und die chinesische These [128]
Georg Lukács, Marxismus und Stalinismus / Politische Aufsätze. Ausgewählte Schriften IV [327/28]

Kunstwissenschaft und Kunstgeschichte

Karl Schefold, Römische Kunst als religiöses Phänomen [200]
Guido Kaschnitz von Weinberg, Römische Kunst I: Das Schöpferische in der römischen Kunst [134] — II: Zwischen Republik und Kaiserreich [137] — III: Die Grundlagen der republikanischen Baukunst [150] — IV: Die Baukunst im Kaiserreich [165]
Hans Jantzen, Kunst der Gotik / Klassische Kathedralen Frankreichs [Chartres — Reims — Amiens] [48/49]
Gustav René Hocke, Die Welt als Labyrinth / Manier und Manie in der europäischen Kunst [50–52]
Christa Baumgarth, Geschichte des Futurismus / Balla · Boccioni · Carrà · Marinetti · Palazzeschi · Prampolini · Russolo · Sant'Elia · Severini [248/49]
Christian Kellerer, Objet trouvé und Surrealismus / Zur Psychologie der modernen Kunst [289]
Walter Hess, Dokumente zum Verständnis der modernen Malerei [19]
Jürgen Claus, Theorien zeitgenössischer Malerei in Selbstzeugnissen von Pollock · Hartung · Tàpies · Nay · Baumeister · Michaux · Vedova · Mathieu · Wols [182] — Kunst heute / Personen, Analysen, Dokumente [238/39]
Jürgen Claus, Expansion der Kunst / Action–Environment–Kybernetik–Technik–Urbanistik [334/35]
Reyner Banham, Die Revolution der Architektur / Theorie und Gestaltung im Ersten Maschinenzeitalter [209/10]

Literaturwissenschaft und Sprachwissenschaft

Karl Otto Conrady, Einführung in die Neuere deutsche Literaturwissenschaft [252/53]

Jean-Paul Sartre, Was ist Literatur? [65]

Werner Krauss, Grundprobleme der Literaturwissenschaft / Zur Interpretation literarischer Werke. Mit Textanhang [290/91]

Friedrich-W. und Erika Wentzlaff-Eggebert, Deutsche Literatur im späten Mittelalter 1250–1450. Mit Lesestücken. I: Rittertum – Bürgertum [350/52] – II: Kirche [353–55] – III: Neue Sprache aus neuer Welterfahrung [356–58]

Marian Szyrocki, Die deutsche Literatur des Barock / Opitz – Fleming – Zesen – Gryphius – Lohenstein – Grimmelshausen – Beer [300–01]

Georg Lukács, Ausgewählte Schriften I: Die Grablegung des alten Deutschland / Essays zur deutschen Literatur des 19. Jahrhunderts [276] – Ausgewählte Schriften II: Faust und Faustus / Vom Drama der Menschengattung zur Tragödie der modernen Kunst [285–87]

Hugo Friedrich, Die Struktur der modernen Lyrik / Von der Mitte des neunzehnten bis zur Mitte des zwanzigsten Jahrhunderts [25–26a]

Walter Höllerer, Theorie der modernen Lyrik / Dokumente zur Poetik I [231–33]

Christa Baumgarth, Geschichte des Futurismus: Balla – Boccioni – Carrà – Marinetti – Palazzeschi – Prampolini – Russolo – Sant/Elia – Severini / Mit Dokumenten und Texten [248/49]

Gerda Zeltner-Neukomm, Das Wagnis des französischen Gegenwartromans / Butor – Robbe-Grillet – Sarraute – Beckett – Queneau – Camus – Malraux – Sartre [109]

Georg Lukács, Ausgewählte Schriften III: Russische Literatur – Russische Revolution. Puschkin – Tolstoi – Dostojewskij – Fadejew – Makarenko – Scholochow – Solschenizyn [314/16]

Gustav René Hocke, Manierismus in der Literatur / Sprach-Alchimie und esoterische Kombinationskunst [82/83]

Rudolf Pfeiffer, Geschichte der klassischen Philologie. Von den Anfängen bis zum Ende des Hellenismus [344/46]

Hans Eggers, Deutsche Sprachgeschichte I: Das Althochdeutsche [185/86] – II: Das Mittelhochdeutsche [191/92] – III: Das Frühneuhochdeutsche [270/71]

Mario Wandruszka, Der Geist der französischen Sprache [85]

Benjamin Lee Whorf, Sprache – Denken – Wirklichkeit / Beiträge zur Metalinguistik und Sprachphilosophie [174]

Max Bense, Einführung in die informationstheoretische Ästhetik. Grundlegung und Anwendung in der Texttheorie [320]

Musikwissenschaft und Musikgeschichte

Theodor W. Adorno, Einleitung in die Musiksoziologie / Zwölf theoretische Vorlesungen [292/93] – Nervenpunkte der Neuen Musik / Ausgewählt aus «Klangfiguren» [333]

Theaterwissenschaft und Film

Hans Heinrich Borcherdt, Das europäische Theater im Mittelalter und in der Renaissance [322–24]

Martin Esslin, Das Theater des Absurden [234–36]

Hans Eggers

Deutsche
Sprachgeschichte

rowohlts deutsche enzyklopädie

I: Das Althochdeutsche
II: Das Mittelhochdeutsche
III: Das Frühneuhochdeutsche

rowohlts deutsche enzyklopädie 185/86, 191/92, 270/71

In dem auf 4 Bände geplanten Werk wird zum erstenmal der Versuch unternommen, die Entwicklung der deutschen Schriftsprache unter soziologischem Gesichtspunkt darzustellen: es wird von dem sprechenden und Sprache schaffenden Menschen ausgegangen und gefragt, in welcher Gruppe oder Schicht die wesentliche sprachschöpferische Leistung im jeweils behandelten Zeitraum vollbracht wurde. Während im ersten, die Jahrhunderte der geistigen Auseinandersetzung mit der lateinisch-christlichen Tradition umfassenden Band (750–1050) die klerikalen Autoren als Sprachschöpfer beherrschend sind, tritt in der mittelhochdeutschen Periode (Bd. II, 1050–1350) neben den geistlichen, in der Mystik gipfelnden, die weltliche Literatur in den Vordergrund: Chroniken, Spielmannsdichtung und – als Höhepunkt – höfische Dichtung. Nach dem Zerfall der im Mittelhochdeutschen nahezu erreichten Einheit der deutschen Schriftsprache wird die sprachschöpferische Aufgabe vom erwachenden Bürgertum übernommen (Bd. III, 1350–1650). Die Herausbildung einer deutschen «Geschäftssprache» in den großen fürstlichen und städtischen Kanzleien wird an Bedeutung rasch überflügelt durch zwei eine gesamtdeutsche Schriftsprache unwiderruflich begründende Ereignisse: die Erfindung des Buchdrucks und die Bibelübersetzung Martin Luthers.
Alle Bände enthalten, neben sprachgeschichtlichen Analysen literarischer und geschäftlicher Dokumente im – ausgezeichnet geschriebenen – Text, repräsentative Quellenanhänge.